S0-CAY-457

Månpocket

Mari Jungstedt

DET FÖRLOVADE LANDET

Månpocket

Huvudkaraktärerna i serien om Gran Canaria har skapats tillsammans med Ruben Eliassen.

Denna Månpocket är utgiven enligt överenskommelse med
Albert Bonniers Förlag, Stockholm

Omslag: Sofia Scheutz Design
Omslagsbild: © Shutterstock,
Ladida/iStockphoto (kvinna)
och Sofia Scheutz

Tryckt hos ScandBook UAB, Litauen 2018

ISBN 978-91-7503-793-6

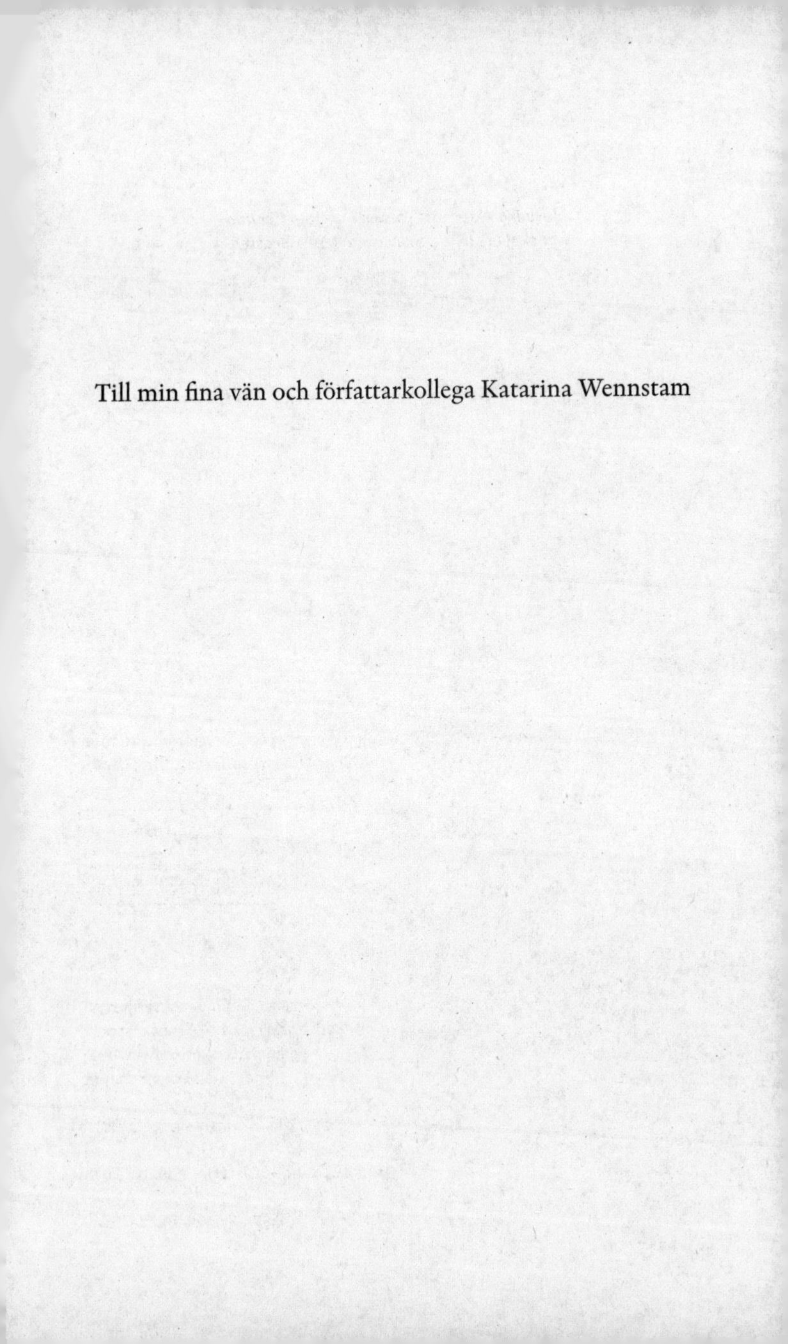

Till min fina vän och författarkollega Katarina Wennstam

1977

Hade Juan Rivera haft en aning om vilka förödande konsekvenser hans tilltag skulle få hade han vänt bilen och kört hem och ägnat denna solvarma söndag åt att gå ner till stranden med frun och barnen istället. Nu satt han bakom ratten och tänkte på den unga kvinna som arbetat i blomsteraffären när han rekognoscerade på platsen några dagar tidigare. Marcelina Sanchez stod det på hennes namnskylt. Vacker var hon, säkert inte mer än tjugofem. Hur skulle det gå för henne? Han kunde inte hjälpa att hans tankar återkom till henne, även om ledaren för självständighetsivrarna, Antonio Cubillo, försökte få honom att se till kampen i stort och inte till enskilda. Så länge Kanarieöarna var en spansk koloni låg ögruppen i krig med Spanien och allt måste göras för att vinna kriget. Varje tänkbart medel var tillåtet så länge det gynnade saken.

Det var varmt i luften och solen hettade över flygplatsen när han parkerade utanför terminalen. Svetten fick skjortan att klibba mot bilsätets ryggstöd och han upptäckte att han hade mörka fläckar under armarna. En snabb koll i backspegeln innan han klev ur. Han strök handen över håret och rättade till frisyren. Förhoppningsvis var det bara han själv som lade märke till oron i blicken, de små svettdropparna på överläppen som avslöjade att han var nervös. Han klev ur, öppnade bakluckan och lyfte ut den lilla resväskan. Den kändes tung. Han ställde ner den på marken och tände en cigarett. Längre bort fick han syn på två uniformerade poliser från Guardia Civil som promenerade längs terminalen bort mot parkeringen. De verkade inte ta någon notis om honom. För att inte väcka uppmärksamhet tittade han ner i marken. Drog ett par sista bloss. En del av honom ville bara sätta sig i bilen och åka därifrån. Istället krossade han fimpen under skosulan, tog ett stadigt tag i väskan och gick med raska steg mot entrén. Som om han hade ett flyg att hinna till.

Vaksamt tittade han sig omkring när han klev in i terminalbyggnaden. Enstaka personer kom dragande med bagagevagnar och rörde sig mot den långa raden av incheckningsdiskar. Golvet i den vidsträckta avgångshallen blänkte. Det var förhållandevis lugnt. En flicka i tioårsåldern försökte hålla fast en hundvalp i famnen medan hon skyndade efter sina föräldrar, några flygvärdinnor med strama uniformer och små prydliga kabinväskor klapprade förbi på höga klackar. De pratade och skrattade obekymrat. Inga poliser i sikte. Han styrde stegen mot blomsteraffären. Det verkade folktomt därinne. Bakom disken skymtade han den söta expediten, Marcelina Sanchez arbetade även i dag. Hon hade långt mörkt hår i en hästsvans.

Han gick in och mötte hennes blick utan att vika undan. Log och beställde en bukett med tjugo högskaftade, röda rosor som hon måste plocka ihop från en glasmonter där snittblommorna förvarades. Det skulle ge honom tillräckligt med tid. När hon vände ryggen till gömde han väskan med sprängladdningen mellan några stora blomkrukor i ett hörn. Timern var inställd på klockan tolv. Prick. Tio minuter återstod innan det skulle smälla.

Han berömde buketten expediten satt ihop. En flyktig förnimmelse av vemod inombords när hon log mot honom. Åtta minuter kvar. Han betalade med jämna pengar och lämnade butiken. Fortsatte lugnt genom terminalbyggnaden och mot entrén. Kastade återigen en blick på klockan. Sju minuter, tänkte han.

Sju minuter kvar av värmen i Marcelina Sanchez leende och glansen i hennes blick.

*

KLM:s flight nummer 4805 med destination Las Palmas hade lämnat Amsterdam samma söndagsmorgon som mannen med sprängladdningen vandrade in på Gran Canarias flygplats. Inne i cockpit var stämningen god. Kapten Jacob van Zanten var flygbolagets stjärnpilot och frontfigur, ansiktet utåt i reklamkampanjer över hela världen och en av de mest erfarna kaptenerna i KLM-flottan. Nu såg han fram emot att strax landa på Gran Canaria med jumbojeten fylld av förväntansfulla semesterfirare som var på väg till värmen. Men strax före landning knastrade det till i radion från kontrolltornet.

– Hallå KLM 4805, det här är Gando, Las Palmas. Styr om kursen till Los Rodeos på Teneriffa. Ni ombeds sjunka till flygnivå 250.

– Åh nej, muttrade kapten van Zanten. Vad är det här? Han suckade tungt och vände sig mot styrmannen. Gå ner till 250.

*

I flygledartornet på Los Rodeos rådde en febril aktivitet. Fernando Azcúnaga och hans kollega hade fullt upp med att ta emot den oväntade anstormningen av plan som akut dirigerats om till Teneriffa istället för att landa som det var tänkt på Gran Canaria.

Några timmar tidigare hade en sprängladdning detonerat på Las Palmas flygplats. Hur många som skadats eller om någon dödats hade man än så länge inga uppgifter om, förutom att den stackars expedit som arbetade i blomsterbutiken där sprängladdningen placerats hade förts till sjukhus med allvarliga skador. När flygplatsen skulle kunna öppna igen var osäkert. Hot om fler bomber hade framförts per telefon och polisen måste först söka igenom vartenda skrymsle med bombtekniker och hundar. Uppgifter cirkulerade redan om att den militanta kanariska separatiströrelsen MPAIAC tagit på sig dådet. Plan efter plan landade på den lilla flygplatsen på Teneriffa som hade mer av en regional karaktär än en internationell. Alla flygmaskiner fick inte plats på parkeringsplattan och fick därför ställas på olika startbanor i väntan på att få lyfta mot Gran Canaria.

– Vi har inte kapacitet för det här, muttrade Fernando.

Han tog av sig glasögonen och masserade näsryggen.

Några jumbojetar hade aldrig tidigare landat på Los Rodeos och nu stod där två bjässar parkerade: en Boeing 747 från holländska KLM med 234 passagerare ombord och en likadan flygplanstyp från Pan Am med så många som 378. De amerikanska resenärerna hade tvingats stanna kvar i kabinen under stoppet eftersom det inte fanns möjlighet att ta emot dem på den lilla terminalen. Stackars jävlar, tänkte Fernando. Tjugo timmar tidigare hade de startat från Los Angeles och sedan mellanlandat i New York för att plocka upp fler semesterfirare.

Oroligt tittade han ut över kaoset av flygplan som stod parkerade huller om buller. Solen som skinit tidigare på dagen hade försvunnit och nu hopade sig molnen. En dimma hade dragit in och långsamt spred sig dess täcke över terminalbyggnader och startbanor. Fernando strök svetten ur pannan. Fler plan kunde inte landa, det fanns inte plats. Stressen började krypa i kroppen. Kontrolltornet tappar kontrollen, tänkte han och skakade på huvudet. Det var absurt. Till råga på allt var det bara Fernando och en kollega till i tornet fast de hade behövt vara betydligt fler. Han kände igen signalerna. Adrenalinet pumpade runt i blodet, hjärtat slog hårdare än det borde. Situationen höll på att gå honom fullständigt ur händerna.

Längre hann han inte tänka förrän det efterlängtade beskedet kom. Flygplatsen i Las Palmas hade sökts igenom, inga fler sprängladdningar hade hittats och man hade fått grönt ljus från polisen att öppna.

– Tack gode gud, pustade Fernando till kollegan som höjde armarna i en segergest. Det var i sista minuten.

Nu kunde planen äntligen börja lyfta mot Gran Canaria. För varje flyg som försvann kände Fernando sig lugnare. Men de två jumbojetarna som fortfarande var kvar bekymrade honom. KLM-planet blockerade vägen för Pan Am-maskinen och den holländske kaptenen hade plötsligt gett order om att bränsletankarna skulle fyllas på, vilket innebar ytterligare försening. Till råga på allt hade det börjat regna och sikten försämrades för varje minut som gick.

– Snart kommer det att vara på förbudsnivå, varnade Fernando sin kollega. Han lutade sig mot fönstren som löpte runt tornet och försökte urskilja planen i dimman. Det är för jäkligt att vi inte har markradar, då hade vi vetat deras exakta position.

– Vi får förlita oss på radiokommunikationen, sa kollegan bistert.

En stund senare meddelade KLM att de var klara med tankningen och redo för take off.

– Okej, ni kan börja taxa ut på startbanan, meddelade Fernando via radion, samtidigt som han anropade Pan Am och bad dem rulla ut på den första startbanan och vänta där tills KLM-planet hade passerat och kommit iväg. Han vände sig mot kollegan.

– Nu är det snart över.

Innan han knäppte av radion uppfattade han ett trött jubel i cockpit på Pan Am-planet. Han förstod dem mer än väl.

Dimman hade lättat en aning, men han kunde inte skönja något av planen. De holländska piloterna stod färdiga för avgång, men hade ännu inte fått klartecken att lyfta. Fernando måste först försäkra sig om att Pan Am-planet var ur vägen. Han kände käkarna spännas, det gamla vanliga stresstrycket över bröstet.

Han ville bara få allt överstökat så att han kunde gå hem, äta en bit mat, ta en öl och slappna av.

Han hämtade en flaska vatten ur kylskåpet och klunkade i sig. Att försöka skönja något genom fönstret var meningslöst. Hur han än försökte skärpa blicken kunde han inte ens få en fingervisning om var de bägge planen befann sig. Det var fortfarande ett näst intill ogenomträngligt, tjockt dimtäcke därute.

*

Inne i Pan Am-planets cockpit var piloterna uttröttade och irriterade över dröjsmålet som KLM-planets bränsletankning förorsakat. De ville bara komma fram, få lämna planet, röra på sig och andas frisk luft. Det var instängt i den trånga cockpiten och de hade suttit därinne i så många timmar att det kändes som om luften höll på att ta slut.

– Fan, suckade kapten Victor Grubbs. Att det ska ta sån tid. Om holländarna inte hade blockerat vägen hade vi kommit iväg för länge sen.

Han var svettig, trött och torr i munnen. Benen var halvt bortdomnade och axlarna värkte. En annalkande migrän kom smygande bakerst i skallen.

Så sprakade det till i radion. Piloterna drog en djup suck av lättnad. Men det var svårt att höra vad som sades. Rösten var knastrig och flygledaren talade engelska med kraftig spansk brytning.

– Gå till första startbanan på vänster sida.

– Tredje? frågade kapten Victor Grubbs.

– Ja, gå till första på vänster sida.

Kaptenen gav förste styrman Robert Bragg en snabb blick.

– Jag tyckte han sa första, sa Robert.

Med den spanska brytningen var det lätt att förväxla *third* med *first*.

En viss förvirring uppstod som förvärrades av den dåliga

sikten och att det visade sig att den tredje startbanan krävde en mycket kraftig sväng, nästan omöjlig att genomföra utan att hamna utanför själva startbanan. Dimman låg tjock utanför fönstret och hade hunnit tätna till ogenomtränglighet.

– Han kan väl inte ha sagt den första, den har vi ju passerat, muttrade Victor och stirrade stint genom framrutan där bara fragment av banan skymtade i dimman och regnet.

– Kanske menade han den tredje efter den första, då blir det egentligen den fjärde och den är mycket lättare att ta av till, föreslog styrmannen osäkert. Tar vi den tredje blir det en vänstersväng på 135 grader, vi riskerar att hamna ute på barmarken.

– Man undrar vad fan som händer med KLM-planet. Jag fattade det som att de har fått klart för start.

Längre hann de inte. Plötsligt uppenbarade sig ett starkt ljussken ur dimman. I en fart av 250 kilometer i timmen kom jumbojeten från KLM dånande rakt emot dem. På väg att lyfta, men med hjulen fortfarande på startbanan. Världen frös till is.

– Vad i helvete, skrek kaptenen. Väj, väj!

Så den oundvikliga smällen. Den ena gigantiska flygkroppen kraschade in i den andra. Front mot front, plåt mot plåt, människa mot människa. Skrik av ångest och panik från bägge kabiner under det ögonblick passagerarna förstod vad som höll på att hända. Total maktlöshet.

En öronbedövande explosion från det fulltankade KLM-planet. Enorma gulröda flammor slog upp mot den grå himlen. Tjock svart rök bolmade upp som ett atommoln mot skyn. Ett inferno av eld, vrakdelar spridda över marken, blod, krossat glas, kroppsdelar, klädtrasor, människor som brinnande lyckades ta sig ut ur en av de kraschade flygmaskinerna. Barnens gråt skulle alltid ringa i de få överlevandes öron. Skriken från de 583 människor som förlorade sina liv skulle aldrig tystna.

Fernando stod fastfrusen i flygledartornet medan den värsta kraschen i flygindustrins historia inträffade.

*

Klockan sex samma kväll stod Juan Rivera hemma i sitt kök tillsammans med hustrun och skrapade ihop resterna av den paella de ätit tillsammans med några vänner till söndagslunch. Paula och Fabiano lekte på gatan utanför huset med grannens ungar och utanför fönstret sken solen. Det fina vädret hade kommit tillbaka.

De lyssnade på musik på radion, men plötsligt avbröts sändningen av ett viktigt meddelande. Radions nyhetsuppläsare meddelade att en flygkatastrof inträffat på Teneriffas flygplats till följd av ett bombattentat tidigare samma dag som lett till att flygplatsen i Las Palmas tvingats stänga.

Juan släppte gaffeln han höll i handen. Med en liten skräll föll den till golvet. Hans hustru frågade hur det var fatt, men han kunde inte tala.

Han kunde knappt andas.

1

På radion hade de varnat för stormen i flera dagar. Efter den varmaste och soligaste julhelg som någon kunde minnas hade ett kraftigt lågtryck förflyttat sig över Atlanten och intagit ögruppen utanför Afrikas västkust. Regnet öste ner över Puerto Ricos klippor där hotellen och lägenhetskomplexen klättrade över bergsmassiven. Branterna ner mot stranden och hamnen var vitklädda av turistanläggningar som låg så tätt att man bara kunde skymta bergen där emellan. Hissar tog gästerna upp på höjderna, medan de mer spänstiga kämpade sig upp och ner för trappor varje dag för att komma till stranden, restaurangerna och butikerna. Nu låg den gyllengula sandstranden öde, solstolarna hade staplats ovanpå varandra och bundits hårt samman för att inte flyga iväg och kastas omkring i blåsten. Svarta moln jagade över himlen som bara några timmar tidigare varit klarblå. I den vida hamnen låg turistbåtar, lyxkryssare och fiskeskutor sida vid sida. De kanariska träbåtarna avtecknade sig som färgglada silhuetter mot den mörknande horisonten och utgjorde en skarp kontrast mot de blankpolerade lustjakterna. Båtarna guppade oroligt, men låg tätt ihop, fastsurrade i sina förtöjningar som om de försökte skydda sig mot ovädret. Längre ut piskade vinden de skummande vattenmassorna som lyfte sig flera meter högt innan de rasade vidare.

Himlen mörknade alltmer, blåsten ven över hustaken, slog

omkull utebord och stolar, rev ner markiser utanför butikerna och fick grenar från träden att knäckas.

Regnet smattrade ursinnigt mot asfalten. De enstaka personer som var tvungna att ta sig fram utomhus skyndade hukande fram på gatorna med vattnet forsande i rännstenen.

Många av turisterna hade tagit sin tillflykt till någon av barerna inne i det jättelika köpcentret i utkanten av Puerto Rico. På utsidan såg det mest ut som ett fyrkantigt betongkomplex med diverse neonskyltar som försökte locka till sig turister med text som Irish Pub, British Steakhouse, Den norske kro eller Björns Frisör. Insidan var ett virrvarr av tatueringsstudios, thailändska buffématställen, engelska pubar, turistbutiker med billiga kläder, solglasögon och souvenirer, några trista kontor och ett stort antal mer eller mindre nergångna barer och restauranger där det snarare handlade om att servera den billigaste ölen än att erbjuda gemytlighet eller mat med kvalitet.

En av de minsta barerna längst in i centret hette uppfinningsrikt nog Svenska baren och där var nästan alla bord fullsatta. Klockan närmade sig nio på kvällen och många hade sedan länge fått i sig för mycket. Barägaren Fredrik Gren skulle just servera några överförfriskade landsmän vid ett av borden ännu en omgång öl när han upptäckte hur ett fönster längst bort i lokalen stod och slog kraftigt i blåsten. Han satte ifrån sig den fullastade brickan och gick för att stänga fönstret innan ovädret smällde det i bitar. Han suckade när han hörde en stammis kalla otåligt på honom ute i baren. Han höjde musiken för att överrösta vinden utanför, det var passande nog Abbas spanskklingande Chiquitita som spelades. Flera av gästerna skrålade med i refrängen.

Dessa eviga turister, tänkte han. När de kom hit förvandlades de till fyllesvin nästan allihop. Vissa satt här och snackade skit dagarna i ända, gjorde inte ett skapandes grand. Bodde på ön år efter år utan att bry sig om att vare sig lära sig språket eller ta del av samhället och den kanariska kulturen. Fredrik kunde gott förstå de öbor som avskydde dem. Samtidigt var han tvungen att hålla god min när de klagade över kanariska servitörer som inte förstod svenska eller hur kanariernas avslappnade inställning till livet retade gallfeber på dem, som när hantverkare inte dök upp i tid eller när bilar stannade mitt i vägen för att släppa av en skock ungar eller hämta upp gammelfarmor. Odågorna utgjorde hans levebröd, så var det bara. Han nickade deltagande när de kom med sina klagovisor, log och småpratade med dem. Låtsades vara intresserad av deras historier som alltid var mer eller mindre desamma och gav tips om alltifrån var man kunde hyra bil till vilka nattklubbar som var värda ett besök och var man kunde äta hederlig svensk husmanskost.

Fredrik suckade lätt, tog serveringsbrickan och bar ut den till borden. Flera av gästerna hade suttit där hela dagen och han kunde se på de simmiga blickarna och famlandet efter cigarettpaketen att de skulle ha mått bra av att avsluta kvällen långt tidigare, men så länge de kunde betala för sig lät han dem sitta kvar. Det var oftast samma människor som hängde där. Vissa bodde på ön året runt, hade flyttat från det kalla Norden för gott. De hade gjort sig av med sina bostäder, lämnat arbete, familj och vänner för att förverkliga drömmen om ett liv i solen. Andra tillbringade bara vintrarna på Gran Canaria, återkom varje år, oftast i oktober, och stannade till påsk. Då och då hände det att nya människor dök upp, ansikten han inte kände igen. Det kunde vara vänner eller släktingar som kom på besök eller någon som förvillat sig dit i brist på något vettigare att göra.

Maratondrickandet hade fascinerat honom i början. Folk kunde träffas vid tolvtiden på dagen, slå sig ner för att ta ett par öl, men sedan bli sittande och dricka och prata om absolut ingenting till tio på kvällen. Ofta utan att komma på tanken att äta något. De blev mätta av ölen. Alkoholen var både en lömsk bov och en kär vän.

Fredrik uppfattade en del av samtalen när han kryssade mellan borden. Skvaller om folk som inte var närvarande, tal om sjukdomar, vädret, någon nyöppnad restaurang, priset på öl. De var som en liten familj, en klubb samlad av tillfälligheter. Många saknade något meningsfullt att göra med sin tillvaro. Det enda de egentligen hade gemensamt var drickandet. De flesta av stammisarna var över sextio, silverhåriga och mer eller mindre nergångna med hopsjunkna axlar och en trötthet i blicken. Ansikten slitna av åratals supande. Några enstaka var i fyrtioårsåldern, en del kvinnor hade fortfarande något av en attraktionskraft kvar och dem brukade Fredrik roa sig med när möjligheten dök upp. Han flirtade och lockade ibland iväg en och annan på lite hångel eller kanske mer. Han hade tappat räkningen på hur många kvinnor han satt på i något skrymsle inom köpcentrets grå betongväggar medan deras män satt redlösa vid borden med blicken fixerad djupt ner i glaset. Det var ett av de små nöjen som gjorde att han stod ut. En stunds spänning, en bekräftelsekick, en tillfällig flykt från vardagen. Några betänkligheter gentemot sin fru hade han inte. Hanne var inte direkt Guds bästa barn hon heller.

Ljudet av ett glas som krossades mot golvet fick honom att vända sig om. Fan, tänkte han när han hörde spridda skratt. Det var inte första gången ett glas gick i kras den här kvällen och det skulle säkert inte bli det sista.

– Vad sysslar du med? Klantskalle.

En av stamgästerna, Linda, fräste åt sin man Benke vid ett av borden. De bodde borta i San Agustín, men satt ofta på Svenska baren tillsammans med några av sina vänner som hade en lägenhet i Puerto Rico. Många uppfattade dem nog som ett snyggt par i fyrtiofemårsåldern med cool, om än något bedagad look. Han lång, gänglig med skinnjacka, gråsprängd skäggstubb och polisonger. Ring i örat och slitna jeans. Hon mörkhårig med stora örhängen, högklackade stövlar och kajalpenna kring de bruna ögonen med fuktig sängkammarblick.

Benke försökte räcka sin fru en ask Coronas, men Linda slog

undan paketet med handen. Hon vände sig bort från honom och fick syn på Fredrik som kom ut från baren med sopkvast och skyffel. Genast ändrades hennes ansiktsuttryck och förbyttes i ett lekfullt leende.

–Benke har bara spanska cigaretter, sa hon mjukt till honom. Har du några andra?

Fredrik blinkade i samförstånd mot Benke medan han fiskade upp sitt eget paket Marlboro ur bröstfickan och räckte över det till henne. Hon gav honom en lång uppskattande blick.

Fredrik var van vid att det kunde uppstå bråk och tjafs mellan gästerna när alkoholintaget blev för högt. Svartsjukedraman var vanliga. Tillvaron på ön gav människor en smalare horisont, det fanns inte så många ämnen att gräla om. När klockan hade passerat midnatt var det äntligen dags att börja stänga. Fredrik tittade ut över de få gäster som ännu satt kvar. Benke hade druckit upp sin öl och Linda höll på att tömma det sista rödvinsglaset. Han gick ut, torkade av de bord som var tomma, hämtade in glas och bägare och tömde askkopparna. Ställde ihop stolar. En tydlig signal till de kvarvarande att det var dags att tänka på refrängen.

Benke reste sig och Fredrik hörde hur han sa till sin fru att de måste gå. Hon verkade irriterad, men gav med sig. De vinkade hejdå och Linda envisades med att komma fram till baren och kindpussas innan de gick. Hon gav hans rumpa en liten tryckning. Fredrik blev stående och såg efter dem när de försvann ut i labyrinten av gångar i det neonblinkande köpcentret.

2

Sara Moberg kände rastlösheten krypa inombords. Hon var väl bekant med tillståndet, hade upplevt det allt oftare på sista tiden. Det var lördagskväll och hon låg i soffan i det ombonade vardagsrummet och zappade håglöst mellan tevekanalerna. Samtidigt lyssnade hon till hur regnet slog hårt mot fönstren och vinden tjöt runt knuten. Hennes man Lasse var med barnen på en fotbollsmatch i Las Palmas så hon var ensam hemma. Och tur var väl det, det måste vara förfärligt att befinna sig på en fotbollsarena i det här ruskvädret. Om nu matchen ens kunnat genomföras. Fast Las Palmas låg en halvtimme bort och det var inte säkert att vädret var likadant där som här på den södra kusten. Det kunde skifta betydligt. Lasse och barnen hade planerat att gå ut och äta med goda vänner efteråt och hon förstod att det skulle bli sent.

Sara hade inbillat sig att hon skulle må bra av att vara ensam hemma en kväll, men hon kände sig bara orolig. De smakfullt tapetserade väggarna prydda med tavlor och fotografier på familjen tycktes krympa omkring henne. Värmen från brasan som sprakade i öppna spisen kändes inte hemtrevlig utan mest påträngande. Irriterat kastade hon av sig pläden hon lagt om benen och slängde undan de fluffiga soffkuddarna. Det brukade bli ruggigt inomhus på vintern med de kalla stengolven och avsaknaden av uppvärmning, särskilt när det var dåligt väder, men nu kändes det alldeles för varmt. Var det inte väldigt kvavt härinne? Eller höll hon på att komma i klimakteriet? Var det de där vallningarna folk pratade om, som var tydliga tecken på att man var på väg in i övergångsåldern? Bara tanken gjorde henne svettig.

Sara stängde av teven, lade ifrån sig fjärrkontrollen och reste sig. Gick uppför trappan till sovrummet, skalade av sig mysdressen, drog ut en byrålåda och letade fram löpartightsen och sportbehån som hon inte använt på länge. Byxorna stramade runt midjan trots det elastiska materialet. Hon hade motionerat alltför lite på sistone, samtidigt som hon unnat sig i överkant av både mat och vin. Kanske tröståt hon för att kompensera. Hon nöp i skinnet runt magen och suckade missnöjt. Åldern gjorde förstås också sitt till, att hålla vikten blev knappast lättare med åren. Hon måste ut innan hon fick ett sammanbrott. Hon struntade i att det var kväll och mörkt och att vädret dessutom var förfärligt.

Hon hörde hur grenar från träd och buskar närmast huset slog mot fasaden i den hårda blåsten och hur regnet smattrade mot taket. Ljudet var ovanligt, det var inte ofta det regnade här nere på södra Gran Canaria. Inom en minut skulle hon vara genomblöt i sin tunna vindtygsjacka, men det gjorde detsamma.

Nedanför huset, som låg uppe på bergets topp, bredde turistorten San Agustín ut sig, med restauranger, shoppingcentra och hotell som glimmade i kvällsmörkret. Längre bort skymtade det oändliga havet, så här om kvällen svart och mystiskt. Hon kunde ana hur vågorna kastade sig fram och tillbaka långt därute, med vita kammar på de spetsiga topparna. Ett jättelikt kryssningsfartyg med tända lanternor och hundratals lysande fönstergluggar kom glidande i mörkret. Troligen var det för stort för att låta sig påverkas nämnvärt av stormen. Det såg ut att vara på väg norrut mot Las Palmas. Annars verkade det tomt på båtar, det var väl inga mindre som vågade ge sig ut. Hon snörde på sig skorna och beslöt sig för att ta bilen ner till stranden. Det kändes för långt att gå nerför berget i det här ruskvädret, men hon behövde höra havet, känna dess urkraft.

Sara ställde bilen på parkeringen ovanför den populära restaurangen El Capitán och låste efter sig. Började sedan gå på den asfalterade vägen utmed havet, även om vinden och regnet som piskade henne i ansiktet tvingade henne att huka. Samtidigt fanns det något befriande i vädrets raseri. Det påminde henne om Sverige, som en redig storm i oktober då hösten tog ett allt starkare grepp om hennes gamla hemland.

Tankarna malde i huvudet medan hon satte fötterna i marken i allt snabbare tempo. Varför rörde hon inte på sig oftare, passade på att motionera här på strandpromenaden som bara låg ett stenkast från Dag & Natts redaktion? Svaret låg nära till hands. Hon hade stagnerat, blivit trögare. Det var lätt att fastna i rutinerna, i det som var vardag. En ansvarstagande människa hade plikter, protesterade en röst inuti henne. Jobbet som redaktör på öns enda skandinaviska tidning tog mycket tid, liksom hemmet, barnen. Men det var just den präktiga, ansvarstagande Sara som på sistone börjat gå henne på nerverna. Visserligen tjuvrökte hon när Lasse och barnen inte såg, men det var en mesig protest som främst bidrog till försämrad hälsa. Duktigt, Sara, flinade hennes inre kritiker. Du tror att du är en revolutionär när du står och blossar på din Camel Crush. Men i själva verket är du bara feg, för du vågar inte förändra ditt liv ett enda dugg.

Hon hade tänkt sig en rask powerwalk som uppvärmning och sedan en kortare löprunda. Konditionen var inte den bästa och hon erinrade sig någon kändis som uttalat sig i en damtidning nyligen, att man inte fick ta ut sig för snabbt om man skulle få hållbara resultat. Kanske var det säkrast att nöja sig med att bara gå i kväll. Hon började redan känna sig svettig under armarna. Dessutom var det mörkt och asfalten hade blivit hal av regnet.

Hon fortsatte framåt, njöt av att känna kroppen arbeta trots att hon snabbt blev andfådd. Tankarna klarnade också när hon gick där ensam, som om hon inte kunde fly undan från sig själv. Hon hade en tendens att göra det. Särskilt när livet inte såg ut som hon skulle vilja.

Hon var helt ensam på vägen och såg hur det glödde varmt i fönstren på de bungalows och semesterlägenheter hon passerade. Ingen vettig människa vistades väl utomhus i det här vädret. Hon försökte bli kvitt känslan av misslyckande. Det fanns så mycket oförlöst inom henne, saker hon velat göra som inte blivit av, drömmar som aldrig förverkligats. Visionen av henne själv som gammal skrämde henne på ett sätt hon inte var van vid. Hittills hade hon mest bara levt på, inte funderat särskilt mycket på ålder. Lasse hävdade att hon varit orolig när hon skulle fylla fyrtio men det kom hon inte ihåg. Nu var det en annan visa. Redan när hon blev fyrtionio förra året var det som om en snara lades om hennes hals. Ett år kvar till femtio ... Nästa år, älskling, ska vi ställa till en ordentlig fest, hade Lasse sagt och kysst henne i pannan. Tänk, du fyller ett halvt sekel, det är inte illa. Tack, det var precis vad hon behövde höra. Femtio lät så gammalt, då var man liksom på andra sidan. Tidigare kunde hon säga att hon var i fyrtioårsåldern och fortfarande segla under falsk flagg som relativt ung. Men femtio hade en annan klang. Häromdagen hade hon hittat ett gulnat fotografi från sin egen mammas femtioårsdag, där hon satt i klänning med pärlhalsband i en brokig soffa med en massa blomsterkvastar i vaser på bordet framför. Herregud, hon rös vid minnet.

Sara fortsatte framåt, trots att vatten rann längs ansiktet och kläderna blivit genomsura av regnet. Hon tänkte gå sig trött, hoppades att den illa stämda orkestern av frustrerade tankar skulle tystna. Vinden ven runt öronen och hon kisade med ögonen för att alls kunna se. I de upplysta husen satt väl mest semestrande familjer och förälskade par och tillbringade sin kväll i värmen och här gick hon ensam och fylld av något som påminde om panik. Hon var på väg framåt, men vart ledde hennes steg egentligen – i det stora hela?

Plötsligt tyckte hon sig höra ljudet av ett piano. Klingande toner som färdades genom vinden. En enkel och vacker melodi. Inbillade hon sig bara eller var det verkligen någon som spelade? Hon stannade upp och spejade mot sluttningen vid sidan av vägen, men kunde inte härleda var ljudet kom från. Det lät vackert, det lilla hon hörde, och fyllde henne med välbehag mitt i det blöta och kalla. Likt små klara kristaller i den virvlande stormen. Som om en stråle ljus plötsligt klöv mörkret.

Hon hade alltid drömt om att lära sig spela piano. Det kanske var det hon skulle göra. Hon såg framför sig hur hon satt i en elegant klänning på en pall klädd i sammet, med händerna på tangenterna. Hon skulle sitta rak i ryggen, sval och lugn, och spela en sonat. Behärska det stora instrumentet, trolla fram ljuvliga toner, stänga omvärlden ute och förlora sig in i något annat. Ett vackert svartblankt piano stod hemma i vardagsrummet. Oanvänt sedan länge. Dottern Olivia hade spelat när hon var mindre men tröttnat snabbt, och pianot hade mest stått och samlat damm de senaste åren. Något spelande för Saras egen del hade det inte blivit. Det var så mycket annat som pockade på hennes uppmärksamhet.

Så sent som i förra veckan hade hon skummat förbi en annons om pianolektioner men inte funderat mer på det. Med ens kändes det som ett tecken. Hon törstade efter en förändring, att ha något att se fram emot. Något nytt och intressant. Något som bröt rutinerna och fick henne att känna sig ... hon vågade knappt tänka tanken fullt ut. Något som fick henne att känna sig ung på nytt. Kanske behövde förändringen inte vara så drastisk. Hon hade det ju bra. Var gift med en gullig, omtänksam man som älskade henne. Barnen var friska och glada, hon bodde i ett vackert hus på en ö med det ljuvligaste klimatet i världen, hade ett intressant och fritt arbete, god ekonomi och inga bekymmer egentligen. Vad mer kunde man begära? Plötsligt skämdes hon. Skärp dig, människa, tänkte hon. Sluta gnälla och gör något istället.

Det kanske räckte med lite nya influenser, nya intryck. Det kanske bara var det hon behövde. Hon skulle leta reda på den där annonsen igen.

3

Festandet i köpcentret var i full gång när Benke och Linda lämnade Svenska baren. Musiken dånade ut från pubarna och nattklubbarna de passerade, en hejdlös blandning av latinorytmer, diskodunk, brittisk gladpop och skrålande karaoke. Vinden hade mojnat och regnet upphört så att folk kunde röra sig utomhus igen. De flesta ställen var överfyllda med rödbrusiga turister med partydrinkar, ölsejdlar och vinglas i händerna. Linda ville fortsätta till någon annan bar, men Benke sa bestämt nej. De hade fått tillräckligt att dricka, hon hade definitivt fått mer än nog. Vid närmare eftertanke gällde det även honom. Han kunde knappt gå rakt. Dessutom var han på dåligt humör eftersom han återigen lagt märke till hur hon bjöd ut sig inför Fredrik. Att det var just Fredrik var än mer irriterande, eftersom han och Fredrik faktiskt var kompisar och hade en del affärer ihop.

Han var inte blind, han kunde se vad som försiggick. Han avskydde att Linda flirtade med andra mitt framför ögonen på honom. Att hon inte ens försökte dölja det. Sköta det lite snyggt. Fredrik var yngre, snygg och vältränad med magrutor som han gärna drog upp tröjan och visade för alla intresserade. Benke såg på deras vänners blickar att de också lade märke till hennes koketterande, även om ingen av dem sa något. Och ju mer Linda drack, desto värre blev det.

Det hade inte alltid varit så här. När de flyttat till Gran Canaria några år tidigare hade han och Linda hållit varandra i handen när de gick sina morgonpromenader längs stranden. Hon hade lutat sitt huvud mot hans axel och han hade strukit henne över kinden och de hade känt sig privilegierade över att få bo där i värmen. Solen som smekte ansiktet, havet som slog in över stranden, fötterna i den mjuka sanden. Det var här de skulle leva resten av livet. De hade hittat sitt paradis.

Han tog tag i Lindas arm när hon snubblade till i trappan ner mot taxistationen. Blåsten fick löven att virvla uppför trappstegen, jagade in dem i hörnen där de låg och darrade. Trädens grenar vajade fortfarande fram och tillbaka och knakade oroväckande. Han kunde se några fåglar segla ovanför dem som små pappersflygplan mot natthimlen.

Linda vilade ett ögonblick i hans armar innan hon återfick balansen och sköt bort honom. Han tog ett steg tillbaka, snubblade till. Rörelserna var slumpmässiga och långsamma. Han höll sig i trappräcket för att inte snubbla. Linda fortsatte att gå en bit framför honom. Hennes rygg var rak och axlarna smala, det långa, mörka håret fladdrade i vinden. Benke greps av en plötslig ömhet.

När han träffat Linda första gången arbetade hon som sekreterare på en resebyrå på Sveavägen i Stockholm. Det var där han hade sprungit på henne, utanför hennes jobb, hon hade varit på väg ut för att äta lunch. Hon var nyskild och han hade också precis avslutat ett förhållande.

Hon var söt och lättsam, fick honom att skratta. Hon sa att han fick henne att känna sig trygg. Hon hade en dröm och hon delade den med honom. Till sist gjorde de verklighet av drömmen, att bo i ett land med ett varmare klimat. Ett ställe där solen sken och sandstränder sträckte sig kilometervis längs ett skimrande hav.

Men efter att ha promenerat längs stränderna dag efter dag, blickat ut över havet, sett solen gå ner vid horisonten och upp igen, hade särskilt Linda börjat sakna allt de rest från. Hennes tonårsson som stannat kvar i Sverige, de fartfyllda morgnarna, telefonen som ringde stup i kvarten, vänner som kom förbi på en kopp kaffe, luncherna på caféer längs med trottoarerna, roliga middagar, fester, bio och teaterbesök. I brist på annan stimulans hade de börjat dricka alltmer. Drömmen hade blivit en mardröm som kom krypande på morgonen och lade sig över dem som en kall filt.

Taxin körde från det neonblinkande Puerto Rico, ut på motorvägen norrut, trafiken var sparsam. Omkring dem höjde sig de mäktiga bergen i mörkret. Chauffören skruvade upp den mjuka sambamusiken, kanske för att lätta upp den tryckta stämningen. Ljusen från Arguineguín, Maspalomas och Playa del Inglés glimmade i mörkret när de for förbi. Slutligen svängde de av mot San Agustín. Benke kunde till sist inte låta bli att ifrågasätta Lindas beteende under kvällen.

– Varför måste du flirta så öppet med Fredrik? frågade han.

– Det gör jag inte alls. Vi pratade bara. Du inbillar dig som vanligt, svarade hon och tittade ut genom fönstret där skenet från gatlyktorna längs vägen försvann förbi.

Han lutade sig fram mot henne, lade handen på hennes knä. Ville söka försoning. Hon vände sig mot honom, blicken mörk och hård.

– Rör mig inte, väste hon och knuffade undan honom med händerna i hans ansikte. Han kunde känna hur hon rev honom med sina långa, vassa naglar. Ilskan sköt upp i honom och han hörde sig själv höja rösten.

– Du hade knappast knuffat undan Fredrik om det var han som tog på dig, eller hur?

– Nej, det har du nog rätt i. Det hade jag tvärtemot uppskattat, sa hon med flammande blick.

Hon satte fingrarna i hans bröstkorg och stötte bort honom så hårt att han slog huvudet i sidorutan. Benke kände hur det svartnade för ögonen, fyllan gjorde det svårt att tänka klart.

Han vände sig rasande mot henne. Alkoholen hade rivit ner de gränser han brukade ha. Örfilen träffade hennes kind.

– Vad i helvete tar du dig till? Hon slog tillbaka med öppen handflata. Är du inte riktigt klok?

Taxichauffören tvärstannade bilen mitt på vägen. Han vände sig om och hötte med näven åt Benke. Rabblade en lång ramsa som han inte förstod, men budskapet var tydligt. Han skulle ut ur bilen. Linda hade krupit ihop mot dörren, höll beskyddande sina händer framför ansiktet.

– Ska du börja slå mig nu också? grät hon. Har det gått så långt?

Benke slet upp dörren och vinglade ut. Hörde chauffören prata mjukt med Linda, antog att han erbjöd sig att köra henne till polisen, han nämnde Guardia Civil. På ostadiga ben gick han över vägen och upp på trottoaren. Insåg att de hunnit fram till första rondellen i San Agustín. Han stannade upp en stund innan han bestämde sig för i vilken riktning han skulle gå. Längre fram började det stora bungalowområde de bodde i.

En bildörr smällde igen och Linda kom gående bakom honom, klackarna smällde mot asfalten. Hon tog tag i honom.

Benke kunde ana sorgsenheten som avtecknade sig i hennes ögon. Han fick en plötslig lust att dra henne intill sig, krama om henne, men kunde inte förmå sig.

– Du får sova nån annanstans i natt, sa Linda sammanbitet. Ta in på ett hotell. Jag vill inte att du kommer hem, du kan ringa mig i morgon.

Nu lät hon lugn och behärskad på rösten.

Hon var blank i ögonen. Benke sträckte ut en skälvande hand, men den nådde inte ända fram. Hon ryggade tillbaka. Så vände hon sig om och gick med ostadiga steg hemåt. Han blev stående kvar.

Kanske var det lika bra att gå ner till barerna som låg en bit bort på andra sidan vägen. Tills hon hade lugnat ner sig och somnat och han kunde smita in och lägga sig. I morgon skulle de vakna upp till en ny dag, prata ut och förlåta, och sedan glömma alltihop. Benke började gå nerför backen mot havet. När han närmade sig hörde han musik. En av barerna var fortfarande öppen, det satt några par vid uteborden och drack. Han slog sig ner vid ett som var ledigt, tände en cigarett och beställde in en Tropical. Tömde ölen i ett svep och beställde genast in en ny.

Han kände sig väldigt ensam.

4

Kristian Wede drog med visst besvär igen balkongdörren i lägenheten som låg utefter strandpromenaden i San Cristóbal, en förstad till Las Palmas. Det blåste fortfarande hårt. Trots att det var lördag hade han jobbat sent på det svensknorska konsulatet, där han ägnade mesta tiden åt att hjälpa skandinaver som hamnat i trångmål av olika slag. Nu var det en ung grabb från Göteborg som råkat illa ut under ett bråk på en pub och det hade tagit nästan hela kvällen innan han fått fatt i en anhörig som kunde ta hand om pojken. En helt annan sak än polisarbetet i Oslo som han lämnat ett år tidigare för att bosätta sig på Gran Canaria. Nytt jobb, nya möjligheter, nytt liv. Det var mycket i hans gamla hemland som kändes skönt att lämna bakom sig. Dessutom hade han en dotter på ön, elvaåriga Valeria som var resultatet av en kort relation med en kanarisk utbytesstudent i Oslo.

Vinden hade rivit ner de två blomkrukor som städhjälpen fru Moreno placerat ute på balkongen för att göra den mer hemtrevlig. Kristian hade förklarat för henne att han inte hade särskilt god hand med växter, vilket fick till följd att hon skaffade två stora, taggiga kaktusar. Nu hade han ställt dem i sovrummet efter att ha torkat upp all jord som legat utströdd på balkongen.

Kristian gick in i köket och öppnade kylskåpet. Det var nästan tomt förutom några pizzabitar från kvällen före och resterna av en tonfisksallad han borde ha kastat för länge sedan. Några burkar Tropical stod i dörren. En mörknad banan hade börjat se ut som något helt annat. Patetiskt, tänkte han. Han måste skriva en lista över det som behövde handlas innan Valeria kom på besök nästa gång. Hon tyckte bättre om att äta hemma än att gå ut på restaurang. Bara de två i lugn och ro. Då kunde de göra som de ville.

Kristian tog ut en öl ur kylen och öppnade den, gick bort till stereoanläggningen och satte på det norska indiebandet Highasakite. Han tyckte inte om när det var tyst i lägenheten. Han slog sig ner i soffan, lät musiken fylla tomrummet Valeria hade lämnat efter sig när hon senast var på besök.

Han såg sin dotter framför sig: kortväxt och knubbig med mandelformade, mörka ögon, långa flätor och ett bländande leende i det runda ansiktet. Ofta gick hon och bar på en giraff, hennes favoritdjur. Hon hade säkert ett trettiotal gosedjur som utgjordes av giraffer i olika former och färger.

Kristian hade läst allt han kommit över om Downs syndrom på nätet, ville veta så mycket som möjligt om den funktionsnedsättning hans dotter hade. Om man nu kunde kalla det så. Barn med Downs hade en kromosom mer än andra, de hade speciella kännetecken. Innan han började ha hand om Valeria varannan helg hade han inte vetat så mycket om syndromet, vad som gjorde att hon var annorlunda.

Han hade haft en flyktig romans med hennes mamma och han hade trott att det skulle vara allt. Men en kort tid efter att Pilar rest hem från Oslo ringde hon och berättade att hon var gravid. När Kristian, som då gick på Polishögskolan, inte ville behålla barnet och försökte övertala henne att göra abort bröt hon kontakten och det var först nu, sedan han oväntat fått jobb i Las Palmas, som han kunnat börja bygga upp relationen med sin dotter.

Ibland tänkte han att det fanns en mening med allt som

skedde. Att han hamnade i en uppstressad situation under ett rån mot en guldsmedsbutik, då han greps av panik och nästan slog ihjäl en rånare som försökte fly. Ett tjänstefel som gjorde att han omplacerades och sedan fick erbjudande om arbete på Gran Canaria eftersom hans chef visste att han hade en dotter här och rådde honom att ta jobbet. Psykologen han fick gå till efteråt hade sagt att incidenten i bilen antagligen väckte traumatiska minnen till liv. Att han på sätt och vis återupplevde dagen då han var liten och en biltjuv försvann med hans lillasyster.

Han tog en klunk ur burken, lutade sig bakåt mot soffryggen och slöt ögonen, lyssnade på musiken. Valeria. Hennes varma, bruna ögon, hennes mjuka leende. Han hoppades på att kunna gottgöra åtminstone en del av de förlorade åren. Skulden skulle han aldrig bli av med, men kanske kunde Valeria med tiden glömma och förlåta. Pilars förlåtelse kunde han säkert inte hoppas på, möjligtvis hennes acceptans av honom som pappa. Han var glad och tacksam över att hon fått ett bra liv med ny man och ytterligare ett barn. Hon verkade lycklig. Kanske skulle han också kunna bli det, någon gång i en avlägsen framtid.

Många av hans vänner hade barn, men han hade aldrig tidigare känt någon lust att skaffa familj. Tanken hade alltid skrämt honom. Människor som var helt beroende av honom och som, ännu värre, han var beroende av. Han tittade ut på himlen som tycktes mörk och hotfull. Sanningen var att han var livrädd.

Kristian ställde ifrån sig ölburken på bordet och gick bort till ett låst skåp. Han tog fram mappen som handlade om hans lillasyster Elines försvinnande. Kristian hade varit fyra år gammal och Eline två. Familjen var på semester och föräldrarna hade gått in i en butik i den kanariska byn Soria och köpt glass och lämnat barnen vid bilen för att betala. Systern satt i baksätet, medan han själv stod utanför. En biltjuv hade dykt upp från ingenstans, tagit plats bakom ratten och kört iväg, antagligen utan att inse att han inte var ensam i bilen. Eline återfanns aldrig och Kristian hade stängt inne händelsen djupt inom sig tills helt nyligen. Det var märkligt hur flera avgörande händelser i hans liv skedde just på Gran Canaria.

Hans nyfunna väninna och till viss del medarbetare, redaktören Sara Moberg på den skandinaviska tidningen Dag & Natt, hade börjat nysta i fallet med hans försvunna syster och gett honom dokumenten om polisundersökningen när de bägge besökte Soria förra året. När han kom hem hade han gömt undan mappen i skåpet. Då och då dök tanken på den upp, men han lyckades alltid hitta en anledning att inte ta fram den just då.

Han förstod att Sara som journalist tyckte att det var fascinerande och ville gräva i fallet. Innerst inne begrep han att hon också gjorde det för hans skull och han uppskattade omtanken. Men hon insåg inte hur svårt det var för honom.

Mardrömmen om hans systers försvinnande hade förföljt honom sedan barndomen. Den lille pojken som äter glass som rinner nerför fingrarna, mannen som kommer springande, kastar sig in i bilen och kör iväg. Den tvååriga Eline fastspänd i baksätet, alldeles ensam.

Han öppnade försiktigt mappen. Överst låg en bild av bilen som försvunnit och övergetts uppe i bergen. Han suckade.

– Herregud, det är över trettio år sen, mumlade han för sig själv.

Kristian började bläddra bland papperen, skumläste förhören, såg sina föräldrars underskrifter, svartvita bilder från platsen där bilen hittats. Fotografier från en annan tid.

Där fanns också några tidningsurklipp, de flesta norska, med artiklar om det lilla barnet som försvunnit på Gran Canaria. En av kvällstidningarna hade varit uppe i bergen och tagit bilder av platsen där den stulna bilen hittats en vecka efter försvinnandet. Den hade stått parkerad utanför ett ödehus, strax utanför byn

Ayacata. Ingen hade försökt dölja bilen, den bara stod där i öppen dager.

Kristians ögon tårades och han lutade sig tillbaka i soffan. Skulle han någonsin få svar på vad som hade hänt Eline?

5

Klackarna från hennes nyinköpta sandaletter ekade mot den regnblöta asfalten. Natten var mörk och ödslig och hon var ensam på vägen. Molnen som sakta drev förbi månen och dolde den tillfälligt bakom mörkgråa sjok påminde om det våldsamma oväder som rasat tidigare under kvällen. Nu hade stormen dragit förbi. Det sparsamma ljuset från gatlyktorna fick vattenpölarna på marken att blänka.

Linda hade vänt Benke ryggen och gick med ostadiga steg hemåt. Hon tittade över axeln för att kontrollera ifall maken följde efter, men såg honom inte. Bra, hon orkade inte fortsätta bråka. Dessutom hade hon blivit skrämd av att han slog till henne, så långt hade han aldrig gått förut. Även om hon flera gånger tidigare gett sig på honom när hon druckit för mycket. Men det hade varit rejäl kraft i slaget, kinden ömmade och verkade redan vara på väg att svullna upp. Hon som skulle ut och äta middag med tjejgänget dagen därpå. Hur skulle hon kunna dölja detta?

Hon korsade huvudleden som gick genom centrala San Agustíns turistområde. På ena sidan bredde bungalowområdet Rocas Rojas ut sig och de vita små husen låg på rad, inbäddade i grönska, ett stenkast från vägen. På andra sidan fanns ett par mindre hotell, lägenhetskomplex och ett köpcentrum med några barer och restauranger innan det oändliga havet tog vid. Vid denna sena timme var det tomt på bilar och inte en människa tycktes röra sig utomhus. Allt hon kunde uppfatta var några avlägsna röster och spridda skratt nerifrån Bar El Semáforo i köpcentret. Namnet betydde trafikljus och själv borde hon ha stannat för rött för länge sedan. Hon undrade om Benke gått ner till baren efter deras gräl i taxin. Antagligen. Egentligen brydde hon sig inte. I själva verket hade hon nog gett upp hoppet om honom redan.

Det var inte långt kvar nu, men hon kände att hon var packad och hade svårt med balansen. Ibland tänkte hon att det var det enda hon och hennes man hade gemensamt nuförtiden. Att supa sig fulla med sina nyfunna vänner som alla flytt vinterkylan i Sverige för att njuta sol och värme på Gran Canaria. Det var en lika ond som nedåtgående spiral, men de var inte ensamma. Skit samma. Kanske borde hon åka hem till Sverige ett tag, komma ifrån dekadensen och få lite nya impulser. Umgås med Axel. Hennes son hade aldrig tyckt att flytten var någon bra idé. Hon var trött på att bråka med Benke. Trött på supandet.

Regnet hade gjort stigen framför henne mörk och det luktade friskt, som om allt började om på nytt. En ny dag, nya möjligheter. För andra kanske. Hon skulle gå och lägga sig, vakna många timmar senare, granska blåmärket på kinden, försöka dölja det och lägga is på svullnaden. Sedan skulle dagarna gå, de skulle glömma bråket och allt skulle vara som vanligt. Kanske skulle de gå ut och äta med några vänner, till och med festa till det ordentligt utan att de blev osams. Men rätt som det var, utan förvarning, skulle det gå för långt igen och sluta på samma sätt som så många andra kvällar.

Hon suckade tungt. De högklackade skorna skavde. Hon slog sig ner på en sten och knäppte av dem. Blev sittande och stirrade in i ett buskage där regndropparna hängde kvar på de tättväxande bladen. Följde en skalbagge som vandrade uppåt en gren med blicken medan tankarna gick vidare. Hon hade hamnat i ett ekorrhjul. I flera år hade hon varit medveten om att hon drack för mycket, ändå drog hon inte ner på alkoholen.

Fast hon visste att Benke blev svartsjuk på fyllan fortsatte hon att flirta. Hon behövde uppmärksamheten från andra, eller så handlade det om uppmärksamhet från honom. Problemen hade börjat när de flyttade till Gran Canaria. Hon hade lämnat sin son som bara var femton år hos hans pappa, som arbetade jämt och aldrig var hemma. Axel var inte ens vuxen. Hon hade hoppats att de skulle kunna ses ett par gånger om året, men så hade det inte blivit. Axel visade allt mindre lust att komma och hälsa på. De höll på att tappa den fina kontakt de en gång haft.

Hon hade slutat på jobbet som hon trivts bra med; lämnat vänner, arbetskamrater, sin bror och föräldrarna. Vad hade hon tänkt? Att ingenting av det där betydde något bara hon fick promenera på en strand i solen? Hur kunde hon vara så naiv? De gjorde ju inte ens det längre. Hon som älskade att gå sina långa morgonpromenader. Hon hade hållit sig i form. Nu hade hon plufsat till sig, blivit degig över magen. Fyllefett. Plötsligt greps hon av ett starkt självförakt. Innerst inne ångrade hon att hon hade flyttat hit. Här hade hon bara ytliga bekanta, ingen att lita på. De riktiga nära samtalen existerade inte. Om hon någon gång vågade anförtro sig åt någon kunde hon vara ganska säker på att det blev nästa dags snackis över ölen i Svenska baren.

Hon som hade drömt om att bo på varmare breddgrader hade så småningom börjat inse att hon avskydde att vädret aldrig skiftade, att den ena dagen var den andra lik. När hon såg sina svenska vänner lägga ut bilder av de olika årstiderna på Facebook kunde hon följa hur deras liv förändrades. Själv hade hon mer och mer börjat känna sig fångad i en värld som stod stilla. Veckodagarna blev suddiga och hon brydde sig inte längre om det var mars eller juni. Hon kunde inte som hemma glädja sig åt den första dagen i april, eller åt att snödropparna blommade i februari, att solen och värmen kom tidigare än den brukade. Eller åt den första snön som föll och målade ett äventyrslandskap utanför fönstret, frosten som bildade vackra mönster på glaset. Kakelugnen som hon och Benke brukat elda i, lukten av björkved.

I sovrummet hemma i radhuset utanför Stockholm hade hon haft en tavla av John Bauer över sängen: en naken flicka med långt blont hårsvall som satt i skogen och tittade ner i en tjärn. Hon mindes namnet på reproduktionen hon fått av sin mamma, Ännu sitter Tuvstarr kvar och ser ner i vattnet. Flickan var en prinsessa ur sagosamlingen Bland tomtar och troll. Tavlan hade hängt över hennes säng så länge hon kunde minnas. När hon var barn hade hon legat under täcket och betraktat tavlan. Flickan som lyfte på håret och såg på sin egen spegelbild i det mörka vattnet. Runt henne tornade höga trädstammar upp sig. Linda hade drömt att hon var prinsessan i skogen. Det hade varit en fin dröm, den hade gjort henne lugn.

När hon och Benke flyttade till Gran Canaria hade tavlan förstörts. Halva bohaget hade varit fuktskadat när det äntligen ankom till hamnen i Las Palmas efter veckor ute till havs. De hade fått skadorna täckta av försäkringen, men ingenting kunde ersätta tavlan av John Bauer som hade följt henne hela barndomen. Hon suckade och knäppte på sig skorna igen. Reste sig och fortsatte, kom in i deras bungalowområde. De låga knubbiga byggnaderna, som alla såg likadana ut, stod tysta, tätt ihop med fyrkantiga gräsplättar framför och häckar emellan, nästan som i ett svenskt radhusområde. I fönstren var det släckt. Folk sov förstås vid det här laget, tänkte hon. Det var visserligen lördagskväll, men klockan borde vara över ett i alla fall och de flesta som bodde här var pensionärer. Deras bungalow låg på en höjd i utkanten av området, längst bort med hörntomt. De hade tyckt att det var en fördel att bo lite för sig själva, men just nu kändes det bara avlägset och ödsligt.

Hon vek av in på gångvägen bort mot deras länga och det blev helt mörkt omkring henne. Längs ena sidan löpte en hög mur som med jämna mellanrum bröts av med smala stentrappor som ledde upp till husen ovanför, osynliga från där hon gick. På den andra en högväxt häck och bortom den baksidan av nästa radda med bungalows. Inga fönster vette mot stigen. Hon var helt ensam. Linda kunde knappt höra sina fotsteg mot det mjuka underlaget. Det prasslade lätt i häcken intill. Säkert bara småfåglar, försökte hon intala sig. Inget annat. Men ängslan hade fått fäste i bröstet. Det vilade något olustigt över mörkret, stillheten. Syrsorna spelade intensivt och det var svalt i luften efter regnet. Hon frös lite, hade ingen kofta och huden knottrade sig på armarna. Hon fick stirra ner i marken för att inte snava på stenar eller rötter.

Något rörde sig i ett buskage längre fram. Det brann till i magen. Hon brukade inte vara mörkrädd, men nu greps hon av ett starkt obehag. Som om hon kände någons närvaro. En främling hon inte kunde se, bara diffust förnimma, som en osynlig skepnad runt henne. Hon lyssnade efter ljud. Skulle något hända henne här skulle hon inte ha en chans. Hjärtat pickade oroligt i bröstet, likt en varningsklocka som larmade. Hon vände sig klumpigt om. Ingen där. Stigen låg dunkel och tom bakom henne. Hon ökade på stegen.

Äntligen var hon framme vid deras trappa. Snabbt skyndade hon uppför, höll på att snubbla men lyckades återfinna balansen. Lättnaden spred sig i kroppen när hon kommit upp och var inne på tomten. Gräset kändes mjukt under fötterna. Hon såg sig omkring, lät blicken glida över gräsmattan, den stenlagda verandan med utemöblerna, trappan ner till förrådet, den låga, välklippta häcken mot vägen längre bort som slutade precis vid deras hus. Inte en rörelse, allt var stilla. Nu skulle hon bara öppna upp och komma in i huset. Stänga och låsa dörren efter sig. Hon insåg att hon närde ett litet hopp om att hon skulle hitta Benke sittande där på en stol och vänta på henne.

Framme vid huset rafsade hon upp nycklarna ur handväskan.

I de stora fönstren fick hon syn på sig själv. Hon såg sliten ut. Ena ögat var svullet. Linda blev gråtfärdig när hon betraktade spegelbilden. Nu ville hon bara in och i säng så att hon kunde somna och glömma sin eländiga tillvaro för en stund.

När hon vände sig om för att låsa upp dörren gled handväskan ur hennes grepp och föll ner på marken, innehållet spreds ut. Helsike, mumlade hon för sig själv. Gick vingligt ner på huk för att plocka upp sina saker. Trevade efter dem i gräset. Tanken på att någon gömde sig i mörkret flög återigen snabbt förbi. Hon hittade nycklarna, läppstiftet, det mörkröda som Benke inte gillade, han tyckte hon såg billig ut när hon hade på sig det. Fan ta honom, tänkte hon samtidigt som hon längtade efter honom.

Plötsligt hörde hon ett lätt skrapande ljud. Det kom från trappan som ledde till källarförrådet. Hon vred på huvudet och stirrade ut i mörkret. Var det någon där? Tänk om det var Benke som hade suttit och väntat på henne. Han kanske hade glömt nyckeln. I nästa sekund insåg hon att tanken var absurd. Varför skulle han gömma sig där nere istället för att vänta på verandan? Hon fixerade blicken på den mörka nergången till trappan. Var det bara en katt?

Längre hann hon inte tänka förrän hon upptäckte silhuetten av ett huvud och ett par axlar. En ilning utefter ryggraden. Hon blev sittande på huk och vågade inte röra sig. Någon var på väg uppför trappan.

– Hallå? ropade hon svagt.

Tystnad. Gestalten rörde sig smidigt, men sa ingenting. En kort sekund stirrade Linda Andersson mot inkräktaren som var på väg rakt emot henne. Ett par ögonvitor som glimmade till i ljuset från deras ytterbelysning.

Så en iskall vittring av fara. Hon måste fly. Snabbt kom hon på fötter, men snavade och föll. Och hon hann inte undan.

– Benke, snyftade hon till.

En hård hand över hennes mun, fingrar som borrade sig in

i hennes ansikte. En skarp inandning. Förtvivlat försökte hon vrida sig loss ur det stenhårda greppet.

Nycklarna Linda Andersson höll i handen föll med ett svagt klirrande ned på den stenlagda terrassen.

6

Benke vaknade av det starka solljuset som letade sig in mellan de nerfällda persiennerna och träffade honom i ansiktet. Det var varmt i sovrummet och han var våt av svett. Dörren ut mot vardagsrummet var stängd, liksom den ut mot den lilla altanen på baksidan. Han var snustorr i halsen och trevade efter sitt sedvanliga vattenglas på nattduksbordet. Han hade drömt en mardröm om Linda, att hon var borta och att han letade efter henne utan att hitta henne. Hjärtat slog hårt i bröstet, han ansträngde sig för att andas lugnt. Benke blundade och tänkte på stranden, vågorna som slog upp mellan stenarna, måsarna som långsamt seglade över himlen. Första gången han vilat blicken i Lindas ögon, när han böjt sig fram och kysst henne. Hennes varsamma händer som strök honom lugnande när han hade ont. Han sträckte ut armen och kände sig fram under täcket, ville hålla hennes hand. Försiktigt vred han sig och kikade åt sidan. Rörelsen fick det att blixtra till innanför ögonlocken. Lindas sida av sängen var tom. Faktum var att det inte såg ut som om hon hade sovit där alls.

Han försökte öppna munnen för att ropa på henne men fick inte fram ett ljud. Han prövade att resa sig men dundrandet i skallen tvingade tillbaka huvudet på kudden. Hans läkare hade varnat honom för hans alkoholintag. Levern tog stryk och han hade på tok för höga kolesterolhalter. Han hade inte velat lyssna, tänkte att det nog inte var så farligt. Han hade alltid haft svårt för människor som skulle ge honom råd om hur han borde leva.

Linda brukade ge honom en kram när hon vaknade, viska i hans öra och fråga om han ville ha kaffe. Nu hade hon bara klivit upp ur sängen utan att säga något. Han drog lakanet åt sidan och reste sig mödosamt ur sängen. Stengolvet kändes svalt mot fötterna. Vad hade egentligen hänt i går kväll? Hur full hade han blivit? Benen var mjuka under honom, en oro i kroppen. När Linda var bakis satte hon sig ofta i soffan och åt toast framför teven, men det var helt tyst, märkligt stilla. Han öppnade sovrumsdörren, men kände varken doft av rostat bröd eller nybryggt kaffe.

– Linda, ropade han försiktigt, men möttes bara av tystnad.

Han ropade igen, lite högre den här gången. Hörde själv att han lät orolig. Tanken på att hon inte kommit hem alls var skräckinjagande. Tänk om hon verkligen gjort det till slut, det som hon skrikit åt honom så många gånger när hon var arg. Tänk om hon hade lämnat honom.

Han slog bort tanken. Han mindes inte hur de kommit ifrån varandra föregående kväll. Han hade satt sig nere på El Semáforo och hinkat öl sent på natten efter att de åkt hem från Puerto Rico. Träffat några glada engelsmän. Sedan kom han inte ihåg mer. Det var helt svart i skallen.

Han mådde illa, måste ha luft. Det var olidligt varmt inne i det lilla rummet. Han vände sig om och öppnade altandörren från sovrummet ut till baksidan av huset. Värmen slog emot honom. Villrådig blinkade han mot ljuset. Han stack fötterna i ett par foppatofflor och gick ut. Solen gassade från en knallblå himmel och det kändes varmt i luften. Hade hon gått till poolen redan? Han stapplade nerför trappan och promenerade långsamt det korta stycket till poolområdet. Han avskydde när de blev osams.

Det stramade i ansiktet, han lyfte ena handen och kände försiktigt med fingrarna. Rivsår. Hade Linda gjort det? Det skulle i så fall inte vara första gången när hon druckit för mycket. Han snubblade till, var nära att falla. Kände hur han stank alkohol. Han hoppades att han inte skulle stöta på någon granne. Folk var så välartade och ordentliga i det här området. Uppe tidigt om morgnarna, gick stavgång, joggade, spelade golf och simmade i havet. Han kände sig ofta som en loser, bakfull och eländig, hälften så brun som alla andra och långt ifrån lika vältränad fast han var tjugo år yngre än de flesta som bodde i Rocas Rojas. Som tur var stötte han inte på en enda människa på vägen till poolen. Han gick uppför trappan men Linda var inte där. Ett par yngre tjejer låg i bikini en bit bort och en barnfamilj plaskade i vattnet på den grunda sidan. Utmattad dråsade han ner på en solstol. Den korta promenaden i värmen hade nästan tagit kål på honom. Svetten rann nerför ryggen. Han hade samma T-shirt och shorts på sig som han sovit i. Kanske skulle han ta ett dopp innan han gick tillbaka. Det kunde hända att Linda låg och sov i soffan, han hade inte ens tittat efter. Hjärnan fungerade inte som den skulle, tankarna var trögflytande som sirap. De fastnade liksom på vägen, innan de hunnit klarna. Med visst besvär drog han av sig tröjan och lade sig ner på solstolen. Skulle bara vila lite först.

7

1956

Rikard Westling hade cyklat hela den knaggliga vägen i hettan från Las Palmas och var slutkörd när han äntligen nådde Maspalomas sanddyner. Ju längre bort från staden han kom, desto ödsligare blev det omkring honom. Landskapet var stäppliknande, platt och torrt med enstaka låga buskage här och var. Annars bestod växtligheten mest av tomatodlingar och kaktusar. Hur man nu kunde odla något i dessa torra marker. I fonden tornade bergen upp sig. Ett par tusen meter höga utgjorde de en imponerande kuliss till det karga landskapet. Några enstaka småbyar hade han passerat längre norrut, men det enda liv han träffat på än så länge var några åsnor, en fårskock, en bonde i en traktor och ett antal tomatplockare i halmhattar ute på fälten längre uppåt land.

De sex milen söderut värkte i lårmusklerna, munnen var knastertorr och tungan klibbade mot gommen. Solen brann på himlen. Han stannade till på höjden ovanför stigen som slingrade sig ner mot fyren i Maspalomas. Den enda bebyggelsen var en samling småhus kring fyren som Las Palmas-borna använde under helgutflykter. Han torkade av sig svetten med en handduk och letade fram vattenflaskan. Girigt klunkade han i sig vattnet. Sedan drog han ett djupt andetag och betraktade hänfört sanddynerna som bredde ut sig framför honom, kilometer efter kilometer. Eftermiddagssolen fick sandkornen att glimma och skuggspelet från de uppemot tio meter höga dynerna ingav en känsla av overklighet. De stod där som tysta pyramider, bärande på all världens hemligheter. Det vidsträckta och orörda ökenlandskapet slutade nere vid vattnet och sandstranden tycktes oändlig. Inte en människa så långt ögat nådde. Bara sanden, himlen och havet. Han hade aldrig sett något så vackert.

Han hade hört att Manfred Neumann skulle bo i ett tält här någonstans. Hans gamle tyskfödde vän, som levt i Sverige nästan hela livet, var en kuf och en enstöring och hade sedan en tid tillbaka bosatt sig i ensamhet längst nere på södra Gran Canaria. Nu gällde det bara att hitta honom.

När Rikard vilat några minuter, druckit en öl och ätit en bocadillo med ost, serranoskinka och oliver hade han samlat tillräckligt med krafter för att fortsätta. Han lämnade cykeln och började hasa nerför sanddynerna.

Nere vid den breda och tomma stranden slog vågorna i skummande kaskader in mot land. Han kastade av sig kläderna och sprang naken ut i havet. Dök ner i vattnet och njöt av hur det svalkade hans solsvettiga kropp. Han låg där en bra stund och badade, slängde sig i vågorna och ropade av glädje när vågtopparna bröts under honom.

Plötsligt upptäckte han en figur som kom gående utefter stranden. En solbränd, senig man iklädd endast ett höftskynke och en vandringsstav med en valp hoppande kring benen. Han kände igen sin gamle vän på långt håll.

– Manfred! ropade han, medan han skyndade sig upp ur vattnet och drog på sig kalsongerna och shortsen.

Mannen tvärstannade, lyfte handen över ögonen som för att se bättre. Valpen kom rusande emot honom.

– Jävlar i min själ – är det inte du, Westling!

Rikard log brett.

– Så det är här du gömmer dig.

De bägge vännerna klappade varandra om axlarna och halvkramades lite tafatt. De hade inte setts på flera år och återseendet var hjärtligt. Valpen hoppade omkring, skällde vilt och visste inte till sig av förtjusning.

– Vad gör du här? frågade Manfred.

– Jag väntar på att en gammal skuta jag köpt ska komma in till Las Palmas. Båten är i Portugal just nu för att ta upp mer besättning, men så fort den anlöper hamn mönstrar jag på och då bär det av jorden runt. Du kanske vill hänga med?

Manfred kisade mot honom och skrattade så det brunbrända ansiktet rynkade ihop sig.

– Jag föredrar denna gudsförgätna plats, tack i alla fall.

– Ja, herregud, vilket ställe, sa Rikard beundrande och slog ut med armarna. Här skulle man kunna stanna för evigt.

– Det är precis vad jag har tänkt, sa Manfred.

– Jag kanske ska göra dig sällskap, ett tag i alla fall, föreslog Rikard. Jag har inget särskilt för mig och hyr in mig i ett smutsigt kyffe i Las Palmas hamnkvarter. Och här finns ju gott om plats.

– Vi behöver inte trängas direkt, sa Manfred och lade armen om sin vän. Kom med mig så ska jag visa min enkla boning.

Manfreds bostad låg skyddad mot vinden mellan två sanddyner och bestod inte av stort mer än ett tält och några plankor. Maten lagades på en grillplats utomhus.

– Hur gör du med vatten? frågade Rikard fascinerat.

– Jag hämtar färskvatten i dunkar några gånger i veckan hos en av bönderna som sköter konstbevattningen av tomatodlingarna. Jag får låna en åsna och så går vi några vändor fram och tillbaka. Det funkar fint.

Rikard log och skakade på huvudet.

– Typiskt dig, du har alltid lyckats ordna det för dig. Och maten då?

– Jag fiskar, det finns ju hur mycket som helst i havet. Och så plockar jag frukt, det är bara att gå nån kilometer upp från stranden så finns det både apelsiner, bananer och avokado. Jag får köpa billigt av bönderna.

– Det låter helt fantastiskt, suckade Rikard. Som rena semesterparadiset.

8

Eva Beck torkade av sina diskvåta händer på kökshandduken och tittade ut genom fönstret. Solen stod högt. Ute på deras fyrkantiga gräsplätt hade ett par blomkrukor blåst omkull och en av trädgårdsstolarna låg vält på terrassen. Annars ingenting. Blicken föll på köksklockan från Ikea på väggen, hemlandet var ständigt närvarande i familjens bungalow. Palmer utanför fönstret och bokhyllan Billy i vardagsrummet, den böljande Atlanten en bit bort och osthyveln på en krok ovanför spisen bland de andra köksredskapen. Ett nummer av Damernas Värld som hennes dotter tagit med sig under sitt senaste besök låg och glänste på bordet med rubriken ”Julbord i vitt”. Adventsstjärnor i fönstren samtidigt som folk gick i badkläder på gångvägen utanför. Hon vande sig aldrig vid kontrasterna. Men hon älskade att befinna sig i solen och värmen istället för att gå hemma i ett vintermörkt Stockholm i snögloppet och frysa.

Arne hade gett sig iväg till golfbanan flera timmar tidigare, hon hade druckit sitt morgonkaffe i lugn och ro och tittat på Gomorron Sverige på SVT. Det var så skönt att man kunde följa svenska nyheter här borta, liksom hänga med i det som skedde. En trygghet med de gamla välkända profilerna Marianne Rundström och Claes Elfsberg som intervjuade aktuella personer, dagsnotiserna och inte minst väderprognosen med meteorologen som svepande pekade över sina kartor med moln, snöflingor och minusgrader. Då kändes det extra bra att vara här.

Eva gick in i badrummet och kammade till sig, satte lite rött på läpparna. Hon och Linda hade kommit överens om att gå till stranden om vädret lugnade sig vilket det verkligen hade gjort. Hon öppnade skjutdörrarna mot terrassen, det fläktade bara lite grann som en lätt bris mot kinden. En blick på termometern visade på tjugofem grader fast klockan inte var mer än tio på förmiddagen. Hon ställde tillbaka stolen och de omkullvälta blomkrukorna. Plantera om blommorna fick hon göra senare. Återvände inomhus för att plocka ihop strandväskan med badkläder och handduk, lade ner portmonnän för säkerhets skull. Kanske fick de för sig att äta lunch ute. Hon ringde Lindas nummer för att höra om hon var färdig. Inget svar. Eva tog väskan under armen, låste dörren och gick.

Det tog bara några minuter att promenera bort till Benkes och Lindas bungalow. Så fort hon kom uppför trappan och in på deras tomt förstod hon att allt inte stod rätt till. Hela den ena glasdörren in till bungalowen var krackelerad. När hon kom närmare framträdde mörka fläckar på det spruckna glaset. Som blod. Plötsligt blev allt så tyst omkring henne. Blicken gled över gräsmattan, staketet borta mot vägen, buskarna, grillen och möblemanget på altanen. Hon tittade in genom altandörrarnas glas, en stol var omkullvält, mattan i oordning och en krossad vas låg mitt i rummet med skärvor över hela golvet. Försiktigt sköt hon den oskadade dörren åt sidan och klev in i huset. Hon lyssnade efter ljud, men det enda som hördes var det rytmiska svischandet från fläkten i taket.

Det var då hon såg blodet. Det hade stänkt överallt. På väggar, möbler, de intryckta böckerna i bokhyllan.

– Hallå? ropade hon försiktigt.

Darrade nu i hela kroppen. Men det var stilla. Eva tog några försiktiga steg framåt. Var fanns Linda? Och Bengt? En tanke flög genom huvudet. Var det de två som hade bråkat så våldsamt? Kunde de ha råkat ut för en inbrottstjuv? Eller ännu värre – en våldsverkare? Skräcken grep tag i henne, tog ett kvävande tag om halsen. Hon famlade efter kanten på matbordet för att stödja sig. Samtidigt gassade solen in genom fönstren och det var plågsamt varmt och instängt i rummet. Hon tog några stapplande steg framåt för att öppna köksfönstret som satt ovanför diskhon i det lilla arbetsköket. I samma ögonblick fick Eva syn på henne. Foten som stack ut bakom bänken. Hon stelnade till, andades i korta onda stötar. Nej, viskade hon. Nej, nej, nej.

Hon stirrade på Lindas solbruna fötter, de rosa tånaglarna som hon hade målat på verandan när de båda väninnorna tagit ett glas cava ihop häromdagen. Linda hade sträckt ut fötterna så att de kunde torka i solen medan Eva hade fyllt på hennes glas.

Eva smög sig fram och rörde försiktigt vid hennes fot. Den var kall. Snabbt drog hon åt sig handen. Magen knöt sig. Hon tvingade sig att titta runt hörnet.

Linda halvlåg i det trånga köket i en onaturlig ställning. Huvudet var blodigt, håret klistrat mot kylskåpet, blod hade runnit nerför hennes ansikte. Så mycket blod, på väggen, golvet, hennes kläder, i ansiktet, håret. Huvudet hängde på ett märkligt vis. Ögonen var halvöppna, blicken slö.

– Linda vännen, snyftade hon. Linda.

9

Redaktionslokalen låg på en bakgata i San Agustín, ett stenkast från Lasses hotell, Sunsuites Carolina. Nära, men ändå så långt borta. Förr brukade hon och Lasse äta lunch ihop åtminstone ett par gånger i veckan. Hon mindes inte ens när det inträffade senast.

Den senaste tiden hade Sara börjat ifrågasätta sitt äktenskap på ett sätt hon aldrig gjort förut och det kändes inte bra. Inte bra alls. Det var inte så att de hade några direkta problem, att de bråkade eller grälade, men det kanske var just det som var problemet. Det hände ingenting i relationen. Det var stiltje. Hur mycket gjorde de ihop nuförtiden? Det kändes som om de allt oftare delade upp vardagsbestyren mellan sig: matlagning, tvätt, handling, olika ärenden. De gemensamma kvällspromenaderna de alltid tog förr hade avtagit successivt. Lasse hade sina fritidsintressen och hon sina. De tittade knappt ens på några teveprogram samtidigt längre eller kröp upp i soffan framför en film. Och när var de senast ute ihop, bara hon och han? När gick de på bio eller restaurang tillsammans? Visserligen hade de ett umgänge med vänner och åt goda middagar med dem, men då var de också uppdelade på något konstigt vis. De levde parallella liv, så var det bara.

Sara suckade och lutade sig tillbaka i skrivbordsstolen. Solen smög sig in genom de stängda persiennerna. Blicken föll på plåtburken med knäckebröd, kaffebryggaren, hennes koppar som hon köpt tio år tidigare på en keramikmarknad i Artenara, som var den högst belägna byn på Gran Canaria. Hon och Lasse hade tagit med barnen på utflykt. Hon mindes den där söndagen mycket väl, hur hon betraktat honom när han satt där bakom ratten och körde på de kurviga bergsvägarna. Allvarlig bakom sina svarta solglasögon, hopknipen mun och stenansikte. Tyst och sluten. Ingen entusiasm, ingen energi. Hon hade retat sig på det den dagen, mindes hon. Numera störde hon sig allt oftare på sin mans beteende. Förhoppningsvis var det bara en övergående kris. Lasse var i grund och botten både snäll och omtänksam, smart och rolig. Hon älskade honom ju. Han var hennes livskamrat, pappa till hennes underbara barn. Kanske behövde hon bara en förändring. Lite ny stimulans. Hon kom att tänka på pianoklinkandet hon hört under sin regnblöta promenad föregående kväll. De spröda tonerna som trängde igenom vinden hade väckt något i henne.

I samma sekund började det knastra från polisradion som stod på en hylla ovanför kaffeburken. Hon stannade upp, lyssnade intensivt. En kvinna hade hittats död i en bungalow i turistområdet Rocas Rojas i San Agustín. Det var en granne som larmat polisen. Sara kände hur pulsen ökade. Vad i helsike? Det var ju precis intill. Hon flög upp från stolen, fick fatt i kameran och ett anteckningsblock. Hon var ensam på redaktionen, hennes medarbetare Hugo var iväg på ett reportage. Hon låste redaktionen och tog bilen fast området låg så nära att hon nästan lika gärna hade kunnat springa dit. Hon ringde kriminalkommissarie Diego Quintana, hennes kontakt och tillika gode vän på Guardia Civil i Las Palmas. Inget svar naturligtvis, han hade väl händerna fulla. Ingen idé egentligen att ringa polisen i ett så här tidigt skede, ingen skulle svara på några frågor i alla fall. Kroppen hade ju precis hittats. Fast det fanns andra ingångar, tänkte hon medan hon rattade bilen uppför backen förbi San Agustíns köpcentrum. Sara kände det svenska paret, Ingrid och Björn, som drev Rocas Rojas sedan många år tillbaka och hon ringde upp Ingrid.

– Hej, vad är det som har hänt? frågade Sara när hon hörde väninnans röst i andra änden.

– Det är fruktansvärt, vidrigt, hemskt, snyftade Ingrid. En av våra boende, hon har hittats mördad i sin bungalow, på vår anläggning. Det är ofattbart.

Rösten sprack och väninnan brast ut i gråt.

– Vem är hon?

– Hon heter Linda Andersson, kommer från Stockholm. Hon och hennes man har hyrt hos oss i många år. Förut brukade de bara bo här på vintern, men sen några år tillbaka bor de här på heltid. Trevliga och skötsamma människor ...

– Vet du om nån är gripen?

– Nej, men hennes man Bengt är borta. Fast det kan ju omöjligen vara han. Han som är så trevlig och gullig. Det är poliser överallt, och hundar. De har spärrat av och gästerna är så upprörda, vi har receptionen full av folk. Jag vet inte vad jag ska ta mig till.

– Vilken bungalow är det?

– Nummer 21, i hörnet, närmast vägen från Gloria Palace, du vet. Du kan köra ovanvägen om du kommer med bil.

– Tack, jag hör av mig senare. Sköt om dig så länge. Ta det lugnt, allt ordnar sig, tröstade Sara.

Hon körde igenom rondellen och över till det anrika bungalowkomplexet Rocas Rojas som bredde ut sig i ett lummigt parkområde bredvid huvudvägen genom San Agustín. Det var det första som hade byggts för svenska turister och invigdes 1971. Det fanns nästan fyrahundra bungalows inom anläggningen, främst bebodda av äldre par som tillbringade vintrarna på Gran Canaria.

När Sara klev ur bilen var det tydligt att något hade hänt. Uniformerade poliser rörde sig överallt och avspärrningsband var uppsatta. Bungalowen låg i utkanten av området precis intill en återvändsgränd. Hit kunde en gärningsperson lätt ta sig osedd, tänkte Sara när hon gick över gatan mot avspärrningarna. Det var bara att parkera bilen på gatan och kliva rätt in på tomten till paret Anderssons hus. Ingångar fanns också på bägge sidor om bungalowen, genom enkla altandörrar både från vardagsrummet, som var den egentliga entrén, och från sovrummet på baksidan. Det visste hon sedan hon hälsat på bekanta i området. Här såg alla hus likadana ut.

Hon fick syn på kommissarie Diego Quintana som satt på huk vid entrén med en kriminaltekniker. Hon och Diego hade en lång historia tillsammans och ända sedan hon gjort honom en stor tjänst ett antal år tidigare hade han varit hennes viktigaste källa. Att han dessutom varit hemligt förälskad i henne sedan han mötte henne för första gången försämrade inte läget. Diego Quintana var gift och därför höll han sina känslor för sig själv, även om det var uppenbart för alla att han var svag för Sara. För henne som journalist var det en drömsituation.

– *Hola Diego*, ropade hon vilket fick honom att lyfta på huvudet.

– *Hola guapa, un momento,* svarade den högväxte kanariern och höll upp en hand för att visa att hon skulle hålla sig utanför plastbanden som polisen satt upp. Jag kommer strax.

Flera journalister, grannar och andra nyfikna trängdes vid avspärrningarna och luften surrade av frågor.

– Vet du vem den döda är? frågade en manlig radiojournalist som vänt sig mot henne, uppenbart imponerad av Saras kontakt med polisen.

– Ingen aning, sa Sara och vände ryggen till.

Det hon fått veta behöll hon för sig själv.

Några minuter senare lösgjorde Diego sig från gruppen poliser innanför avspärrningsbanden och klev fram till Sara. Det svarta håret låg som vanligt perfekt bakåtkammat utefter hjässan. Han kastade en snabb blick åt sidan där en skock nyfikna reportrar tittade uppfordrande på honom ungefär som om de förväntade sig ett uttalande avsett för alla.

– Inte här, sa Diego och nickade åt Sara att komma med.

De gick runt hörnet.

– Det är ingen vacker syn, började han och såg ner på Sara som var huvudet kortare. En kvinna ligger därinne med sönderslagen skalle. Det ser ut att ha varit ett slagsmål. Blodfläckar på väggarna, omkullvält möblemang, en krossad vas – ja, du vet. Antagligen ett fyllebråk, men med ett ovanligt rått slut.

– Är hon svensk? frågade Sara och låtsades att hon inget visste. Hur gammal är hon?

– Ja, hon är svenska, fyrtiofem år gammal.

– Är nån gärningsperson gripen?

– Nej, hon bor här med sin man, men han är försvunnen. Vi söker i området och kommer att gå ut med en efterlysning.

– Är han misstänkt?

– Tja, sa Diego Quintana, drog ihop ögonbrynen och ryckte på sina breda axlar. Det har varit slagsmål i hemmet, kvinnan är död och hennes make saknas. Mer behöver jag väl inte säga.

– Kan du säga nåt om dem?

– Vi vet inte så mycket mer än att de är svenskar och har bott permanent här på Gran Canaria i ett antal år.

– Några barn?

– Kvinnan har en vuxen son som bor i Sverige. Honom försöker vi givetvis få kontakt med.

– Vad gör polisen annars just nu?

– Förutom att vi söker framför allt mannen så pågår en ren brottsplatsundersökning och rättsläkarens första undersökning av offrets skador. Dörrknackning och insamling av vittnesuppgifter har satts igång i området.

– Vad händer därinne? frågade Sara och nickade bort mot bungalowen.

– Rättsläkaren håller på, hon är väl klar snart. Kroppen behöver flyttas också, det är satans varmt därinne.

– Vågar man fråga hur hon ser ut?

– Hon har blivit slagen ordentligt i huvudet och jag skulle gissa att det är skallskadorna som dödade henne. Åtminstone så här vid första anblicken. Vi får se efter obduktionen. Den görs väl i morgon, antar jag. Jag måste gå, men som sagt, jag tror inte att det här är så mycket att skriva om. Det verkar vara ett äktenskapsgräl som har urartat. Bara vi hittar maken så kommer nog detta att vara löst. Det är väl fråga om en familjetragedi.

Sara nickade.

– Nu har jag dessvärre inte tid längre, vi får höras senare.

– Visst, jag förstår.

Den reslige polismannen gav henne ett par snabba kindpussar, vände på klacken och gick tillbaka. Sara såg hur han försvann in genom dörrarna till bungalowen. Glaset i den ena dörren var helt sprucket. Det enda tecknet på att något fasansfullt inträffat i denna rofyllda idyll.

Hon tänkte på hur mord på kvinnor inom äktenskapet fortfarande betraktades som mindre allvarligt än om kvinnan mördades av en okänd person. Mord var ändå mord, tänkte hon. Att det skedde inom äktenskapet var ingen förmildrande omständighet.

Sara svalde hårt och plockade fram kameran.

10

Jag bär på en ilska inom mig. Oftast kan jag fungera som vanligt och det kan gå långa perioder utan att jag ens tänker på den. Så plötsligt gör den sig påmind, börjar bubbla och sjuda långt nere i mig som lava på botten av en vulkan. Den mullrar, ryter och fräser. Det är som om jag kommer till en punkt där jag antingen måste välja bort ilskan eller låta den ta över. Och jag låter den alltid vinna. Jag känner precis när det händer och då finns det inget som kan stoppa den. Det kokar i vener, lemmar och blodomlopp. Hjärtat förstenas, blir hårt och kallt. Mitt vanliga jag bryts loss från mig och flyter iväg som en bit drivved på vattenytan. Som om min kropp tappar kontakten med min själ. Ilskan intar hela mig, får fäste i min kropp och förmörkar mitt sinne. Den syns tydligt i mina stelnade anletsdrag och min mörka blick. Jag tappar kontrollen och kan inte längre ta ansvar för mina handlingar. Ilskan är som en förbannelse och jag kan aldrig göra mig fri ifrån den.

Med jämna mellanrum vältrar den sig över mig. Den har sin egen rytm, kommer och går, liksom vågorna på havet. När det känns riktigt illa brukar jag dra mig undan hit, till denna gudsförgätna plats. Mitt eget hemliga rum. Genom en glugg ser jag ut över havet. Jag lyssnar till stenarna på havsbotten som långsamt rullar fram och tillbaka i takt med vågornas rörelser mot land långt nedanför.

Jag sträcker mig efter mitt vapen, väger det i handen. Det är tungt men ligger bra i mitt grepp. Skaftet är av trä men klubban av flinta. Mina fingrar löper över det blankslitna träet och jag ser framför mig hur jag svingar den med all min kraft. Jag lyfter den över huvudet.

Stearinljusens fladdrande sken längs grottväggarna får skuggorna att dansa över bergets innanmäte. Härinne är det tyst, medan vinden viner utanför. Berget står där det står, utan att låta sig påverkas. Som det har gjort i urminnes tider. Det finns något tidlöst över den här platsen som vanligtvis gör mig lugn, men inte nu. Jag har en oro i kroppen, en krypande rastlöshet som kommit smygande på sista tiden och den lämnar mig inte ifred. Inte ens nu när den första stenen är kastad.

11

Kommissarie Diego Quintana betraktade offret medan rättsläkaren gjorde sin första preliminära undersökning. Den döda kvinnan halvlåg i det lilla arbetsköket. Kroppen intryckt i ena hörnet, huvudet var sönderslaget och hängde åt sidan som om det satt löst. Blodfläckar på väggen tydde på att hon segnat ner på golvet. De bara benen var korslagda och hon hade armarna om varandra, som om hon försökte hålla om sig själv. Men mest iögonfallande var att hon var fullständigt nedblodad; det mörka håret var kletigt, ansiktet syntes knappt bakom allt blod som hade runnit ner i tjocka strängar över halsen och bröstkorgen. När han närmade sig kroppen var han tvungen att dra upp en näsduk ur fickan som han höll för munnen, det luktade illa. Den järnaktiga, fylliga lukten av blod och dessutom avföring från offret.

Diego Quintana var, i egenskap av chef för kriminalavdelningen inom Guardia Civil, van vid att se döda människor i alla möjliga situationer men det här var osedvanligt obehagligt. Sådana mängder blod. Stänkmärken syntes på köksskåpen, kylskåpet och stora pölar hade runnit ut över golvet. Blodet var stelnat och nästan svart. Det var tydligt att förövaren använt sig av ett tillhygge som huggits upprepade gånger i offret. Skallen var helt sönderslagen. Han hade just fått hennes svenska pass av paret som drev anläggningen och han fingrade på det medan rättsläkaren varsamt undersökte offret. Linda

Birgitta Andersson, född den 31 januari 1971. Hon skulle alltså fyllt fyrtiofem år om ett par veckor. Det högg till i hjärtat när han tänkte på det.

– Hur länge tror du att hon har varit död? frågade han rättsläkaren försiktigt, även om han var väl medveten om att denna yrkesgrupp ogillade att bli störd under arbetet.

Den unga rättsläkaren satt på huk i det trånga utrymmet. Det dröjde någon minut innan hon reste sig, sträckte på ryggen och svarade:

– Kroppen känns förhållandevis kall, den ligger på trettio grader i temperatur och likstelheten är tydlig, även om den inte är helt utvecklad. Jag skulle gissa på omkring tio timmar, inte mer än tolv.

Quintana räknade snabbt i huvudet.

– Det betyder att hon mördades nån gång mellan ett och tre i natt. Vad säger du om tillvägagångssättet? Mordvapnet?

– Gärningspersonen har slagit sönder offrets skalle med ett trubbigt vapen, sa rättsläkaren och ställde sig vid offrets huvud och pekade. Såren är många och som du ser oregelbundna, flikiga, småfransiga, halvmåneformade. Det tyder på att inget vasst föremål har använts, som en yxa, utan snarare en hammare eller klubba som har slagits upprepade gånger i huvudet. Det syns ju även på blodstänken, tillade hon och gjorde en svepande gest över väggen och köksskåpen bakom offret. Varje gång förövaren har lyft tillhygget från det söndermosade huvudet och höjt det för att slå har blodet stänkt omkring.

Quintana gjorde en grimas.

– Magstarkt, minst sagt, muttrade han. Övriga skador?

– Ja, hon har kämpat emot, det är tydligt.

Alma del Fuego tog tag i en arm som visade sig vara helt stel.

– Du ser att hon har blåmärken på överarmarnas baksidor och rivmärken på händer och underarmar. Flera naglar är avbrutna och hon har även hudrester under naglarna. Ansiktet är svullet som om hon fått ta emot slag.

– Finns nåt tecken på sexuellt våld?

– Nej, inte direkt, vi får se vad obduktionen visar.

– Hennes man saknas, som du säkert känner till, påpekade Quintana.

– Just det. Det skulle inte förvåna mig om det är han eller nån annan i hennes närhet. Den här typen av övervåld hittar man oftast i nära relationer. Men vänta ett tag.

Alma del Fuego vände sig om och plockade upp en plastpåse som låg i hennes väska med instrument.

– Titta vad jag hittade under kroppen. Ska lämna dem till teknikerna, men du kanske vill se först.

Rättsläkaren höll fram påsen som innehöll tre svarta pärlor.

– Vad är det där? frågade Quintana intresserat. De ser ut att komma från ett smycke, ett halsband eller ett armband. En fotlänk kanske.

– Vi vet ju inte om de tillhör gärningspersonen eller om de har legat på golvet sen tidigare, sa Alma. Vi får se vad den tekniska undersökningen visar.

Quintana höll upp påsen och betraktade pärlorna. De var matta och cylinderformade.

– Bra jobbat, sa han och gav tillbaka påsen.

Quintana såg uppmärksamt på rättsläkaren som inte var äldre än i trettiofemårsåldern. Alma del Fuego var ganska ny på Rättsmedicinska i Las Palmas. De hade inte arbetat tillsammans förut. Egentligen visste han inte så mycket om henne, mer än att hon hade ett rykte om sig att vara skicklig.

– När görs obduktionen?

Rättsläkaren kollade klockan.

– I dag hinns det inte med. Prover måste tas på offret och hon ska tvättas ren. Identifieringen behöver också klaras av formellt. Det har inte gjorts än. Jag påbörjar antagligen obduktionen i morgon bitti, så räkna med en preliminär rapport muntligt i morgon eftermiddag.

Hon nickade kort och trängde sig ut från det lilla köket.

Quintana blev stående kvar och stirrade på den döda kvinnan.

– *Por Dios*, mumlade han och gjorde snabbt korstecknet över bröstet. Vad i herrans namn har du råkat ut för?

I nästa ögonblick avbröts han av en kollega som dök upp på andra sidan köksbänken.

– *Comisario Quintana*, ursäkta att jag stör, men vi har hittat den eftersökte.

12

Tangenterna på datorn smattrade medan Sara skrev sin artikel. Det var bråttom. Nästa nummer av tidningen skulle gå till tryckeriet samma kväll och hon hade i all hast tvingats kasta ut två dubbelsidiga reportage för att få plats med nyheten om den mördade svenskan. Den ena handlade om det norska turistkomplexet Anfi del Mar och dess historia och den andra om den svenske skådespelaren Sven Melanders förhållande till Gran Canaria efter inspelningen av kultfilmen Sällskapsresan i San Agustín på åttiotalet. Inga tyngre angelägenheter som inte kunde vänta till nästa nummer med andra ord. Hennes svenska uppdragsgivare hade ringt och ville ha en artikel om mordet tillsammans med nytagna bilder från brottsplatsen. Förutom sitt arbete som redaktör för Dag & Natt frilansade Sara för Aftonbladet, vilket gav den nyhetsjagande reportern i henne stimulans. Hennes egen tidning förde oftast en lugn och stillsam tillvaro utan större dramatik. Denna situation var ovanlig. Hennes ende skrivande kollega Hugo Perez satt på andra sidan skrivbordet och knackade ner en text som fokuserade på det pågående polisarbetet och vilka åtgärder som vidtogs i jakten på gärningspersonen. Själv insåg Sara att hon inte skulle få ur Quintana mer information just nu, han hade fullt upp med att koncentrera sig på utredningen.

– Vet du om de har fått tag på maken? frågade hon Hugo.

– Det verkar inte så, inget som de går ut med i alla fall, sa han utan att ta ögonen från skärmen.

– Okej, vi avslöjar inte heller identiteten på offret, det är för tidigt. Alla anhöriga är säkert inte underrättade än.

– Visst, höll Hugo med. Hur uttrycker vi det? En svensk turist?

– Ja , och att det är en kvinna i fyrtioårsåldern kan vi ju säga, det är inte att peka ut henne för mycket.

De avbröts av att dörren till redaktionen öppnades och Kristian Wede klev in. Han såg jäktad ut, håret var rufsigt och han höll en mugg kaffe i handen.

– Hej, hej, sa han på sin sjungande norska. *Hola*, lade han till och nickade mot Hugo, som visserligen var kanarier men som talade perfekt svenska efter att ha varit gift med en svensk kvinna i tjugo år och därmed också förstod det mesta av det norska språket.

– Hej, hur är det? sa Sara.

Kristian såg ännu bättre ut än vanligt. Han var lång och bredaxlad med mörklockigt hår och han var mer än tio år yngre än hon. Han bar jeans och en kortärmad grå T-shirt och hon lade märke till att hans armar var muskulösa med synliga ådror, något Sara alltid hade varit svag för. Vad är det med mig, tänkte hon i nästa sekund. Skärpning. Han är en vän och kollega och inget annat.

Kristian slog sig ner i hennes besökssoffa och tog av sig solglasögonen, strök sitt ostyriga hår ur ögonen.

– Läskigt mord. Har du tid att prata?

– Visst, sa Sara. Jag ska bara få iväg den här artikeln. Ge mig några minuter.

Kristian grep tag i det senaste exemplaret av Dag & Natt som stod i en hylla och började bläddra medan han smuttade på sitt kaffe. Sara arbetade koncentrerat i några minuter innan hon lutade sig tillbaka och andades ut.

– Klart! Vill du ha nåt att dricka?

– Nej tack, jag har mitt kaffe.

Sara reste sig och öppnade det lilla kylskåpet som stod på

golvet i ett hörn av redaktionslokalen. Hon plockade ut en flaska vatten och slog sig ner i soffan bredvid Kristian. Halsade törstigt innan hon tog till orda.

– Vad vill du?

– Jag är på väg till häktet för att träffa offrets man tillsammans med Quintana. Han behöver hjälp med översättning. Jag antar att du har varit ute på brottsplatsen.

Sara spärrade upp ögonen.

– Så han har kommit tillrätta?

– Ja, han hittades sovande på en solstol vid poolen i området, inte alls långt från deras bungalow. Han greps helt odramatiskt för ett par timmar sen.

– Okej. Vet du om han har erkänt?

– Det tror jag inte. Han var visst väldigt berusad när de fann honom och knappt talbar.

– Har du fått veta nåt annat?

– Inte mer än att han har förts till häktet i Juan Grande för att sova ruset av sig. Sen ska han förstås förhöras så fort som möjligt.

– Så sökandet efter eventuell annan gärningsperson pågår?

Kristian ryckte på axlarna.

– Jag antar det. Även om det mesta just nu pekar på att det är maken så brukar polisen jobba på bred front i början av en mordutredning. Det är viktigt att inte låsa fast sig.

– Nu låter du som en polis.

– Jag *är* polis, sa Kristian med eftertryck. Glöm aldrig det, för guds skull.

– Nejdå, sa Sara och flinade. Inte med de där armarna. Hon blinkade mot honom. Har du legat i hårdträning? Träffat en ny donna kanske?

– Lägg av. Kristian undvek helst att prata om sitt privatliv, kanske särskilt med Sara. Jag kom hit för att få information av dig och inte tvärtom. Du har ju varit på mordplatsen, eller hur?

– Javisst.

Sara redogjorde i korta ordalag för vad hon sett och hört. Hon hade ingen anledning att dölja saker för Kristian, de samarbetade och drog nytta av varandra. Kristian användes som tolk vid förhör hos polisen när Quintana ansåg att de behövde någon med poliserfarenhet.

– Vad tror du då? frågade Kristian när hon tystnat. Ett fyllebråk som urartat?

– Jag vet inte, en del tyder väl på det men samtidigt låter det på Quintanas beskrivning som att våldet var så pass grovt. Det verkar inte ha varit en vanlig misshandel som gått överstyr, om du förstår vad jag menar. Sara ryste till och gjorde en grimas. Fast i och för sig. Sånt har ju hänt förut i nära relationer. Förresten, har du hört om Linda Andersson utsatts för sexuellt våld?

– Nej. Kristian skakade på huvudet. Det verkar inte så.

Sara gjorde en grimas.

– Läskigt är det i alla fall. Mitt i det fridfulla Rocas Rojas. Jag ska ut och intervjua boende i området så fort jag är klar med det viktigaste. Sånt här skapar förstås en massa oro bland människor.

– Visst, sa Kristian.

Han avbröts av att hans telefon ringde. Kristian lyssnade koncentrerat.

– Jaså, det menar du inte? Jaha? Var då?

Sara iakttog honom intresserat. Det syntes på hans ansiktsuttryck att det var något viktigt.

– Kan du berätta vad det där gällde? frågade hon nyfiket när han avslutat samtalet.

Kristian såg allvarligt på henne.

– Det var Grete på konsulatet. Linda hade en vuxen son, Axel, som bor kvar i Sverige. Vi har sökt honom för att berätta om vad som hänt, men inte lyckats lokalisera honom. Det visar sig att han redan är här på Gran Canaria.

13

Det tog en bra stund innan Bengt Andersson insåg var han befann sig. Han hade sovit, men visste inte hur länge. De kala väggarna, den hårda sängen. Det smala fönstret som släppte in några glipor solljus. Golvet, täckt av en grå plastmatta och det smutsvita taket som framstod som ändlöst trots att dess rektangel i själva verket bara var några kvadratmeter stor. Det var märkligt tyst, endast ett avlägset surr hördes från en fläkt någonstans. Han var torr i halsen, tungan klibbade mot gommen. Huvudet tycktes fyllt av sand, den mörka kanariska han de första åren älskade att trampa på barfota om morgonen innan den blev för varm, tills han vande sig och i likhet med kanarierna började gå omkring i flipflops. En kall stöt i hjärtat när det gick upp för honom varför han var där.

Linda, hans Linda. Han såg hennes ansikte framför sig och kved till. Hur hon brukade tvinna en länk av håret mellan fingrarna när hon funderade, hennes breda tandrad när hon log, de fina rynkorna i ögonvrårna, hennes lena hud, fräknarna på hennes axlar.

Han kröp ihop i fosterställning. Vaggade sakta fram och tillbaka medan tårarna trängde fram. Vad i helvete hade hänt? Lösryckta fragment dök upp i huvudet. Han ligger i solstolen vid poolen, han drömmer. Vaknar till av att någon rycker honom i armen, ropar något på spanska som han inte förstår. Det är varmt. En barnfamilj står en bit bort och stirrar. Han är omringad av poliser. Några har kopplade hundar. Han fattar ingenting, han var ju bara ute och letade efter Linda och råkade tuppa av. Han begriper inte ett ord av vad de säger. Två uniformerade poliser står på var sida om honom, de tar tag i honom och håller honom som en brottsling. Sätter på handklovar. Så trycks han in i en polisbil och förs till häktet. Han stirrade ner på sina händer. Borde han inte känna om dessa händer hade tagit livet av hans egen hustru? Borde han inte veta det? Det måste vara en ond dröm, tänkte han och blundade igen, försökte vakna upp ur sin nya, fruktansvärda verklighet.

Men hur han än försökte fortsatte filmen att rulla inom honom. Samma sekvens upprepades om och om igen. Poliserna, grannarna som glodde, skammen, förvirringen.

Frågorna som inte fick några svar.

På några timmar hade hela hans tillvaro slagits i spillror.

14

1957

Orlando Rivera slängde på den sista lådan tomater på kärran. Nu var det fullt och bara han fick en matpaus skulle han köra dagens skörd till marknaden i Tablero, någon mil bort. Han strök svetten ur pannan och rätade på ryggen med ett svagt stönande. Arbetet tog hårt på kroppen och det kändes att dagen närmade sig sitt slut. Solen stod fortfarande högt på himlen och kastade sitt eftermiddagsvarma sken över det platta och vidsträckta landskapet. Han blev stående där en stund och betraktade strandlinjen utefter havet, sanddynerna och vildmarken omkring familjens blygsamma men välskötta lantgård som låg en bit uppåt land. Här hade släkten Rivera odlat tomater i generationer. Tack vare ett avancerat konstbevattningssystem gick det bra, trots det extremt torra klimatet. Men på senare tid hade det blivit kärvare. De var tvungna att betala storbonden i området ett överpris för vattnet och eftersom skördarna hade blivit magrare de senaste åren hade de satt sig i skuld för att fortsätta att få vatten av honom. Nu hade bonden börjat tröttna på att ge kredit och ville ha betalt, men pengarna saknades och Orlando visste inte hur problemet skulle lösas. Han letade fram en flaska vatten och klunkade i sig innan han satte sig i traktorn för att köra därifrån. Innan han hunnit kliva upp bakom ratten fick han syn på en bil som närmade sig. Han lät handen som höll flaskan sjunka och tittade bortåt den skumpiga grusvägen. Dammet yrde om däcken på den buckliga gamla Fiaten. När bilen nådde fram till honom stannade den och två män, klädda i shorts, sandaler och tunna skjortor klev ur. Orlando strök automatiskt av händerna mot byxbenen och gick fram för att möta främlingarna. Uppenbarligen hade de något angeläget på hjärtat eftersom de bemödat sig om att köra ända ut hit i ödemarken.

– *Buenas tardes*, hälsade de och presenterade sig som Manfred Neumann och Rikard Westling.

De var svenskar och förklarade att de just hade startat ett byggbolag som han inte uppfattade namnet på. Orlando tittade skeptiskt på de bägge herrarna. Vad i hela världen kunde de vilja honom?

– Har du tid att prata en stund? frågade han som hette Manfred på perfekt spanska. Han var brunbränd och mager med isande blå ögon.

– *Cómo no?* sa han och ryckte på axlarna. Varför inte?

– Vi vet att du och din familj äger ett stort landområde här.

– Det stämmer.

– Vi är intresserade av att köpa din mark, fortsatte Manfred. Han drog upp en linnenäsduk ur innerfickan och torkade omsorgsfullt svetten ur pannan.

– Vad ska ni ha marken till? Har ni tänkt odla tomater?

Orlando ställde frågan med en bitande sarkasm i rösten. Han kunde inte dölja sitt förakt. Kapitalister som klätt sig enkelt för att inte avskräcka och som försökte verka välvilliga samtidigt som de stövlade in och ville skövla den kanariska jorden. Mark som hans familj brukat i århundraden.

Den magre skrattade lätt.

– Nja, inte riktigt. Bruka jorden ska vi göra, men inte på det sättet. Landskapet här är något alldeles enastående, mycket exotiskt för oss nordbor. Han vände sig halvt om och gjorde en svepande gest över sanddynerna. Den här jorden är uppenbart inte så mycket värd som odlingsmark och vi vet att ni har problem med vattentillgången.

Det glimtade till i de kisande blå ögonen. Jag känner igen den där utbölingen, tänkte Orlando. Han har ju bott nere på stranden i flera år. Fått hjälp med både det ena och det andra och dragit nytta av lokalbefolkningens gästfrihet.

– Vi har tänkt bygga hotell och bungalows för skandinaviska turister som vill åka på solsemester. Vi tror att den här delen av Gran Canaria har stor potential. Och din familj äger ett område av ansenlig storlek. Vi skulle rätt och slätt vilja köpa din mark, avslutade han och log förnöjt som om han just erbjudit sig att göra Orlando en stor tjänst.

– Och vi betalar bra, tillade den skinntorre mannen han hade i sällskap, som nu öppnade munnen för första gången.

Hans spanska lät betydligt knackigare, det var väl därför han hållit tyst under hela samtalet. Orlando kände hur ilskan sköt upp inom honom. Trodde de här två idioterna att det var så enkelt? Bara att hala upp plånboken och lägga beslag på familjens jord. Där han sprungit omkring som barn, där hans egna barn nu lekte?

– Ge er iväg, väste han. Vi säljer inte marken. Ta era förbannade pengar och försvinn.

De bägge herrarna såg förbluffade ut. Som om reaktionen var helt oväntad.

– Men ... men, lyssna nu här ... Alla andra vi har pratat med har ... började Manfred.

– Jag skiter väl i alla andra. Förstår ni inte spanska helt plötsligt? Försvinn från min mark!

Han grep tag i en spade som stod lutad mot väggen och svingade den hotfullt i luften.

Männen hukade förfärat och skyndade bort till sin dammiga bil. De försvann med en rivstart. Orlando stod kvar och följde bilen med blicken tills den försvann bortom en krök. Han drog en djup suck och fiskade fram en cigarett ur paketet i bröstfickan.

Ingenting skulle kunna få honom att sälja. Absolut ingenting.

15

Sara hade jobbat klart på redaktionen och fått iväg allt material. Hon åkte raka vägen hem och kände att hon behövde lägga sig och vila en stund. Hon hade varit så trött på sista tiden. Kanske var det åldern, tänkte hon och suckade. Hon sköt bort tankarna på det otäcka mordet och lade sig raklång i sängen och stirrade i taket. Lasse var på jobbet på hotell Carolina för att ta emot en ankommande turistgrupp från Sverige. Barnen var hos kompisar och skulle sova borta. Det gjorde de titt som tätt nuförtiden. Viktor pluggade på universitetet i Las Palmas och bodde ofta över hos sin flickvän där och Olivia som gick på gymnasiet i Playa del Inglés var hos en kompis. Fast man kunde knappt kalla dem barn längre. Båda var i övre tonåren. Snart vuxna, snart redo att flytta hemifrån. De klarade sig i stort sett själva. Var det därför hon hade börjat fundera så mycket kring sitt eget liv? För att hon fått mera tid?

Egentligen var hon uttröttad, men hade ändå svårt att komma till ro. Hon sträckte sig efter handspegeln på nattduksbordet och höll upp den framför sig på en armlängds avstånd. Hon tyckte om att betrakta sig själv så här ovanifrån. Ansiktet slätades ut, kindkotorna blev högre, ögonen snedare. Hon såg tveklöst yngre ut från den här vinkeln. Hon vred på spegeln, betraktade kindernas rundning, de fina rynkorna kring ögonen. Plötsligt upptäckte hon att mungiporna drogs en aning nedåt, som om hon såg lite sur ut. Det hade hon inte lagt märke till förut, konstaterade hon bekymrat. Munnen pekade faktiskt nedåt. Det var hur tydligt som helst. Det såg inte roligt ut. Som om livets vedermödor gjort outplånliga avtryck. Eller var det gravitationskraften som med åren drog ner både mungipor och annat? Det ofrånkomliga förfallet som nu antagligen skulle bli mer märkbart för varje år. Som en blomma som gradvis vissnade. Var det så hon skulle se på sig själv? Var det så andra skulle se henne? Hon var ingen ungdom längre. Hennes ögon var sorgsna. Hur mår du egentligen? tänkte hon. Hur har du det?

Ibland gjorde hon så, hade privata samtal med sin spegelbild. Inre monologer då hon mötte sin egen blick och hörde efter med sig själv hur hon mådde. Det hade hon gjort ända sedan hon haft sin första livskris i tolvårsåldern.

Sara lät spegeln glida ner över halsen, brösten, magen. Hon lade sig på sidan och betraktade höftens rundning i kvällslampans sken. Egentligen såg hon väl inte så dum ut, hon var faktiskt ganska vacker. Lite rund om magen och brösten hade blivit slappare, men hon hade en proportionerlig kropp och var ganska fast i hullet fast hon sällan hann träna. Varför var Lasse inte attraherad av henne längre? I början av relationen hade deras sexliv varit intensivt men efter att barnen kommit klingade passionen långsamt av. De hade gjort många tappra försök att tända gnistan, som det så fint hette, men det mesta kändes som konstgjord andning. När hade de diskuterat sitt samliv senast? Det kändes så privat, så intimt och svårt att prata om. Vilket egentligen var helt absurt eftersom de delade allt annat.

På sätt och vis hade de tappat bort varandra och frågan var om det gick att reparera. Visst älskade hon honom, men kanske mera som en god vän eller i egenskap av hans del i deras gemensamma historia, att han var pappa till barnen och kände henne bättre än någon annan. Men som kärlekspartner var hon inte säker på vad hon kände för honom längre. Eller vad han kände för henne. Han verkade se på henne som om hon var en del av inredningen i hemmet, något som var tryggt och bekvämt och helst alltid skulle stå på samma plats. Som en väl insutten soffa.

Sara suckade djupt. De bruna ögonen såg ledset på henne. Hon skulle fylla femtio, men hon kände sig för ung för att bara låta sig nöjas med det som var. Att aldrig mer få känna passion, att någon åtrådde henne, att älska hett och vilt. Hon var inte redo att slå sig ner i en hammock, lösa korsord och vänta på barnbarn. Länge höll hon spegeln framför ögonen medan hon resonerade med sig själv. Hon och Lasse hade byggt upp ett helt liv tillsammans. Men allt handlade väl inte bara om att ha mat i kylskåpet och ett vackert hem? Eller? Borde hon vara nöjd? Hon hade mer i livet än vad de flesta människor kunde drömma om. Fast det kanske inte räckte längre. Inte för henne.

Frågan var vad hon skulle göra av den insikten.

16

Anstalten i Juan Grande hade byggts några år tidigare för att avlasta det överbefolkade fängelset i Las Palmas och låg utefter motorvägen från Las Palmas söderut, nästan nere vid havet, nära turistorten Bahía Feliz på Gran Canarias sydkust. Fyra rektangulära längor med små gluggar till fönster. Tusen celler byggda på ett område stort som ett femtiotal fotbollsplaner. Kristian parkerade sin gula Morris utanför entrén och skyndade in genom den välpolerade glasdörren. Han hade blivit kallad av Quintana till förhöret av Bengt Andersson eftersom den inbokade tolken gjort sig oanträffbar och det inte fanns någon annan att få tag på med så kort varsel. Offrets make pratade tydligen knappt engelska.

Receptionen var sval och steril med en vakt bakom en glasruta. Kristian anmälde sig och fick vänta några minuter innan Quintana dök upp.

– Tack för att du kunde komma. Mannen har bott här i flera år men verkar inte kunna ett ord spanska. Det är otroligt, sa han och skakade på huvudet medan han tog Kristian i hand. Som vanligt var kommissarien snyggt klädd, med en välstruken skjorta och blanka skor.

De passerade genom en lång korridor med glänsande golv som luktade nyskurat. På ömse sidor låg besöksrum med glasväggar och dörrar försedda med nummer. Det påminde mer om ett kontorslandskap än ett häkte, tänkte Kristian. Stängda dörrar, nakna väggar som verkade nymålade och glasrutor i taket som släppte igenom dagsljuset. Deras steg ekade i tystnaden. Kristian undrade var alla intagna höll hus.

Bengt satt vid ett smalt bord med en karaff vatten och tre glas och en ask pappersservetter. En kortväxt och sammanbiten häktesvakt stod vid dörren.

Quintana knäppte på en bandspelare som stod på bordet och rabblade de vanliga inledningsfraserna. Han betraktade Bengt under tystnad. Mordoffrets make hade sovit av sig det värsta ruset under ett par timmar, fått duscha och äta en bit mat, men han såg bedrövlig ut. Han satt med hopsjunkna axlar på stolen med händerna knäppta i knäet. Ansiktet var grått under solbrännan, ögonen rödsprängda och svullna. I ansiktet hade han flera tydliga rivsår. Kristian lutade sig framåt.

– Kan du berätta om vad som hände i går kväll?

Bengt tittade på honom med förvirrad uppsyn, blicken letade sig runt, som om den försökte hitta fokus.

– Jag ... jag vet inte ... började han. Jag vet inte hur det gick till. Jag kommer inte ihåg.

– Vad gjorde ni i går?

Bengt suckade och drog händerna genom håret.

– Kan man få en cigarett? *Cigarro?* sa han och tittade på Quintana.

Han gjorde en gest mot munnen för att visa vad han menade. Quintana och Kristian växlade blickar. Egentligen var rökning inte tillåtet i förhörsrummet.

Kommissarien halade fram ett paket Coronas ur bröstfickan på den välstrukna skjortan.

– Varsågod, sa han. Räckte fram asken och en tändare.

Bengt skakade fram en med darriga fingrar och tog några djupa bloss innan han såg vädjande på Kristian.

– Alltså, det är alldeles svart. Delar av kvällen ...

– Ta det lugnt, sa Kristian. En sak i taget. Berätta det du kommer ihåg bara.

– Vi besökte vänner som bor i Puerto Rico. Vi hade planerat att grilla på deras terrass.

– Vad heter de?

– Lotta och Stubben Eriksson, eller ja – Sture är hans riktiga namn. De bor i en lägenhet i Puerto Rico.

Kristian vände sig mot Quintana och översatte, kommissarien antecknade.

– Vi åt middag hemma hos dem först, fortsatte Bengt, fast inomhus eftersom ovädret bröt ut. Sen satte vi oss för att ta en drink på Svenska baren, men det stormade så mycket att vi blev kvar.

– Hände nåt särskilt under kvällen?

– Nej, vadå? Vad skulle det vara?

– Inte vet jag. Men det är klart att jag undrar hur du har fått dina rivsår i ansiktet.

Bengts ena hand flög instinktivt upp mot kinderna. Försiktigt fingrade han på såren som hade skorpat ihop sig.

– Linda ... hon blev väldigt full ... och på vägen hem började vi bråka.

Kristian höjde på ögonbrynen.

– Vad handlade det om?

– Ingenting. Bara dumt fylletjafs.

– Hur tog ni er hem?

– Taxi.

– Vilket bolag?

– Jag vet inte, vi tog en på gatan, eller ja, vid taxistationen utanför köpcentret. Det var väl Taxi Puerto Rico eller vad fan de nu heter.

– Vet du vad klockan var? fortsatte Kristian.

– Kanske tolv, ett.

– Har du kvar kvittot?

– Kvitto? Nej, det tog jag inte.

– Vad hände när ni kom hem?

– Vi ... eh ... vi gick inte hem tillsammans, vi kom ifrån varandra.

– Hur då?

Bengt såg ut att vara på väg att bryta samman. Blicken flackade mellan Kristian och Quintana som om han sökte hjälp. Trots att det var luftkonditionerat svalt i rummet bröt svetten ut i hans panna.

– Kan jag få en cigarett till?

Han drog ett par bloss innan han svarade.

– Jag minns inte. Bara att jag kom hem själv, att Linda inte var med.

– Var skildes ni åt?

– Vid taxin tror jag. Vi började bråka och chauffören kastade ut mig. Jag minns inte om Linda satt kvar eller inte. Jag gick till en bar i köpcentret på andra sidan vägen.

– Vilken bar?

– El Semáforo. De hade fortfarande öppet så jag tänkte ta ett par öl och vänta på att hon skulle somna så jag kunde gå hem. Hon var så arg när vi skildes åt så jag ville att hon skulle få tid att lugna ner sig.

Bengt Andersson darrade på rösten och torkade bort en tår ur ögonvrån.

Quintana antecknade namnet på baren på blocket framför sig.

– Hur länge satt du där?

Bengt drog ännu ett djupt bloss, såg ut att försöka tänka efter. Han skakade på huvudet.

– Jag kommer inte ihåg. Ögonen tårades och han såg hjälplöst på Kristian. Jag vet inte vad jag ska göra. Linda är död och jag har ingen aning om hur det gick till.

Han började snyfta och gömde ansiktet i händerna. Kristian kunde inte låta bli att tycka synd om honom. Om han var oskyldig och talade sanning hade han hamnat i en mardrömssituation. Kunde taxichauffören ha med saken att göra? Eller hade Linda träffat någon person på vägen hem?

– Vad hände när du kom fram till er bungalow?

– Jag gick bara in och lade mig. Jag var bra på fyllan så jag somnade direkt.

– Vilken entré tog du? Den genom vardagsrummet eller sovrummet?

– Vad spelar det för roll?

– Svara bara på frågan.

Bengt såg ut att tänka efter.

– Jag tog inte den vanliga genom vardagsrummet, jag kom från andra hållet, från vägen. Så jag gick in på baksidan, genom dörren som går direkt in i sovrummet. Och jag dråsade bara ner på sängen och däckade på en gång. Jag minns nu att jag märkte att Linda inte låg i sängen, men jag tänkte att hon kanske var på toa eller satt och tittade på teve. Hon gör det ibland när hon inte kan somna.

– Sov du med kläderna på?

– Som jag sa, jag däckade.

– Så de kläder du hade på dig när du hittades vid poolen var samma som du bar under lördagskvällen?

– Ja, varför frågar ni det?

Bengt tittade undrande på poliserna.

– Det spelar ingen roll, sa Kristian och viftade avvärjande med ena handen.

– Vet du vad klockan var när du kom hem?

– Jag minns att jag såg väckarklockan på nattduksbordet och att hon var kvart över fyra. Det kommer jag ihåg av nån konstig anledning. Och det är nästan det enda jag minns innan jag vaknade.

Kristian översatte snabbt för Quintana. Kommissarien lutade sig mot Kristian och talade lågmält i hans öra. Kristian tog sats innan han fortsatte:

– Det betyder att Linda redan var hemma då. Enligt rättsläkarens preliminära undersökning hade hon varit död i mellan tio och tolv timmar. Det betyder att hon dog nån gång mellan klockan ett och tre på natten. Men du märkte ingenting? Du märkte inte att ditt hem var stökigt och nedblodat och att din fru låg död i köket?

Bengt stirrade förfärat på de bägge männen på andra sidan bordet. Hans andhämtning blev häftigare. Snor kom ur näsan vid varje andetag och saliven rann mellan läpparna. Ett djupt långdraget kvidande steg upp från det inre av hans kropp.

– Nej, fick han ur sig medan han kröp ihop i stolen. Nej, nej. Han skakade häftigt på huvudet och tårarna trängde fram ur ögonen. Så jag låg och sov medan hon …

Bengt brast ut i en hjärtskärande gråt och höll händerna för ansiktet. Vaggade fram och tillbaka på stolen med armarna hårt omkring sig, liksom för att trösta sig själv.

Kristian såg allvarligt på honom. Den förtvivlade mannen på andra sidan bordet hade alltså sovit i godan ro medan hans fru låg mördad på andra sidan den stängda sovrumsdörren. Om det nu inte var han själv som tagit livet av henne.

Kristian och Quintana avvaktade tills Bengt hade lugnat sig. Quintana erbjöd honom ännu en cigarett som han tacksamt tog emot och tände med darrande fingrar.

– Vi förstår att detta är jobbigt, sa Kristian deltagande. Bara ett par saker till. Du har inga barn, eller hur?

– Nej, det har inte blivit så.

– Hur är din kontakt med Lindas son Axel?

Bengt såg undrande på Kristian.

– Jag förstår inte frågan. Den är väl okej, kunde säkert ha varit bättre.

– Och Linda, vad har hon för relation till sin son?

– Jo, de pratar i telefon ibland. Axel kommer och hälsar på. Han tvekade och såg ut att tänka efter. Nu var det i och för sig ett tag sen …

Bengt tystnade och en skiftning drog över hans ansikte.

– Har ni fått tag i honom? Han bor i Stockholm. Han måste ju få veta vad som har hänt. Jag har varit så chockad att jag inte ens tänkt på …

Rösten dog ut.

– Vet du att han befinner sig på Gran Canaria? frågade Kristian. Att han är här nu?

– Va? Bengt såg förvirrad ut. Vad säger du? Är han här?

– Ja, han befinner sig hos vänner i Pozo Izquierdo sen en månad tillbaka. Kände du inte till det?

– Nej, sa Bengt med darrande röst. Det visste jag faktiskt inte.

Det blev tyst en stund.

– Okej, sa Kristian slutligen. Bara en sak till.

Quintana plockade fram en liten plastpåse ur sin portfölj och räckte fram mot Bengt.

– Känner du igen de här?

Inuti låg några svarta ovala pärlor, de som hade hittats på golvet i bungalowen efter mordet. Bengt tog ner glasögonen som satt i pannan, böjde sig fram och tittade noggrant på innehållet i påsen. Han skakade på huvudet.

– Nej, var kommer de ifrån?

– De hittades intill Lindas kropp, på golvet i köket.

– De är så speciella, sa Bengt. De hade jag kommit ihåg om hon hade haft.

Kristian såg forskande på honom.

– Och du är helt säker?

Bengt mötte hans blick.

– Ja, jag är helt säker. Jag har aldrig sett dem förut.

17

De satt på balkongen som vette ut mot havet och läste. Valeria hade krupit upp i Kristians knä och höll sin tyggiraff i händerna medan hon vilade huvudet mot honom. Han läste högt ur en svensk barnbok och översatte texten till spanska. Valeria hade bestämt att de skulle läsa Pippi i Söderhavet för hon gillade bilderna.

Solen höll på att gå ner, den anades diffust genom det tunna lagret moln som lagt sig över himlen som en brudslöja. Valerias mamma hade lämnat dottern hos honom fast det var söndagskväll. Hon och hennes make skulle på konsert i Las Palmas auditorium. Bonusgångerna då han fick ta hand om sin dotter hade blivit fler på sista tiden, vilket gladde honom. Så många år hade gått förlorade. En fiskebåt gled långsamt genom vågorna på havet, skar genom vattnet och lämnade en vit fåra efter sig. Nyheterna hade varnat för ett nytt oväder senare på kvällen, det hade visserligen inte nått San Cristóbal än, men Kristian märkte på vinden att det var på väg. Det hade blivit kyligare i luften.

Han tittade ner på Valeria, hennes blick var fäst på bilderna i boken. Han hörde sin egen röst läsa långsamt medan han översatte så att Valeria skulle förstå. Enstaka gånger var han tvungen att hoppa över ett ord eller en mening, hittade på egna formuleringar när han inte kunde rätt ord på spanska. Då och då räckte Valeria ut tungan som för att smaka på luften. Kristian iakttog henne fascinerat.

Det var här han borde ha varit hela tiden, tänkte han. På balkongen med en bok i handen och Valeria i knäet. Han kände sig sorgsen när han tänkte på hur många kvällar han gått miste om, men han var här nu. Han försökte intala sig att det var det som betydde något.

– Det är mysigt när du läser för mig, pappa.

Hennes runda ansikte sprack upp i ett leende. Kristian log tillbaka och kramade om henne. Blev alldeles varm i kroppen. Hon hade kallat honom bara pappa för första gången. Annars sa hon alltid pappa Kristian, för hemma hade hon ju pappa Miguel som funnits där ända sedan hon var liten. Som lagat mat, kört henne till skolan, till behandlingarna på sjukhuset för hennes hjärtfel och varit som en riktig pappa. Det hade varit den vardagen hon känt till innan Kristian klev in i bilden efter att ha varit ett diffust namn som tillhörde någon som bodde långt uppe vid nordpolen. Någon som hade svikit.

Nu sa hon bara pappa. Kristian fick tårar i ögonen och undrade om han förtjänade det. Efter att han läst klart och de slagit igen boken satt de bara tysta en stund. Valeria i hans famn, en alldeles levande och varm människa. Hans dotter.

– Ska vi gå in? sa Kristian efter en stund och strök henne över håret. Det börjar bli kallt.

Han fick inget svar, Valeria hade somnat. Kristian lade försiktigt ner boken på golvet och lyfte varsamt upp henne. Hon hade inte hunnit borsta tänderna, hon hade lovat att göra det efter läsningen. Nästa gång gör vi det först, tänkte han. Kristian log inombords, han tänkte precis som sin mamma. Kristian bar in Valeria i hennes rum och bäddade ner henne i sängen. Hon smålog i sömnen. Han stod och betraktade dottern en stund, hon hade äppelkinder som han själv när han var liten. Han satte sig ner på sängkanten och tog hennes varma hand i sin, strök den, tänkte på sin egen mamma som suttit vid hans sängkant när han varit sjuk eller inte kunnat sova. Hon kunde sitta och stryka honom kärleksfullt tills han somnade. Han kom ihåg att det var något fint i det, att somna med henne bredvid sig, blunda och känna sömnen komma och bre ut sig som en mjuk himmel över honom. Hade hans mamma varit särskilt kärleksfull därför att hon förlorat sitt ena barn? Överbeskyddande för att hon inte ville att han också skulle försvinna? Hade han ärvt hennes rädsla?

Kristian böjde sig ner och gav Valeria en försiktig puss på kinden. Han släckte lampan på nattduksbordet, smög ut och stängde dörren efter sig. Hämtade en Coca-Cola i kylen och sjönk ner i soffan i vardagsrummet. På soffbordet låg fortfarande albumet hans mamma visat honom när hon berättade vad som hänt med hans lillasyster. Han började bläddra. Såg sig själv sitta på en säng med Eline, som då bara var en bebis, i knäet. Hon var insvept i en rosa filt och han blickade stolt in i kameran. På en bild stoppade han ner huvudet i en gammaldags, vit barnvagn på vägen utanför huset där de bodde. En annan visade syskonen med skum i håret i ett badkar fullt med plastleksaker.

Ingen i familjen hade någonsin fått se Eline igen. Hans föräldrar hade varit förtvivlade lång tid efteråt. Kvällarna och nätterna hans mamma gråtit sig igenom var oräkneliga. Pappans hår hade blivit grått. Vännerna som kom, släkten som satt och ojade sig över kaffekopparna i soffan i vardagsrummet. Han såg deras ansikten framför sig, bleka, rödgråtna, bekymrade. Han kunde få en klapp på huvudet ibland, men det var inte så många som brydde sig om honom. Allt handlade om Eline, den söta lilla flickan som var försvunnen och som ingen visste var hon befann sig eller vad hon hade råkat ut för. Och det kom aldrig några svar. Kanske var det därför han var rädd, tänkte han när han betraktade fotografierna på systern. Rädd för att knyta an till något han riskerade att förlora.

Kristian skulle precis lägga ifrån sig albumet när något fick honom att stanna upp. Bland fotografierna fanns ett urklipp ur en lokaltidning. En artikel om försvinnandet i samband med att polisutredningen lades ner ett år efteråt. Han skummade igenom artikeln. Där stod att flickan fortfarande var försvunnen, att ingen gärningsperson gripits och att spår saknades. Ovanför texten fanns ett fotografi av platsen där den övergivna stulna bilen hade hittats. På bilden skymtade något som var upphängt på dörren till det obebodda huset. Bilden var oskarp och han kunde inte se vad det var. Snabbt reste han sig ur soffan och letade fram sina glasögon som han använde ibland när han såg på teve eller jobbade. Återigen betraktade han fotografiet. Nu upptäckte han att flera blombuketter var uppspikade på dörren. Buketter som man enligt kanarisk tradition satte upp på ytterdörren när någon i huset just hade avlidit. Kristian rynkade pannan. Han kunde inte påminna sig att han lagt märke till några blommor på de bilder han sett från huset i polisutredningen. Ivrigt rotade han fram mappen han fått av Sara. Han jämförde fotona med urklippet i albumet hans mamma satt ihop. Ingenstans på de äldre bilderna fanns det blommor på dörren. Det blev stilla i Kristians huvud. Varför skulle någon ha satt upp en blomsterbukett på dörren till ett övergivet hus?

Kristian kollade klockan. Nu var det för sent för att ringa till Sara, men han måste prata med henne så fort som möjligt.

18

Ännu en dag gick mot sin ände, denna mer hektisk än vanligt. Sara stod framför spegeln i badrummet, borstade tänderna och lyssnade till hur det slog hårt mot taket. Det hade börjat regna igen. Hon tänkte på hur hon skulle lägga upp rapporteringen av mordfallet. Det var mycket att jobba med. Linda Anderssons son skulle förhöras dagen därpå, hade Kristian berättat. Däremot hade hon inte fått ur honom någonting om vad förhöret med Lindas make Bengt hade gett, där lade Kristian locket på. Det var många trådar som behövde knytas ihop och hon insåg att fallet skulle ta all tid de närmaste dagarna. Allmänintresset när det gällde mord på en svensk kvinna i semesterparadiset var stort. Redan nu visste hon att Aftonbladet skulle slå upp saken på sin förstasida dagen därpå och att den skulle täcka löpsedlar runt hela landet.

Hon sköljde ur munnen. Tankarna lämnade arbetet för en stund och återvände till hennes femtioårskris. Hon betraktade sin spegelbild. Under nattlinnet syntes att hon blivit rundare. Hon nöp lite i låren, studerade bristningarna ovanför ena knäet som hon fått redan efter första förlossningen. Kroppen bar spår av hennes historia, så var det bara. Det måste man acceptera. Men som ett grått filter över alltihop låg känslan av att hon höll på att tappa sin kvinnliga attraktionskraft, att hon var på väg att bli uträknad. Det var som om dagen D närmade sig i allt hastigare tempo. Och hur hon än försökte tränga undan känslan av förlust, återkom hon ständigt till just den.

Inte tänka negativt nu, förmanade hon sig själv. Nu har du bestämt dig för att börja spela piano. Det kommer att bli jättebra.

Hon påminde sig om att leta reda på den där annonsen det första hon gjorde morgonen därpå, annars skulle det bara glömmas bort i villervallan efter mordet. Man skulle tänka positivt, vara tacksam för det man hade och hade möjlighet att få. Ett tips från någon livscoach hade varit att varje kväll anteckna tre eller fem saker som hade varit bra under dagen. Människor som förde loggbok över positiva erfarenheter sades vara friskare och lyckligare.

Lasse hade redan krupit ner i sängen medan Sara dröjde sig kvar i badrummet. Ritualen hade varit densamma i så många år, men förändrats en aning sista tiden. Skillnaden var att hon inte hade någon lust att lägga sig i dubbelsängen längre, den plats där hon borde känna sig trygg och avslappnad hade alltmer kommit att innebära något slags diffus stress och en påminnelse om tristessen som växte inom henne varje dag. Hur hade de det egentligen? Tryggt och bra förstås, vardagen fungerade smidigt. Barnen var glada och harmoniska, hemmet vackert och välorganiserat. De bägge trivdes på jobbet och de hade ett lagom intensivt umgänge som mest bestod av golfturer och middagar med vänner.

Sara suckade, stängde av vattnet och klappade ansiktet torrt med frottéhandduken. Sedan sträckte hon sig efter burken med den dyra ansiktskrämen hon köpt inne på varuhuset El Corte Inglés i Las Palmas häromdagen. Den utlovade magiska effekten mot trött hy sades vara framtagen i enlighet med den senaste nanoteknologin och ge bättre resultat än botox. Hon förde händerna mot pannan, sträckte ut huden mot hårfästet. Det gav henne en något förvånad uppsyn, men ögonlocken lyfte.

– Vad håller du på med därinne?

Lasse lät missnöjd inifrån sovrummet.

– Jag sminkar av mig, det vet du, svarade hon och hoppades att hon inte lät lika irriterad som hon kände sig. Det var det där också. I ett äktenskap tyckte man sig ha rätt att känna till sin partners varje steg. Inte sitta på toaletten för länge, inte hänga framför badrumsspegeln mer än nödvändigt. Att vara gift var att ständigt vara påpassad. Man hade evig redovisningsplikt. För några sekunder svävade hon iväg, såg sig själv bo ensam i någon härlig studio i city. Ett enkelt liv där hon var fri, inte hade någon som tjatade på henne. Lasse var snäll, omtänksam och fin, hon fick nästan skuldkänslor för att hon önskade bort honom, men tvåsamheten kunde också bli ett slags kvarnsten om halsen. I ett långt äktenskap tappade man till slut greppet om sin identitet. Och om hon hade velat ta på sig en fin klänning precis nu, spraya håret och måla läpparna röda, sticka iväg och ta en piña colada på någon bar? Lasse hade undrat vad som stått på. Kanske skulle de gräla till och med, hon skulle utbrista något om att hon behövde luft …

– Jag kommer, muttrade hon.

Hon släckte badrumslampan. Lasse låg på sin sida med läsglasögonen på näsan och en bok i handen.

– Vad läser du? undrade Sara.

– Den heter Folkhemmets sociala ingenjörer och handlar om hur det är att vara kommunalpolitiker i Sverige.

Sara himlade med ögonen. Nog för att Lasses smak när det gällde litteratur inte alltid överensstämde med hennes egen, men detta lät bara för torrt. Han noterade inte hennes reaktion utan fortsatte obekymrat:

– Författaren heter Jan Fredriksson och han har intervjuat mer än sexhundra kommunpolitiker … Väldigt intressant faktiskt, det är också en skildring av den moderna demokratins framväxt.

– Jaså, sa Sara och kröp ner under täcket. Hon plockade upp en av de svenska damtidningarna hon prenumererade på från nattduksbordet. Den första rubriken som mötte henne löd

”Hylla klimakteriet – en het nystart i ditt liv”. Det var som om hela världen sammansvurit sig mot henne.

– Jag tror inte att jag orkar vara vaken så länge till, sa hon, lade ifrån sig tidningen och sträckte sig efter strömbrytaren på sin sida.

– Sov gott, älskling, svarade Lasse. Jag läser en stund till, jag är så inne i boken.

Hon släckte och vände sig om. Men hon kunde inte sluta ögonen, utan låg och stirrade in i väggen. Bakom ryggen hörde hon Lasses andetag och hur han vände blad efter blad. Då och då drog han in luft genom näsan, ett knappt hörbart ljud som ändå störde henne. Kunde han inte åtminstone ge henne en klapp? En kram? Saknade han inte närhet? Kanske berodde hans bristande intresse på sjukdomen han led av. Lasse hade Parkinsons sjukdom, det var på grund av den som de hade flyttat till Gran Canaria från början. Men värmen och medicinen hade lindrat symptomen. Kanske hade han börjat känna av sjukdomen igen, men ville inte säga något? Kunde det ha en inverkan på sexlusten?

Vad hon själv längtade efter visste hon knappt, men inte var det detta. Ändlösa kvällar de tillbringade här i sängen med varsin bok eller tidning, läste, innan de önskade varandra god natt och somnade. Låg som två döda valar som spolats upp ur havet, två kroppar som strandat ihop. Hon vågade knappt tänka på när de legat med varandra senast. På nyårsafton hade de varit rätt berusade båda två och då fått till ett halvdant samlag. Men efter det? Och före dess?

Hur hon än sökte i minnet var det bara blankt.

19

Huset låg i utkanten av byn, precis ovanför hamnen. Likt små hopkrupna skjul klättrade de små byggnaderna i backen, tycktes klamra sig fast i den torra jorden. Här brukade turisterna stanna upp för att fotografera de pittoreskt slingrande gatorna, stenväggarna som dekorerats med handmålade keramikplattor, madonnabilder och skulpturer av fiskebåtar utanpå fasaderna. Lite varstans var vita plaststolar utplacerade direkt på gatan, där ortens gamla kunde slå sig ner för att prata bort en stund av eftermiddagen eller kvällen. I gathörnen stod tomma konservburkar, hinkar och kärl i vilka de boende hade planterat växter; agave, palmer och bougainvillea som lurade bort ögat från smutsen i hörnen och lukten av fattigdom. Magra katter och strykrädda hundar smög längs väggarna, ständigt på jakt efter en bortslängd matrest.

I ett av de minsta husen bodde familjen Rivera. Fabiano böjde sig fram över köksbänken och öppnade fönstret som vette mot havet. Genom fönstergluggen kunde han se ut över varvet där båtarna togs upp för reparation. Där hade han hjälpt till ibland när han gick i skolan och tjänat några ynka pesetas. Det var länge sedan nu. Han hade frågat efter jobb där så många gånger att det var pinsamt. De hade inte bruk för honom, varvet hade en kö med långt kunnigare aspiranter som behövde arbete. Spanien var i ekonomisk kris och det märktes på alla fronter. Kanarieöarna med sin förhållandevis låga utbildningsnivå var hårt drabbat och var fjärde kanarier gick utan arbete, han var en av många. Han tittade ut över varvet där arbetet hade kommit igång för dagen. Ljudet av motorsåg, borrar och hammarslag var så vanligt att han inte reflekterade över det längre. Det hade blivit en del av hans liv, deras liv. Ett konstant och monotont ljud av arbete, det fanns något betryggande i det. Trots kristiderna pågick det ändå verksamhet här.

Det hade varit en lång natt, och Fabiano hade sovit dåligt. Ända sedan han förlorade sitt arbete och hans fru lämnade honom och tog barnen med sig hade han haft problem med sömnen. Inte så konstigt kanske. Hans liv hade fallit samman över en natt. Det var otroligt, hur man kunde ha allt ena dagen och ingenting den andra. Nu var han snart femtio år och hade flyttat hem till föräldrarna.

Innan allt rasade hade han varit clownen i familjen, den som kunde få alla att skratta. Han hade alltid haft förmågan att få människor i sin omgivning att må bra och känna sig betydelsefulla. Men efter skilsmässan hade han krupit längre och längre in i sig själv. Fabiano var plågsamt medveten om att han hade blivit en skugga av sitt forna jag, en som bara drev omkring, utan vare sig vilja eller förmåga att ta tag i sitt liv.

Han var en börda för familjen och inte blev det bättre av att hans föräldrar började bli gamla. Hans mor gjorde så gott hon kunde i huset, men höfterna var utslitna. Trots att hon sällan beklagade sig över smärtorna syntes de ändå i hennes anletsdrag. I de tysta grimaserna som speglades i de en gång glittrande ögonen och i rynkorna som fördjupats runt munnen. Hon borde gå till doktorn, men varje gång Fabiano förde saken på tal skakade hon bara på huvudet. Absolut inte, till sådan lyx fanns inga pengar. Hon bet ihop som hon alltid hade gjort, tog itu med sysslorna som aldrig sinade. Fabianos pappa i sin tur hade för länge sedan gått in i sig själv. En gång hade han varit betydelsefull och till och med lycklig, men sinnet hade förmörkats med åren. I timtal satt han utanför huset när solen slutat steka, lät skuggan vila över sin orkeslösa kropp. Ibland stannade någon av grannarna till och pratade med honom om gamla tider, men de ville han helst glömma. Ville inte bli påmind om hur han förlorat sin livskraft. Oftast svarade han inte ens en gång, men folk pratade obekymrat på. Beklagade sig över de stigande priserna, över arbetslösheten och framtiden. Över politikerna som styrde från Las Palmas men som hade usel kontakt med verkligheten här. Pappan satt tyst, lyssnade på sin transistorradio och rökte sina Coronas. Följde med i vad som hände ute på gatan, ungarna som lekte, deras bekymmerslösa rop och skratt som ekade mellan husen. Som om han levde sitt liv genom andras. Som om han för länge sedan gett upp tanken på att något skulle kunna förändras.

– Låt det vara, jag kan ta hand om disken.

Mamman väckte honom ur tankarna, strök honom över ryggen och tog fram ett förkläde som hon knöt runt midjan. Långsamt plockade hon undan tallrikarna från frukosten och sköljde dem under det rinnande vattnet. Fabiano plockade ner en bild från kylskåpet som suttit där så länge han kunde minnas. Mamman vände sig mot honom med ett sorgset leende i ansiktet.

– Det var en annan tid, säger hon. En fin tid.

Fabiano tummade på fotografiet, hans pappa Juan framför den lilla lantegendomen, fältet där familjen hade odlat tomater syntes i bakgrunden. Allt kunde varit annorlunda, tänkte han, samtidigt som hans mor stirrade ner i det skummande vattnet i diskhon. Kanske hade vi varit lyckligare om vi stannat kvar i bergen. Som morbror Mateo. Han hade hårdnackat hållit fast vid getfarmen som låg några kilometer upp i bergen och vägrat att överge det lilla lantbruket som generationer före honom fått sitt levebröd av. Fabiano brukade ge sig av dit med jämna mellanrum för att hjälpa till. Han älskade att vara på gården och längtade alltid dit.

– Jag går ut en stund, sa Fabiano och satte tillbaka fotografiet. Ska jag gå förbi apoteket?

– Ja tack, det vore snällt. Om vi har råd?

Hans mammas smärtstillande medicin kostade pengar, men det måste gå ihop även denna gång, tänkte han medan han räknade mynten i den slitna plånboken. Om några dagar skulle hans syster få lön och även om den var skral så innebar det att det blev lättare att andas igen. Men det var en plåga att inte kunna hjälpa till med försörjningen mer än han gjorde genom tillfälliga påhugg.

Fabiano stack fötterna i ett par väl använda flipflops, gav sin mamma en kyss på kinden och lämnade huset. Det var varmare ute än inne och han började gå i riktning mot centrum. Havet vältrade sig lojt mot horisonten. Sikten var så pass klar att han tydligt såg Teides snöklädda topp på grannön Teneriffa. Vulkanen tycktes sväva under den klarblå himlen och Fabiano mindes hur rädd han varit för den sovande jätten i berget när han var liten. Hur han drömt mardrömmar om heta lavaströmmar som slukade allt som kom i deras väg, om nerbrända byar och människor som flydde för sina liv. Enligt sägnen bodde den onda anden Guayota, som var djävulen för ursprungsbefolkningen guancherna, inuti Teidevulkanen. Fabianos farmor hade berättat många historier om guancherna när han och hans syster var små. Eller *canarii*, som ursprungsbefolkningen på Gran Canaria egentligen hette. Guancherna levde egentligen på ön Teneriffa men även de andra öarnas ursprungsbefolkning kallades guancher i folkmun.

Han tog vägen utmed stranden och i vanlig ordning stannade han upp en stund. Playan var redan fylld med solbadande människor, de flesta av dem skandinaver som kommit till ön för att fly mörkret och kylan i sina egna länder. Vit hud i olika nyanser av rosa och rött lyste mot honom, kroppar utfläkta på kulörta badhanddukar, insmorda med solkrämer och oljor. Barn och tonåringar plaskade i vågorna och några äldre damer gick med bestämda steg fram och tillbaka från den ena sidan av stranden till den andra för att hålla igång sina rynkiga kroppar.

Uppe vid räcket på terrassen satt som vanligt Gonzalo i sin rullstol. De byxklädda stumparna där hans ben en gång suttit vilade platta mot dynan. Han rökte en cigarett samtidigt som han talade med en av byns alla äldre, en mager man i sjuttioårsåldern med vit tyghatt på huvudet och klädd i kortärmad skjorta och bruna herrbyxor. Fabiano nickade mot herrarna som han sett där i hela sitt liv. Han mindes tydligt den tiden när Gonzalo fortfarande var frisk och kunde gå. Han hade arbetat som fiskare men fick en kraftig infektion efter att ha skadat sig på en rostig spik på sin fiskebåt. Pengarna räckte dock inte till så han sköt på läkarbesöket, precis som Fabianos mor gjorde nu, ända tills bakterien spritt sig i kroppen och han tvingades amputera bägge benen. Nu levde han på allmosor och sin familjs välvilja, fiskebåten var såld sedan länge och allt som återstod för honom var att tillbringa dagarna vid strandpromenaden.

En kvinna i blommig bikini reste sig från sin handduk och ställde sig med armarna i sidorna, vänd mot havet. Hon samlade det rågblonda håret till en knut uppe på huvudet och började gå mot strandkanten. Av hållningen att döma var hennes liv fritt från bekymmer, åtminstone behövde hon inte oroa sig för hur hon skulle skaffa pengar till mat eller till medicin om hon blev sjuk.

Världarna möttes visserligen här, men skulle aldrig komma att förenas. Ingen annanstans syntes orättvisorna så tydligt som vid stranden. Det sved till i Fabianos hjärta när han tänkte på det. Och hur det kunde ha varit istället.

20

Sara var på redaktionen och jobbade med planeringen av kommande nummer av Dag & Natt. Så fort en sida var satt och färdig med bild och text tejpades den upp på väggen i den ordning den skulle komma i tidningen. På så vis kunde hon kontrollera att färgerna såg rätt ut och att kompositionen blev som hon hade tänkt. Halva tidningen fylldes med redaktionellt stoff och resten med annonser eftersom Dag & Natt var en gratistidning som levde på sina annonsörer. Det var Hugo som skötte försäljningen av annonsplats och det blev nästan alltid bråk om någon artikel som Sara tvingades lyfta ut till förmån för en annons.

Mordet på Linda Andersson skulle uppta en stor del av innehållet, insåg hon. Stackars kvinna. Hon undrade om det verkligen kunde vara maken som slog henne sönder och samman så brutalt. Vad visste man egentligen om människor och vad som dolde sig i deras inre? Hon såg upp på Hugo som satt mitt emot och koncentrerat knackade ner en artikel om mandelblomningen som just nu firades i bergsbyarna med festivaler, marknader och vandringar. Borta i hörnet satt redigeraren Javi och jobbade. För en gångs skull var alla tre på redaktionen samtidigt och det kändes riktigt skönt. Tryggt och hemtamt på något vis. Arbetet lugnade henne. Solen sken in genom gliporna i persiennen mot den lilla gatstumpen utanför.

Hon hade satt mobilen på tyst och upptäckte att hon hade flera missade samtal från Kristian Wede. Vad kunde han vara så angelägen om? Hon ringde upp honom, men han svarade inte. De fick väl höras senare. Nu hade hon avbrutits i sin koncentration och tankarna började vandra iväg. Hon skulle ju börja spela piano. Var hade hon sett den där annonsen om pianolektionerna nu igen? Var det i hennes egen tidning? Sara bläddrade raskt igenom Dag & Natts senaste nummer. Längst bak fanns diverse småtexter samlade på högersidan. Uthyres, säljes, köpes, samt en rad tjänster. Massage, yoga, privatlektioner i spanska ...

Sara skulle precis slänga tidningen ifrån sig när blicken föll på en liten annons längst ner på sidan. *Lär dig spela piano*, löd texten. Äntligen, tänkte hon lättad. Det fanns ett namn under annonsen, Ricardo dos Santos. Innan hon hann tänka efter närmare slog hon mobilnumret. Han svarade efter tre signaler. Rösten var mörk och behaglig och Sara tyckte genast om den.

– Jag heter Sara Moberg och ringer på annonsen om pianolektioner, är det du som är Ricardo?

– Det stämmer, svarade han. Söker du en pianolärare?

– Ja. Var hålls lektionerna? Jag bor i San Agustín.

– Jag bor i Arguineguín men det är inga problem för mig att ta mig till dig. Förutsatt att du har ett piano, förstås.

– Ja, det har jag faktiskt. Visserligen är det gammalt och säkert ostämt. Tyvärr har det inte använts på länge.

– Har du nån tidigare erfarenhet av musikinstrument? undrade Ricardo.

– Nja, inte direkt, om det inte räknas att jag spelade blockflöjt i tredje och fjärde klass.

– All musikalisk bakgrund är av godo.

Hon hörde att han log.

– Jag är verkligen en nybörjare, jag kan ingenting.

De småpratade lite om tillvägagångssätt och inlärning och kom överens om att de skulle ses dagen därpå för en första lektion. Han fick adressen och efter ytterligare några artighetsfraser lade de på.

Bara att ha pratat med den trevlige pianoläraren och bestämt en tid gjorde att Sara kände sig uppiggad. Hon reste sig och satte på sin favorit Ted Gärdestad och lät tonerna av Jag vill ha en egen måne fylla redaktionslokalen. En känsla av lugn spred sig i bröstet. Det var väl inte så farligt ändå att fylla femtio? Man kunde faktiskt ta kontrollen över sitt liv, styra det i den riktning man ville. Hon slog sig ner vid skrivbordet, rätade på ryggen och slog på datorn.

Det var dags att fortsätta med dagens arbete.

21

Kristian hade lämnat av Valeria i skolan och sedan kört söderut. Nu stod han utanför ett av de putsade stenhusen i raden längst ut mot havet i den gamla kustorten Pozo Izquierdo som också var ett känt vindsurfingparadis. Här blåste det ofta friskt och ute bland vågorna svischade ett tiotal surfare fram på vågtopparna. Han fattade inte hur de bar sig åt. Han tänkte på hur han och Sara för inte så länge sedan hade jagat en gärningsperson i just det här området och hur Sara hade råkat illa ut. Lyckligtvis hade det hela slutat väl, men minnena sände kalla kårar utefter ryggraden. Nu stod han där igen och ett nytt brutalt mordfall hade inträffat.

Kristian tog en titt på lappen som hans chef Grete på konsulatet gett honom. Adressen verkade stämma. Han gick uppför en halvtrappa och knackade på dörren.

Det tog inte lång tid innan den öppnades av en ung man med ljusa dreadlocks, barfota och klädd i en T-shirt med en vindsurfare tryckt på bröstet och röda shorts som räckte honom ner till knäna. Han var smal men muskulös och av solbrännan att döma hade han tillbringat många timmar i solen. Armarna var fulla av tatueringar. Kristian presenterade sig och räckte fram handen och sitt visitkort från konsulatet.

– Axel, svarade den unge mannen och hälsade något motvilligt innan han steg åt sidan och släppte in Kristian.

Han kastade en blick på kortet och lade det sedan ifrån sig på ett bord.

– Fin lägenhet, sa Kristian imponerat och tittade sig omkring. Han stod i en rymlig, ljus hall och ett jättelikt rum öppnade upp sig framför honom med stora fönster ut mot havet. Takhöjden måste vara minst sex meter och rum efter rum låg i fil utmed havssidan. De var rejält tilltagna, ljusa och sparsamt möblerade. Det närmaste var ett kök med ett rustikt gammalt matbord, en bjärt kontrast mot den hypermoderna köksinredningen i stål och aluminium. Det fanns en läcker, industriell känsla i lägenheten. Bordet stod längs med fönstret och hade säkert tio stolar runt om, alla i olika färg och utförande. Åt andra hållet sträckte sig en lång korridor med en rad stängda dörrar.

– Det är en kompis pappa som äger den, förklarade Axel. Vi får bo här när vi är här och surfar. Hans pappa bor i Las Palmas och kommer bara hit ibland.

– Hur stor är den? frågade Kristian hänfört och tittade upp i det höga taket.

– Jag tror att det är tio rum, typ trehundra kvadrat. De har slagit ihop flera lägenheter. Min kompis pappa är stenrik, han håller på med fastigheter och äger en massa olika hus på södra sidan av ön.

Kristian var så fascinerad över bostaden att han nästan glömde bort varför han var där. Utifrån hade man aldrig kunnat föreställa sig att en så magnifik våning dolde sig bakom den anspråkslösa fasaden. Flera fönster mot havet stod öppna och släppte in sol och frisk luft. Väggarna var vitmålade och befriade från tavlor och bokhyllor. Några surfbrädor i grälla färger stod lutade mot en vägg.

– Nåt att dricka?

Axel gick ut i köket och öppnade det stora kylskåpet.

– Ja tack, svarade Kristian och satte sig på stolen mitt emot honom. Gärna vatten, tack. Du vet varför jag är här, eller hur?

Axel mötte Kristians blick.

– Nej, inte egentligen. Jag har redan varit inne hos polisen på förhör och identifierat Linda.

– Jag är här från konsulatet för att hjälpa dig med allt praktiskt efter din mammas dödsfall. Jag kan också följa med om det blir fler polisförhör till exempel.

– Om du tror att jag ska sitta här och grina så tror du fel, sa Axel och tog fram en flaska vatten, hällde upp ett glas och ställde på bordet framför Kristian.

– Jag tror ingenting, sa Kristian och plockade fram en anteckningsbok ur innerfickan.

– Det hade varit naturligt, eller hur? fortsatte Axel med mörk blick. Att jag satt här och grät?

– Det finns många olika sätt att hantera sorg på.

Axel slog sig ner mitt emot. Han flackade med blicken och skruvade oroligt på kroppen. Kristian såg på honom.

– Hur mår du?

– Det är klart att jag är chockad över vad som har hänt. Att Linda är död, mördad.

Han tystnade och skakade på huvudet. Tittade ut genom fönstret. Där skummade vågorna på det knallblå havet och surfarna gled obekymrat omkring på sina brädor med vinden i håret.

– Hur var din relation till din mamma? Jag har förstått att du befunnit dig här på Gran Canaria i en hel månad utan att ge dig tillkänna. Åtminstone påstår Bengt att han inte hade en aning om att du var på ön.

– Det stämmer.

– Hur kommer det sig?

– Vi hade ett rätt stort bråk senast jag var nere och hälsade på, i somras. Jag tyckte illa om att de drack så mycket och det sa jag till Linda. Men det var som om hon inte lyssnade på mig, att hon inte förstod att jag tog illa vid mig. De levde ju så dekadent, satt bara med sina långa kaffestunder på morgonen, sen masade de sig i bästa fall ner till poolen ett par timmar och så var det iväg till nån bar resten av dan och kvällen. Bengt har ju sålt sin byggfirma, så de hade inget vettigt att göra. Det var så deppigt. Så den här gången kom jag bara hit för vågorna, jag pallade inte att träffa Linda.

Det gick inte Kristian förbi att Axel kallade sin mamma för hennes förnamn.

– Sanningen är att jag har gråtit tillräckligt över henne genom åren. Jag bodde tillsammans med Linda hela min uppväxt, sen träffade hon Benke och plötsligt var jag inte vatten värd. Allt handlade om honom och vad de två skulle hitta på. De hyrde den där bungalowen i San Agustín som de åkte till hela tiden. Jag fick klara mig så gott jag kunde. Långa perioder var det ingen hemma som lagade mat eller förhörde läxor. Eller undrade hur jag mådde, för den delen. Och så en dag efter ännu en Gran Canariaresa så sa Linda att de skulle flytta för gott. Då var jag bara femton.

– Din pappa då? Var har han varit hela tiden?

Kristian kände hur det stack till i hjärtat när han ställde frågan.

– Efter att de hade skilt sig bodde jag med Linda. Pappa är konsult och jobbar jämt. Han har aldrig haft tid med mig. Men plötsligt tyckte Linda att det skulle gå jättebra att pappa tog hand om mig. Trots att hon mycket väl visste att det aldrig skulle funka. Bara för att det passade henne, så hon kunde festa runt på Kanarieöarna.

Kristian lade märke till att Axel började skrapa av målarflagor från bordet med pekfingret, på hans sida var nästan all målning borta.

Axel tystnade och tittade på honom.

– Hur blev det då? Hur löste ni det hela?

– Löste? Axel fnös. Jag fick flytta in hos pappa och hans unga flickvän. Han var aldrig hemma och hon struntade fullkomligt i mig.

–Jag förstår, sa Kristian och gav honom en deltagande blick. Varför kunde du inte flytta med din mamma hit då? Det finns ju en svensk skola.

–Det kom aldrig på tal. Det var som om hon inte ville ha mig med, hon föreslog det aldrig i alla fall.

–Har du haft mycket kontakt med din mamma efter att hon och Bengt flyttade hit?

–De första åren åkte jag ner ganska ofta, det var överenskommelsen. Att jag skulle bo hos pappa, men att Linda skulle ha mig på loven. Jag märkte redan första sommaren jag var nere att de drack rätt mycket. De bråkade ofta när de var fulla och jag var mest i mitt rum. Jag gillade Kent då, brukade ta på mig hörlurar och lyssna på hög musik för att slippa deras grälande. Som tur var träffade jag en svensk kompis som brukade vara hos sin mormor och morfar på samma gata. Pontus surfade och tog med mig hem till honom så att jag inte behövde vara hos Linda och Benke. Till slut kändes det som om jag åkte till Pontus familj på loven.

Rösten sprack. Axel reste sig tvärt och ställde sig i fönstret med ryggen till. Kristian misstänkte att han grät. Han sa ingenting, satt bara tyst vid bordet och avvaktade.

Den unge mannen satte sig ner på stolen igen. Kristian kunde se att han ansträngde sig för att ta sig samman även om han var blek och ögonen var rödkantade.

–Och vet du vad? fortsatte sonen efter en stund.

–Nej, svarade Kristian.

–Jag kan inte lyssna på Kent längre. Varje gång jag hör deras musik blir jag typ kallsvettig. Så jävla patetiskt. Tur att de har lagt ner.

–Hur är din relation med Bengt? Du vet att han är misstänkt? Häktningsförhandlingar kommer säkert att hållas inom de närmaste dagarna.

–Skulle Benke ha mördat mamma?

Axel tystnade och såg plötsligt frånvarande ut, blicken blev inåtvänd. Han skakade på huvudet.

– Benke är en jävla skitstövel, som fick mamma att lämna hela sitt liv i Sverige. Men en mördare? Å andra sidan, vad vet man om människor? Allt beror på omständigheterna. Folk är ena jävla egoister, de tänker bara på sig själva.

Axel tittade ner på sina händer.

Kristian såg hur den stora sorgen som bodde i den unge mannen sipprade ut. Hans fingrar som rev av färgen från det gamla bordet. Skrapade tills fingrarna blev röda och upprivna.

22

Svenska baren låg högst upp i köpcentret i Puerto Rico och längst bort i en undanskymd hörna. Det var inget ställe man passerade direkt, utan man måste nästan känna till det för att hitta hit. Nu såg det ut att vara lika livligt i baren som vilken dag som helst, trots att det var måndag. Sara kastade en blick på klockan. Kvart över ett. Stammisarna hade redan tagit sin första öl. Antagligen var det också en del nyfikna som hört om mordet på Linda och besökte baren bara av den anledningen. Fortfarande hade hon inte fått tag i Kristian och hon undrade vad det var han ville. Han hörde väl av sig igen. Nu var hon här för att försöka få veta mer om Bengt och Linda i första hand.

Vartenda bord var upptaget och ägaren, Fredrik, sprang ut och in med brickor fullastade med ölsejdlar och vinglas. I baren stod Fredriks norska fru Hanne och hällde upp öl. Sara hade nyligen gjort ett reportage om den norsksvenska familjen, som framgångsrikt drev både baren och en liten turistbyrå.

Det gick inte att ta miste på att baren var svensk. Det fanns något hemtamt över lokalen, det kändes med en gång man klev in. Myslampor hängde från taken, där låg rödvitrutiga dukar på borden och runt dem stod vita trästolar som tagna ur en Ikeakatalog. I hyllor utefter väggarna fanns sällskapsspel och pocketböcker på svenska att låna, fotografier från Sverige blandat med hockeytröjor från Växjö och Fagerhult, banderoller från Malmö FF och Djurgården.

Sara slog sig ner på kortändan vid ett bord där det fanns en ledig stol. Hon hälsade på Hanne och beställde en Cola light. Hanne rörde sig snabbt och lite ryckigt. Hon var lång, atletisk och väldigt ljus, med håret i en fläta på ryggen.

– Hur är det? frågade Sara när Hanne serverade drycken.

– Jo då, svarade hon snabbt utan att möta Saras blick. Det är ju väldigt obehagligt. Vi är chockade allihop.

– Hur uppfattade du Linda och Bengt i lördags kväll?

– Jag var inte här då. Hanne såg upp på Sara, hennes ögon var ljusblå och intensiva. Så jag vet inte, det är nog bäst att du snackar med Fredrik. Jag har lite att stå i, sa hon ursäktande och skyndade tillbaka till baren.

Hanne hade uppenbart händerna fulla och inte tid att prata. Dessutom var hon inte direkt den talföra typen, det mindes Sara från reportaget. Hon var tyst och ganska inbunden. Sara såg sig omkring. Ingen verkade ta någon notis om henne. Så var det ofta, de flesta kände inte igen henne. Det var först när folk hörde hennes namn som de kopplade ihop henne med tidningen. Snacket kring bordet rörde sig inte oväntat om mordet på Linda Andersson.

– Fan, det är helt galet, muttrade en blond man i kortärmad T-shirt, tatuerade armar och hästsvans. Som om Benke skulle ha gjort det. Aldrig i livet!

– Verkligen, sa en kvinna med färgat rött hår och dinglande örhängen. Fast det märktes att det var surt mellan dem i lördags. Linda gnällde på Benke, det hörde jag.

– Det gjorde hon väl alltid, sa en annan och lyfte ölglaset till munnen. De småbråkade ju jämt.

Sara presenterade sig och undrade om hon fick ställa några frågor.

Välvilliga hummanden kom från personerna runt bordet. En ökad koncentration. De flesta var mer än salongsberusade.

– Kände ni Linda allihop? frågade Sara.

– Här är alla bekanta med varandra, sa en man i sextioårsåldern som bar en sliten cowboyhatt på huvudet. Under brättet var håret grått, näsan var stor och bullig med ett finmaskigt nät av röda blodkärl som vittnade om ett alltför stort alkoholintag under alltför lång tid. Han var klädd i en rutig skjorta som spände över den ölstinna magen och ett par skrynkliga bermudashorts. På fötterna bar han sandaler och Sara lade förskräckt märke till att han troligen inte klippt tånaglarna på månader. Han presenterade sig som Johnny.

– Det är förjävligt det som har hänt, fortsatte han. Vi hörde på radion att Benke hade åkt in, men ingen här tror att det var han som gjorde det.

– Varför inte?

– Vi har umgåtts med Benke och Linda i flera år. Fast egentligen borde du snacka med deras bästa kompisar här i Puerto Rico, Stubben och Lotta. De kommer nästan alltid hit tillsammans med dem.

Sara antecknade namnen.

– Har du nåt efternamn? Var bor de?

Mannen med cowboyhatten gjorde en nick bakåt.

– Eriksson. De bor i en lägenhet häruppe på höjden bakom köpcentret. Jag vet inte adressen, men känner jag dem rätt så kommer de inknatande här förr eller senare.

Han log snett och tog en klunk öl ur sin bägare.

– Hur ofta brukade Bengt och Linda vara här?

– Flera gånger i veckan, fast de bor i San Agustín. De flesta som hänger här bor i närheten. Och visst gick de hårt åt flaskan ibland och visst var det en del krångel och bråk. Hon var ju lite het på gröten, Linda.

– Hur menar du då? frågade Sara intresserat och lutade sig framåt för att höra bättre i sorlet.

– Hur ska jag uttrycka det? Man vill ju inte tala illa om de döda, men hon hade både temperament och så brann det i ljumskarna på henne, som vi brukar säga.

– Vad betyder det? frågade Sara rättframt.

Hon insåg vad det smått okultiverade uttrycket innebar men ville att mannen skulle utveckla sitt påstående.

– Hon hade behov av, eeh, vad ska man säga ... uppmärksamhet från män.

– Inte bara uppmärksamhet, kanske? spann Sara vidare.

– Jag vill inte komma med beskyllningar, men det gick rykten om Linda. Att hon roade sig vid sidan om, så att säga. Utan att berätta för sin man. Det är det i och för sig flera som gör.

– Kan du nämna några namn?

– Nja, det har väl snackats en del genom åren som har gått. Hon brukade visa intresse för herrarna om man säger så. Särskilt om de var lite yngre. Men det kanske var oskyldigt.

De avbröts av att Fredrik kom och serverade ännu en runda öl.

– Den här rundan är on the house, sa han och möttes av belåtna miner.

Han vände sig till Sara.

– Hej, sa han och kysste henne på kinderna. Är du här som gäst eller som journalist?

– Bägge delarna kanske. Har du tid att prata en stund?

– Visst, kom med mig så sätter vi oss lite mer ostört.

Fredrik gick före och lämnade brickan vid baren innan han styrde stegen mot ett bord längst bort i lokalen.

– Där har du en av dem, viskade Johnny med en blick på Fredrik och gav Sara en förtrolig knuff i sidan. Jag kan inte svära på att de har hoppat i säng, men de har i alla fall varit på god väg.

Fredrik såg bra ut, på ett lite hårt sätt, tänkte Sara när hon slog sig ner mitt emot honom. Han var lång, muskulös och klädd i en marinblå tennisströja. Rena drag, men en ganska stram mun och en sträng uppsyn. Hon visste att han gjorde ett gott jobb med baren och att han dessutom var oerhört populär som guide. Hon hade varit med på en bergstur för länge sedan med honom som hon sedan skrivit ett reportage om. Han hade varit både rolig, kunnig och karismatisk. Nu verkade han sliten.

Barägaren tog för sig av en tallrik med kycklingvingar i en brun sås som hans fru ställde ner framför honom tillsammans med en öl.

– Jag passar på att äta, hoppas att du inte misstycker. Det är så satans mycket att göra.

– Ingen fara. Vad säger du om det som har hänt?

– Ja, vad ska man säga? Det är en chock, fruktansvärt.

– Många har ju kommit hit till baren i dag, beror det på mordet?

– Ja, det tror jag. Så här mycket gäster har vi bara på helgerna annars. På måndagar brukar det vara ganska lugnt. Men jag tror folk har behov av att träffas och prata. Många vill nog veta mer också.

– Vad har du mött för reaktioner?

– Benke och Linda är stammisar, de har kommit hit i alla år. De är ju som vänner. Jag tror inte en sekund på att det är han som har gjort det. Han skulle aldrig göra illa Linda, inte på det sättet.

– Vet du hur de hade det? Jag menar i relationen?

– Bra, tror jag. Som folk i allmänhet.

– Hur väl kände du Linda? fortsatte hon.

Ögonlocken fladdrade till nästan omärkligt innan han svarade.

– Ganska bra, sa han undvikande. Fast det blir nästan alltid samma sorts snack, ganska ytligt egentligen. Jag hinner inte heller prata så mycket med gästerna när jag jobbar.

– Hur skulle du beskriva Bengt och Linda?

– De är väl som folk är mest. Oftast glada och trevliga men ibland dricker de för mycket och så blir det bråk. Men det händer i stort sett alla som kommer och går här.

– Vad var det för bråk?

– Gräl på fyllan, inget allvarligt.

– Vad handlade bråken om?

Fredrik fick något hårt i rösten.

– Hur skulle jag kunna veta det?

– På Johnny där borta lät det som om Linda brukade vara otrogen, stämmer det?

Sara hann knappt slutföra meningen innan hon kände hur stämningen kring bordet förändrades. Fredrik bet i en kycklingvinge, tuggade i sig köttet och torkade sig omsorgsfullt om munnen innan han svarade. Röda fläckar uppträdde på halsen. Han såg rakt på Sara med hård blick.

– Lindas kropp har knappt kallnat och här har du mage att komma med insinuationer. Vet du vad? Jag tycker att du ska gå härifrån. Gör det. Kom inte hit och stör mig och mina gäster. En av våra vänner har just mördats och en annan är misstänkt för att ha tagit livet av henne. Kan du ens föreställa dig hur det känns?

Han reste sig tvärt, tog med sig den halvtomma tallriken och ölen och försvann in på restaurangen. Sara satt kvar och tittade häpet efter honom.

I ögonvrån skymtade hon Fredriks fru Hanne som stod i ena änden av baren. Hon hade släppt vad hon hade för händer och stod bara och stirrade på henne.

23

1957

Familjen hade just slagit sig ner för att äta kvällsmat när det knackade på dörren. Orlando gav sin hustru en frågande blick och reste sig från bordet. Det var redan mörkt ute och de väntade sig inga besök vid den här tiden. Barnen såg upp från sina tallrikar. De var så olika de där två, Juan var ljus och ovanligt lång för sin ålder, medan Marisol var liten och mörk. Om man såg dem på gatan skulle man aldrig kunnat gissa att de var syskon. Utanför dörren stod mannen som Orlando hade jagat iväg från gården ett par månader tidigare. Han kände igen de isblå ögonen omedelbart. Då hade mannen haft sällskap, men den här gången kom han ensam. Han bar en tjock mapp under armen. Orlando satte en fot i dörren. Den där kanaljen tänkte han inte släppa in.

– God kväll, ursäkta att jag tränger mig på så här sent, men ni var det sista huset på listan och alla har varit så engagerade och haft så många frågor vid mitt besök att det tog längre tid än jag trodde.

– Jag är inte intresserad har jag sagt, sa Orlando och stod kvar i dörrhålet.

– Manfred Neumann heter jag, om du minns mig. Nu är det så att du dessvärre inte har något val. Låt mig komma in så ska jag förklara.

Orlando tvekade ett ögonblick, men så dök hans hustru Rosaria upp bakom honom.

– Släpp in honom så får vi höra vad han har att säga, sa hon.

Orlando tittade in i köket. Barnen hade ätit klart och Orlando tecknade åt dem att lämna rummet. I barnens ansikten syntes en oro, men de klev ner från sina stolar utan att säga något.

– Kan vi göra lite plats här? undrade Manfred Neumann med en blick på Rosaria.

– Javisst, svarade hon nervöst och plockade snabbt undan tallrikarna.

Orlando hämtade en trasa och torkade av. Manfred Neumann slog sig ner, plockade fram en ritning från mappen och vecklade ut den på bordet. Maspalomas sanddyner bredde ut sig och ett antal tomter var utmärkta med olika nummer och beteckningar som inte sa Orlando eller hans hustru någonting.

– Så här ser området häromkring ut i dag, började Manfred. Ett antal små lantgårdar och odlingar som överlever tack vare konstbevattning. Annars är det mest ödemark, det finns inga ordentliga vägar, inget avlopp, knappt någon fungerande elektricitet och ingen skola för barnen. Inte direkt en stimulerande miljö att växa upp i, tillade han snabbt och himlade lätt med ögonen.

Orlando kände hur käkarna spändes, men Rosaria gav honom en lugnande blick och lade blidkande handen på hans arm. Sedan ett enormt område som bara består av ökensand utefter den här flera kilometer långa, fantastiska sandstranden, fortsatte Manfred.

Han gjorde en konstpaus och betraktade dem allvarsamt innan han fortsatte:

– Och så här skulle det kunna se ut.

Med en teatralisk gest svepte han fram nästa ritning ur mappen och placerade den på bordet. Både Orlando och hans hustru drog efter andan. Manfred pekade och förklarade vad de såg på ritningen. Den var fylld av hotell, bungalowområden, restauranger, barer, nöjesfält, trädgårdsanläggningar, parker och swimmingpooler. Utmed havet fanns en remsa sand kvar, men annars var hela området täckt av byggnader och vägar. Det var fullkomligt förändrat.

– Menar du allvar? utbrast Orlando.

– Ja, jag menar allvar, sa Manfred belåtet. Och inte bara jag, utan ett tiotal bygglag, kommunen och statsmakterna på fastlandet. Vi har till och med general Franco bakom oss. Han tycker det är en ypperlig idé att satsa på turismen på Gran Canaria, det kan ge mycket pengar till den spanska statskassan. Och inte bara det. Det här är en utveckling av hela ön. Tänk vilka förutsättningar för barnen. Det kommer att innebära fler möjligheter för dem, både när det gäller utbildning och arbete. Det är en ny tid.

Orlando och Rosaria såg på varandra.

– Vi erbjuder oss att köpa din mark till ett rimligt pris. Ni som bor här får chansen att hyra nybyggda lägenheter i Tablero. Där ligger ju också skolan. Det finns affär och restaurang. Lägenheterna som planeras kommer att bli moderna med både vatten och avlopp.

Tankarna for omkring i Orlandos huvud. Skulle de flytta? Lämna allt de hade här? Marken? Odlingarna?

– Hur mycket? frågade Rosaria.

Manfred Neumann plockade fram nya papper ur sin mapp med siffror, förklaringar och jämförelser. Summan de skulle få för sin mark var inte överdrivet stor, men de skulle bli skuldfria och slippa ifrån de växande problemen med framför allt bevattningen.

– Och när? fortsatte hon. När skulle detta vara aktuellt?

– Det dröjer lite, vi är bara på planeringsstadiet än så länge. Detaljplaner ska utarbetas, bygglov ska ordnas och en massa andra formaliteter. Lägenheterna i Tablero ska påbörjas inom ett år och sedan kanske det dröjer ytterligare ett år innan de blir inflyttningsklara. Men det är bråttom med försäljningen, för vi måste ha det klart innan vi kan gå vidare till nästa steg.

Orlando öppnade munnen för att säga något, men Rosaria lade återigen handen på hans arm.

– Låt oss tänka på saken, sa hon. Vi behöver prata igenom detta.

– Gör det, sa Manfred och samlade ihop sina papper. Men inte för länge. Erbjudandet gäller till årsskiftet. Och förresten, en sak till. Bonden som försörjer er med vatten har sålt till oss. Han lägger ner sin verksamhet och skrotar hela konstbevattningssystemet. Det kommer att ske inom ett halvår. Bara så ni vet.

Han tog i hand, tackade för sig och gick.

24

Bengt Andersson klev ur taxin på gatan utanför bungalowen och gick snabbt mot entrén. Han hade ingen lust att stöta på någon och bli bemött med antingen skepsis eller kletig medömkan. Båda alternativen kändes lika oattraktiva och han ville bara in i hemmet så fort som möjligt. Han hade fått tillåtelse att ringa och informera sina hyresvärdar om att han skulle släppas fri under eftermiddagen. Ingrid hade låtit lättad och glad på rösten och omtänksamt nog frågat om han ville bo i sin egen bungalow eller i en annan som fanns ledig. Om det blev för jobbigt, menade hon. Visserligen hade de fått klartecken av polisen att städa ur, den tekniska undersökningen var avslutad så det var fritt fram att skura bort alla spår av tragedin som inträffat därinne. Men det som hade hänt hade ändå hänt. Bengt hade förklarat att han i vilket fall föredrog att komma hem. Hon förstod och lovade att den skulle vara skinande ren, att de trasiga inventarierna skulle ersättas och att inga spår av förödelsen skulle finnas kvar.

Han gick över gräsmattan och skyndade sig att låsa upp.

Så fort han drog glasdörren åt sidan och klev in i det som till helt nyligen varit hans och Lindas hem fick han svårt att andas. Han visste att hon hade hittats i köket. Fortfarande mindes han inte vad som hänt. Men tänk om ... tänk om det var han själv som hade gjort det. Bengt började flämta. Väggarna krympte runt honom. Taket gungade.

Han dråsade ner i soffan och stirrade omkring sig. Det var som om någon hade slagit honom hårt i huvudet. Här hade de haft sitt liv ihop, sin tillvaro i solen. Men Linda skulle aldrig komma tillbaka. Han skulle aldrig mer se henne stöka omkring i köket, hålla om henne i soffan eller lägga sig bredvid henne i sängen.

Bengt lät blicken vandra runt på de gamla välkända tavlorna och fotografierna på väggarna som om det skulle hjälpa honom att minnas. Han försökte febrilt samla tankarna. Hans advokat hade påtalat vid häktningsförhandlingen att de inte hade tillräckligt för att hålla kvar honom. Det faktum att kläderna han hittades i och bevisligen haft på sig under mordkvällen var helt oblodiga, att han själv inte haft en skråma förutom rivmärket i ansiktet och att bartendern på baren där han suttit efter att han och Linda skilts åt gett honom alibi gjorde att misstankarna mot honom försvagats betydligt, även om han inte var helt avförd från utredningen, som advokaten uttryckt det hela. Polisen hade frågat om han ville se Linda, men han hade avböjt. De menade att det kanske skulle hjälpa honom att få minnesbilderna tillbaka, men han orkade inte. Klarade inte av att se henne död. Axel hade identifierat henne. Styvsonen hade kunnat besöka Bengt på häktet, men det hade han inte gjort. Bengt undrade vad han tänkte och kände. Trodde han att det var Bengt som hade slagit ihjäl hans mamma? Även fast han släppts fri? Om de inte hade börjat bråka, om han hade gått med Linda hem hade detta aldrig hänt. Bengt brast ut i gråt, kunde inte hejda sig. Vad skulle han ta sig till?

En ton började ljuda längst bak i huvudet. Han måste upp, måste resa sig, göra något. Få annat att tänka på en stund. Annars skulle han bli tokig. Munnen var torr och tungan klibbade mot gommen. Han mindes att de hade både öl och vodka i kylen, reste sig och gick med långsamma steg mot arbetsköket. Innanför bänken där hade Linda legat. Hjärtat bultade hårt. Han sneglade mot golvet i hörnet, tyckte sig se sin hustrus döda, blodiga kropp framför sig. Försökte undvika att titta sig omkring, höll blicken fixerad på kylskåpet. Men just när han skulle till att öppna det fick han syn på något i ögonvrån.

Uppe i det lilla köksfönstret stod ett fotografi av Linda som han aldrig hade sett förut. Någon hade placerat det där. Bengt sträckte sig efter porträttet. Hon stod på en strand med håret utsläppt i vinden och skrattade mot kameran. Klädd i bara shorts och ett linne, sund, solbränd och vältränad. Kinderna lyste av hälsa, tänderna var kritvita och ögonen glittrade. Han hade aldrig sett henne så. Det måste ha tagits innan de träffades. Vem hade placerat detta foto här? Och varför? Försiktigt tog han tag i fotografiet och vände på det. Där fanns en textrad, skriven med tuschpenna. *Innan du kom*. Inget mer. Bengt flämtade till. Skallen började snurra och det svartnade för ögonen.

Fotografiet gled ur händerna på honom och föll till golvet.

25

Kristian hade äntligen lyckats få kontakt med Sara och de hade kommit överens om att träffas för en sen lunch på en restaurang med det något anmärkningsvärda namnet Guantánamo som låg utefter vägen mellan Puerto Rico och Mogán. Med kanariska mått mätt var lunchen i och för sig inte sen, de skulle ses klockan tre vilket var en helt normal tid för kanarier. Restaurangen tedde sig tämligen oansenlig utifrån men serverade bra kanarisk mat och den var mycket populär, särskilt bland lokalbefolkningen.

När Kristian klev in genom dörren var det närapå fullsatt, men han lyckades ändå få ett bord för två längst inne vid fönsterraden mot havet. Sara hade inte dykt upp ännu och han passade på att gå på toaletten. Framför spegeln därinne insåg han att han såg mager ut, han måste ha gått ner i vikt på sistone. Det gjorde han alltid när han mådde dåligt. Han hade känt en oro i kroppen och när han blev nedstämd glömde han ofta att äta. Kanske funderade han för mycket, på Valeria, på Eline och inte minst sitt struliga kärleksliv med Diana, tjejen han träffat under en ganska lång period och som nu verkade vilja ta relationen ett steg längre, något han inte alls kände sig redo för. Arbetet hade han heller inte funnit sig helt tillrätta med ännu. Han hade stortrivts med att vara polis. Jobbet på konsulatet var något helt annat.

Kristian vred på kallvattnet och sköljde av ansiktet innan han upptäckte att det inte fanns något papper kvar i hållaren på väggen. Istället torkade han av sig nödtorftigt med T-shirten. Sedan drog han fingrarna genom håret och gick ut från toaletten. Han tänkte på drömmen han haft under natten. Numera dök den upp flera gånger i veckan. Kanske var det för att Sara hade börjat rota i hans systers försvinnande, det väckte minnen till liv. Nattens mardröm om pojken som åt glass medan han såg sin syster försvinna hade varit ovanligt tydlig.

Han beställde vatten och slog sig ner vid bordet. Kastade en blick på klockan, han var tidig. Ännu återstod en kvart innan deras avtalade möte. Han såg fram emot att träffa Sara och höra vad hon hade att säga om det han upptäckt när han tittat i albumet. Kanske betydde blommorna på dörren inget, men han ville att de åtminstone skulle diskutera saken.

Han funderade på mötet med Axel. Lindas son verkade ha haft ett ytterst komplicerat förhållande till sin mor. Och han befann sig på Gran Canaria när mordet begicks.

– Hej, är du redan här?

Han såg upp. Sara log svagt mot honom och bredde ut armarna. Kristian reste sig för att ta emot kramen. Hon såg ovanligt trött ut. Hon var blek i hyn och hade mörka skuggor under ögonen. Det bruna, raka håret gick precis till axlarna och helluggen dolde de bruna ögonen till hälften.

– Jag kom just. Vad vill du ha?

– Mineralvatten också, tack.

Kristian tittade bort mot servitören och beställde.

– Jag kommer direkt från Svenska baren, sa Sara och damp ner på stolen. Herregud, vilka människor. Jag fattar inte varför man bosätter sig på denna ljuvliga ö för att tillbringa dagarna i en sketen bar.

– Träffade du vännerna Sture och Lotta, som Anderssons besökte på mordkvällen?

– Nej, de var inte där.

– Okej, jag ska prata med dem i morgon. Tydligen kan inte de heller nån spanska så Quintana ville ha min hjälp.

– Vad var det du ville? Det verkade angeläget, sa Sara och fixerade honom med blicken.

De avbröts av servitören som kom och tog deras beställning. Kristian plockade upp fotoalbumet han hittat föregående kväll och sköt det över bordet.

– Jag vill att du ska ta en titt på en sak.

Sara började bläddra i albumet. Hon smålog när hon betraktade bilderna av honom och hans syster som barn.

– Du är dig lik.

– Tycker du? frågade Kristian och log snett. Mamma samlade fotografier av min syster i det här albumet, men hon plockade bort dem från familjealbumen vi hade i bokhyllan så att hon inte skulle behöva bli påmind. Några av dem är jag förstås med på.

– Vad söt hon var, sa Sara. Hon blev allvarlig. Varför visar du mig det här just nu?

Kristian bläddrade fram till tidningsartikeln med fotografiet av platsen där bilen hittades utanför ödehuset. Bredvid placerade han ett av polisens foton från samma ställe.

Sara studerade de två bilderna ingående innan hon ryckte på axlarna och tittade frågande på honom.

– Blommorna som hänger på dörren, sa Kristian. När fallet lades ner ett år senare gjordes ett reportage i lokaltidningen. Plötsligt hängde det blommor på dörren.

– Kanarierna gör det när nån i huset har gått bort, mumlade Sara medan hon betraktade bilderna.

– Just precis, instämde Kristian. Men huset var obebott då. Vem skulle ha avlidit där?

Sara blev tyst medan hon studerade dem igen.

– Det kan man fråga sig. Och vad tror du att det betyder?

– Ärligt talat har jag ingen aning. Men jag kan inte låta bli att undra om det har nåt med fallet att göra. Jag menar, den stulna bilen hittades vid just det huset. Exakt ett år senare har nån hängt blommor på dörren. Det är klart att man funderar på om det finns ett samband.

– Hur långt bort bor närmaste granne?

– Jag vet inte exakt var huset är beläget, bara att det ligger uppe i bergen nånstans utanför Ayacata.

– Vi får kolla upp det, sa Sara och stirrade frånvarande på fotografierna. Man vet ju aldrig. Det kan leda oss framåt.

– Ska vi åka dit? föreslog Kristian. Prata med folk i bygden, det kanske kan ge nåt.

– Absolut. Så fort vi hinner, just nu är det ju så mycket med mordet på Linda. Hur var mötet med sonen? frågade Sara och tog en klunk av vattnet.

Kristian såg oroligt på henne. Hans väninna utstrålade inte sin vanliga energi och entusiasm. Hon verkade håglös och dämpad.

– Hur är det med dig? frågade han. Har det hänt nåt?

– Nej, vadå? sa hon och rätade på ryggen.

– Du verkar inte vara som vanligt.

– Nejdå, sa hon. Det är inget. Hur så?

Kristian ryckte på axlarna.

– Jag tycker bara att du ser lite sliten ut.

– Tack för den. Det var precis vad jag behövde höra, sa Sara och himlade med ögonen.

Maten kom in och de började äta.

– Det var okej, sa Kristian efter en stund. Mötet med Axel Malmborg alltså. Men relationen mellan honom och hans mamma verkar inte ha varit den bästa.

– På vilket sätt?

– Han verkade besviken över att hon lämnade honom när hon bestämde sig för att flytta till Gran Canaria. Han var bara femton och tvingades bo hos sin pappa som jobbade jämt.

– Det låter ju inte så omtänksamt.

– Han verkar bära på rätt mycket ilska. Och sorg, förstås.

– Inte så konstigt när man blir lämnad av en förälder, sa Sara och tog en klunk vatten.

I nästa sekund insåg hon vad hon just sagt. Hon sträckte ut en hand mot Kristian.

– Åh, förlåt, jag menade det inte så.

– Jag fattar, sa han med sorg i blicken. Men du har rätt.

– Du är här nu, sa Sara tröstande och klappade honom lätt på armen.

Han tog hennes hand och de blev sittande så en bra stund. Tysta, med händerna i varandras.

26

En trålare med en flock måsar efter sig är på väg in mot hamnen. Jag lutar mig mot bergväggen och tänder en cigarett. Det är ännu tidigt men redan nu ser jag några joggare som springer längs vattnet utanför all inclusive-hotellet.

Det står några bilar på parkeringen och en städerska skyndar förbi. Jag studerar hotellets entré, lägger detaljerna på minnet. Hur dörrarna till den luftkonditionerade foajén glider upp och hur länge det dröjer innan de stängs. Jag vet att det finns en receptionsdisk innanför och låga mjuka fåtöljer i flera fristående grupper. Här passerar många människor dagligen, det är svårt att lägga märke till varje enskild person. De rökfärgade glasdörrarna glider tyst upp ännu en gång och släpper ut ett äldre par med gåstavar. De är klädda i gymnastikskor och träningskläder och stegar iväg bortåt Patalavaca och Anfi del Mar.

Turistbussarnas upphämtning och avlämning sker oftast på lördagseftermiddagarna. Då är det mer liv och rörelse här. Förväntansfulla skandinaver som just anlänt och törstar efter sol varvas med brunbrända resenärer som ska tillbaka till kylan i Norden. Föräldrar som försöker hålla reda på sina barn och guider som samlar ihop allesammans som om de vore en skock får som noga behöver bevakas för att inte springa vilse.

Just det här hotellet är perfekt för ändamålet. Den lite undanskymda parkeringen. Läget nedanför berget. De branta klipporna omkring. Bussarna måste backa för att komma upp igen.

Jag ser henne på håll. Trots att det är över tjugo grader varmt är hon klädd i långbyxor, blus med lång ärm och pärlhalsband. Det ljusa håret är noggrant tuperat och uppsatt i en sinnrik frisyr på huvudet, och ansiktet är minutiöst sminkat. Hon har lösögonfransar och tjockt med puder och så kronan på verket, ett flammande rött läppstift på de tunna gamla läpparna. Hon har säkert passerat de sjuttio, men hon går rak i ryggen, håller ett hårt grepp om sin handväska i ena handen och den bruna papperskassen i den andra. De tunga strassörhängena i öronen gungar när hon rör sig, och halsbandet med fyrkantiga stenar reflekterar solens strålar. Hon har bott här i flera år men ändå tycks hon inte känna någon. Förutom sina vänner katterna, då. Det är dem hon verkar klä upp sig för, det är dem hon samlar runt sig varje morgon.

Hon ser på mig i ögonvrån medan hon passerar. Jag ignorerar henne, tar ett nytt bloss och låtsas som om jag väntar på någon. Snart stannar hon upp och skådespelet kan börja. De hemlösa katterna vet redan att de ska få frukost, och de samlas ivrigt runt den festklädda. Hon verkar njuta av djurens uppmärksamhet och talar till dem på tyska. Jag förstår inte vad hon säger, men då och då ser hon sträng ut och viftar med fingret samtidigt som hon ser till att maten fördelas rättvist mellan hennes skyddslingar. Tänk om hon lade ner lite av energin och omtanken på människor som behöver mat för dagen. Men nej, de fyrfota vännerna är viktigare för den välbärgade tyskan.

Nu kommer en turistbuss nerför backen. Den bromsar in för att stanna på parkeringen. Jag fimpar min cigarett, dödar glöden under skosulan. Passagerarna lägger knappast märke till mig, men jag ser dem, betraktar dem noga där de sitter bakom tonade rutor och längtar efter att stiga ut i den fuktiga värmen.

En människa kan inte göra allt. Men en människa kan starta en gräsbrand som sprider sig. Eller kanske ett jordskred. Om stenblock började falla från sluttningarna skulle det inte vara så bekvämt att lägga sig vid poolen.

Men fantasier tar oss ingen vart. Det krävs konkreta insatser.

Jag börjar gå tillbaka, uppför den asfalterade vägen, tillbaka till staden.

Jag har sett tillräckligt.

Nu vet jag precis vad som ska göras.

Och hur.

27

Kristian parkerade sin lilla Morris på gatan, klev ur bilen och tittade upp mot det stora bostadskomplexet. Det såg ut som överallt annars i Puerto Rico. Vita huskroppar som reste sig utefter den branta bergssidan. Entré mot gatan med låsta dörrar i massivt glas som skydd mot ovälkomna gäster. Kristian knappade in koden han fått av Sture Eriksson när de pratat i telefon dagen före. Det surrade till och dörren öppnades. Den inglasade hissen gled ljudlöst uppåt och han kunde njuta av utsikten samtidigt. Majestätiskt reste sig de omgivande bergen omkring honom. Nakna klippor, nedtill täckta av torr jord och sand, utan tillstymmelse till växtlighet. På andra sidan motortrafikleden låg det sorgliga skelettet av ett vattenland som aldrig byggts färdigt med rostiga rutschbanor och en öde parkeringsplats där det nu stod ett par skamfilade husvagnar. Några småungar sparkade boll och på provisoriskt uppsatta tvättlinor hängde färgglada klädesplagg.

På vägen körde ett virrvarr av fordon på väg in i eller ut ur turistorten, en blandning av små hyrbilar, pickuper skyltade med alltifrån försäljning av vattenflaskor till reklam för diverse jippon, sightseeingbussar och taxibilar. Bortom alltihopa det oändliga havet med parachuteglidare, brummande jetskis och utflyktsbåtar. Playan med sin ljusa, finkorniga sand, fyllda strandstolar på rad och uppfällda parasoller som solskydd för vinterbleka britter, tyskar och skandinaver. Turisthjulet snurrade stadigt, dag efter dag, vecka efter vecka, månad efter månad. Här var alla dagar mer eller mindre lika, oavsett årstid. Kristian undrade om han någonsin skulle vänja sig.

Han nådde våningen högst upp i bostadsområdet och klev ur. Värmen dallrade i luften, det måste vara närmare fyrtio grader i solen. Caliman var på väg in, den heta luftmassan som förde med sig stora mängder sandstoft från Sahara och lade sig som ett florstunt täcke över ön och letade sig in i bokhyllor, under kläder, täckte bilar, stack i ögonen och i halsen och fick kanarierna att plocka fram sopborste och skurhinkar för att tvätta undan det värsta från verandor och balkonger. Det var som om en tunn varm slöja lade sig över ön under några dagar, ibland upp till en vecka. Nu verkade det alltså vara dags igen.

Han letade sig fram till rätt port och tryckte på en knapp i muren. Lägenheterna hade stora terrasser som låg väl dolda bakom den höga mur som löpte utefter gångvägen. Först hördes hundskall och sedan dröjde det någon minut innan dörren öppnades. En solbränd man med gråa stänk i håret, klädd i jeansskjorta och ljusa shorts uppenbarade sig och sträckte fram handen. Han såg ut att vara i femtioårsåldern.

– Hej, det är jag som är Sture, men de flesta kallar mig för Stubben, sa han på sjungande göteborgska. Stig på.

Sture gjorde en svepande gest med handen och Kristian möttes av en vilt skällande terrier som förgäves försökte hoppa upp och slicka honom trots att den bara nådde honom till knäna. Kristian satte sig på huk för att låta hunden få utlopp för sin entusiasm över det nya besöket. Han klappade den artigt, fastän han inte var särskilt förtjust i hundar. En finlemmad blond kvinna i kort kjol och linne kom emot honom. Hon hade starkt rödmålade läppar. Hon presenterade sig som Lotta. Hennes ansikte var uttryckslöst, blicken tom. Terrassen var rejält tilltagen och hade en bedårande vy över dalen. De slog sig ner i skuggan intill en swimmingpool. På ett bord stod kalla drycker framdukade.

– Nåt att dricka? frågade Sture. En öl? Vin? Vatten?

– Mineralvatten, tack, svarade Kristian.

Sture serverade vattnet och hällde upp varsitt glas vitt vin till sig och hustrun. Kristian noterade att han fyllde på glasen, de hade alltså redan stärkt sig. Han kastade en blick på klockan. Hon var bara strax efter elva på förmiddagen.

Han plockade fram en bandspelare ur portföljen och strök svetten ur pannan.

– Har ni nåt emot att jag spelar in samtalet?

Paret växlade blickar snabbt. Sedan skakade de unisont på huvudet.

– Går det bra att jag röker? frågade Lotta.

– Javisst.

Hon sträckte sig efter paketet på bordet och tände en cigarett. Kristian lade märke till hur hennes smala hand darrade till. Hon blåste långsamt ut röken och tog en klunk av vinet.

Kristian skruvade besvärat på sig. Han satt obekvämt i den låga soffan och kostymen klibbade mot kroppen i värmen.

– Kan ni börja med att berätta hur ni känner Bengt och Linda?

Återigen växlade paret blickar som om de var osäkra på vem som skulle prata först. Det blev Sture som svarade.

– Vi lärde känna varandra för några år sen och blev snabbt goda vänner. Vi umgås, eller har umgåtts, rättade han sig snabbt, ganska ofta. Träffats åtminstone en eller ett par gånger i veckan och brukar spela golf ihop eller äta middag.

– Brukar ni besöka Svenska baren?

– Ja, där har vi varit en del. Trevligt ställe och han som äger det, Fredrik, är en riktigt hygglig karl. Ja, hans fru Hanne också, hon är lite blyg kanske, säger inte så mycket, men hon är okej.

– Vad hände i lördags kväll? Berätta från början om kvällen.

Återigen var det Sture som tog till orda.

– De kom hit, vid ... ja, femtiden. Vi delade på en flaska cava, eller två kanske, och sen åt vi middag inomhus på grund av stormen. Det gick ju inte att sitta ute. Vi hade tänkt grilla här på terrassen. Han gjorde en gest mot en imponerande grill som stod längs ena sidan. Men det gick ju såklart inte. Vi åt middag och drack väl rätt mycket vin …

– Hur var stämningen?

– Bra, vi hade trevligt. Pratade om allt möjligt, vi planerade en resa till Teneriffa som vi hade tänkt göra tillsammans.

– Och det var inget speciellt som inträffade? Det verkade vara bra mellan Linda och Bengt?

Sture såg på sin fru som nickade svagt.

– Ja, absolut. Vi märkte inget konstigt. Och vid niotiden bestämde vi oss för att trotsa ovädret och ta oss ner till Svenska baren för att dricka mojitos. Det är ju så nära. Och han blandar ju så vansinnigt goda drinkar, Fredrik.

– Okej, sa Kristian och gjorde en anteckning. Och vad hände där?

– Det var knappt så att vi kunde ta oss dit, det spöregnade och blåste rejält så vi var genomblöta när vi väl var framme. Därinne var det ju fullt av folk och vi träffade flera som vi kände. Vi kom ifrån varandra efter ett tag.

Kristian noterade att Lotta redan nästan druckit ur hela glaset. Det fanns något spänt och tillknutet över hela kvinnan.

– Var ni kvar när de lämnade baren?

– Nej, vi gick före dem.

– Vad var klockan då?

– Är inte helt säker, men det var nog inte så sent. Elva, kanske.

– Och sen hände inget mer? Ni hörde inte av Bengt eller Linda?

– Nej.

Sture lutade sig fram mot vinflaskan, serverade sin hustru ett nytt glas och fyllde på sitt eget. Den lilla människan borde fyllna till snart, tänkte Kristian och betraktade Lottas nollställda ansikte. Hon rörde inte en min och hade än så länge knappt öppnat munnen.

– Linda hade ju en son, Axel, har ni träffat honom?

– Ja, det har vi gjort, flera gånger genom åren, sa Sture.

– Vad har ni för intryck av deras relation?

Lotta kastade en blick på sin man som om hon oroade sig för att han skulle säga något dumt.

– Han var väl lite spänd kanske, inte så pratsam, sa Lotta.

Som du då, tänkte Kristian.

– Det var väl nånting där som inte var helt hundra, fyllde Sture i.

– Hur menar du?

– Nja, svårt att säga. Axel verkade tillknäppt helt enkelt.

Kristian gav sig. Detta var inte ett regelrätt polisförhör, han fick lämna saken därhän tills vidare. Men det är något här, tänkte han. Något som inte är som det ska.

28

Solen stod redan högt på himlen och ett lätt dis låg över Arguineguín. Caliman fick människor att slå av på takten, röra sig långsammare i värmen från Afrika. Fabiano körde ner händerna ännu djupare i byxfickorna, där han kände de få återstående mynten skramla. Hans syster hade arbetat nattskiftet på bageriet och behövde sova, så i dag föll det på hans lott att skaffa mat till familjen. Det var så de levde. Tog sig fram dag för dag, levde ur hand i mun. Fattigdomen gjorde dem ofria. Hänvisade till folks allmosor och välviljan från släkt, vänner och grannar.

Trots att det ännu var tidigt på förmiddagen strömmade turisterna till längs gatorna. Han betraktade dem, sökte ögonkontakt, men de mötte sällan hans blick. Han däremot hade inte en chans att värja sig för sandalerna som trampade vitt och brett över trottoarerna. De köpstinna skandinaverna var överallt, extra många just här och just i dag. Målet var förstås marknaden som hölls varje tisdag utefter den del av stranden som vette mot cementfabriken. En veritabel folkfest för alla som hade pengar att spendera. Här trängdes stånden sida vid sida i långa rader och borden bjöd på ett aldrig sinande utbud av smycken, väskor, billiga kläder, strandhanddukar, cd-skivor och solglasögon. Några av de lokala bönderna sålde även frukt och grönsaker och de söta, kanariska jordgubbarna var särskilt populära bland turisterna. Hans morbror Mateo brukade sälja getost här från sin farm uppe i bergen. Annars kom försäljare från såväl andra öar som Afrika för att försöka tjäna sitt uppehälle. En del av dem sålde sina varor genom att visa upp föremålen med yviga gester eller försöka fånga in förbipasserande med att ropa ut lockpriser. Trots värmen hade det kommit mycket folk.

Själv var Fabiano på väg någon annanstans, trots att marknaden låg precis i närheten. Matbanken, som den kallades, var en helt annan typ av verksamhet än den välbefolkade marknaden. För den fattigare delen av den inhemska befolkningen innebar matbankens verksamhet en livlina. Här fanns konserver och stora partier av spannmål, andra sorteringens pulversoppor och potatis som börjat bli grön men som fortfarande var tjänlig. Mat som donerats av de stora livsmedelskedjorna och en del kasserade produkter direkt från fabrikerna. Ingenting ätligt gick till spillo. Man kunde också komma över annat än mat. Människor skänkte kläder, leksaker och husgeråd. Folk som ville renovera sitt fullt fungerande badrum eller kök bara för att det skulle bli tjusigare lämnade in toastolar och kylskåp. Möbler man inte ville ha längre kunde man skänka till matbanken. Principen var först till kvarn och därför bildades alltid en kö utanför redan flera timmar innan matbanken öppnade.

Kön framför honom rörde sig långsamt. Den sträckte sig från den trånga gården ut på gatan, krockade med turistströmmen som kom från andra hållet. En kvinna i randigt linne och vit bomullshatt på huvudet stannade upp och frågade en av männen i kön något, Fabiano hörde att hon pratade engelska. Mannen skakade på huvudet, han var en av de äldre kanarierna, kunde bara spanska, och Fabiano slogs än en gång av turisternas nonchalans. Det var kanarierna som skulle anpassa sig till dem och inte tvärtom, med menyer tryckta på flera olika språk, översatta skyltar, engelsk- och tyskspråkiga guider ... för att inte tala om svenska och norska.

Som alltid kändes det obekvämt att vara en av dem som väntade. Känslan av skam försvann aldrig helt. De som köade hade inte tillräckligt med pengar för att köpa vad de behövde i vanliga butiker, det var ett faktum som inte gick att komma ifrån. Därför blev de alla också obekväma inför varandra, vek undan med blicken, pratade inte lika otvunget om de senaste nyheterna och skvallret. Att se varandra här var något annat än att mötas på gatan, i någon bar eller på stranden en söndag ihop med övriga familjen. Här i kön var ingen fri. Och trots att de delade ett gemensamt öde längtade alla efter att vara osynliga, eller ännu hellre, efter att slippa vara här.

Han lät mynten glida mellan fingrarna, räknade dem om och om igen som en lugnande rörelse i brist på annat. Han var röksugen, men visste att han inte hade råd. Avundsjukt såg han på de obekymrade förbipasserande turisterna, som kommit hit för att roa sig och shoppa. När han var yngre hade han längtat efter att se världen, fantiserat om fjärran länder och andra kulturer. Det fanns så mycket att se och utforska. Men det kostade pengar, pengar han aldrig skulle ha. Han skulle leva och dö här på ön där han en gång fötts.

29

Sedan Sara bestämt tidpunkt för sin första lektion med pianoläraren Ricardo dos Santos hade hon känt sig något bättre till mods. Visserligen hade hon fullt upp på jobbet med det uppmärksammade mordfallet, men tankarna på den stundande pianolektionen smög sig in då och då. Det skulle bli kul att lära sig något nytt. Och om pianoläraren var duktig gjorde det inte saken sämre. Ricardo hade låtit trevlig på rösten och att döma av bilderna på hans hemsida såg han dessutom ovanligt bra ut.

Klockan tolv hade de sagt. Det passade utmärkt, då skulle hon ha huset för sig själv eftersom Lasse var på hotellet och barnen i skolan.

Lasse hade blivit glatt överraskad när hon berättat om sina planer och tyckte att det var roligt att hon tog tag i sin gamla dröm. Kanske hade han ändå märkt av hennes nedstämdhet på sista tiden och såg detta som en möjlig vändning.

– Om du ska börja spela piano kanske jag borde lära mig gitarr så jag kan ackompanjera dig, föreslog han.

Sara skrattade ansträngt.

– Hold your horses, kära du. Vi är inte riktigt där än, sa hon och skakade på huvudet. Jag kanske inte ens är särskilt duktig, eller tycker det är roligt.

Detta var något hon behövde ha för sig själv, något som bara var hennes. Att Lasse skulle vara delaktig kom inte på fråga.

Några minuter över tolv hörde hon hur en bil svängde upp på gatan.

Hon gick ut på den stora stenlagda terrassen, tog trappan ner till porten, rättade till håret och öppnade i samma ögonblick som han ringde på klockan utanför.

– Välkommen, sa hon och sträckte fram sin hand. Det är jag som är Sara.

Han log vänligt, tog den utsträckta handen.

– Ricardo, sa han. Angenämt.

Han såg ännu bättre ut än på hemsidan. Lång och med tjockt, mörkt hår, kraftiga ögonbryn och intensiva ögon. Han höll en blanknött portfölj i sin vänstra hand.

– Kom in, sa hon hastigt och släppte in pianoläraren, drog igen dörren ut mot gatan.

Åsynen av den enorma terrassen som gick i flera etage med stenmurar, blomsterarrangemang, uteköket med det väl tilltagna matbordet och den öppna, murade spisen fick honom att dra efter andan.

– Så vackert, vilken fantastisk trädgård. Och swimmingpool har ni också.

– Den badar dessvärre mest fåglarna i. Vi kallar den för San Agustíns största fågelbad, skojade hon.

Skämtet var slitet och hon brukade dra det för alla gäster som kom dit. Ricardo dos Santos skrattade och kramade spontant hennes arm.

– Det var inte illa.

Han mötte hennes blick och log. Saras knän mjuknade en aning. Det hände inte ofta att någon verkligen skrattade åt hennes skämt längre. Eller såg henne rätt i ögonen.

De fortsatte in i vardagsrummet. Han tittade sig uppskattande omkring.

– Vilket hus ni har, berömde han. Fantastiskt fint. Har ni bott här länge?

– Ja, i många år, nickade Sara.

– Men du är från Sverige?

– Ja, sa Sara medan hjärtat uppförde sig konstigt i bröstet. Det är en lång historia.

– Jag gillar långa historier, sa han och log igen.

– Vill du ha nåt att dricka? Vatten, kaffe, Coca-Cola?

– Jag har precis druckit kaffe, men ett glas vatten blir fint.

– Visst. Ett ögonblick.

Hon lämnade honom i vardagsrummet och försvann ut i köket, där hon stannade upp och drog ett djupt andetag. Kunde inte hjälpa att hon tyckte att han var rasande attraktiv.

Hon öppnade kylskåpet, tog fram en flaska med mineralvatten och två glas, ställde alltsammans på en bricka och gick tillbaka till vardagsrummet. Han stod vid de öppna altandörrarna och beundrade utsikten.

– De bästa husen finns här i bergen, sa han. Det är kanske det jag älskar mest med ön. Kontrasten mellan hav och berg. Trots att jag har bott här hela mitt liv tröttnar jag aldrig på de här vyerna. Ska vi ta och kika på pianot?

Hon vände sig så hastigt om att hon råkade stöta till bordet där hon ställt dryckerna så att vattnet skvimpade ut.

– Hur gick det? undrade han och fångade upp hennes hand.

Det var en reflexmässig rörelse men den fick det att bränna till i magen. Hans hand kändes varm, len och stark. Herregud, nu fick hon skärpa sig.

Det var en lättnad att stå jämsides med honom framför pianot.

– Det ser bra ut, sa han när han öppnat locket. Sätt dig.

Han gjorde en gest mot pianot och hon slog sig ner på pallen. Han böjde sig fram och tryckte prövande ner några tangenter. Runt halsen bar han ett metallkors i en tunn kedja. I ett par sekunder klibbade sig korset fast i hans olivfärgade hud, innan det släppte från halsen när han lutade sig framåt. Sara tittade fascinerat på. Han var så nära att hon kunde känna hans värme och en svag doft av rakvatten.

– Det måste förstås stämmas, men det kan jag göra senare. Det duger just nu. Ska vi?

Han placerade sig bredvid henne. Pallen var egentligen inte gjord för två, de fick nätt och jämnt plats. Det kändes både ovant och spännande att sitta så tätt intill honom. Hans lår mot hennes. Hon kunde känna hans varje andetag.

Ricardo började prata och förklara, förhörde sig om hennes tidigare erfarenhet. Han visade henne några ackord som hon fick försöka härma. De upprepade samma ackord många gånger tills det satt. Sedan var det dags att lära sig ett nytt. Då och då vände han sig mot henne, såg henne i ögonen och förklarade hur hon skulle göra. Sara gjorde sitt bästa för att hänga med i hans instruktioner. När han tittade på henne var det som om han såg rätt igenom henne. Ibland kom hans axel åt hennes och hon kunde känna en skälvning genom kroppen. Efter en stund kunde hon inte låta bli att kika på hans profil, hans bröstkorg med korset i kedjan, armmusklerna som spelade. Hans fingrar som smekte tangenterna. Han hade så vackra händer, med tydliga ådror på handryggen som fortsatte upp över armarna.

– Jag har längtat efter det här länge, sa hon. Att lära mig spela piano alltså.

Sara kände hur hon rodnade upp över öronen. Hur lät det där? Han vände ansiktet mot henne. Hon höll andan.

– Det gläder mig, sa han och log igen. Betyder det att du vill ha fler lektioner?

– Ja, absolut.

Vad tog det åt henne? Sara förstod inte hur hon kunde bli så påverkad. Kanske var det all inneboende längtan som nu släpptes lös.

– Jag har mycket ledig tid just nu, sa han. Jag kan när som helst.

– Vad sägs om i morgon? föreslog hon.

Han skrattade till.

– Ja, varför inte? Samma tid?

– Samma tid blir utmärkt.

När hon stängt dörren efter honom gick hon raka vägen upp till övervåningen och in i sovrummet. Lade sig på sängen och stirrade i taket. Andades ut. Såg Ricardos ansikte framför sig.

Hon längtade redan till nästa pianolektion.

30

1957

Natten till den tjugosjunde december 1957 låg Mona Johansson och vred och vände sig i sängen hemma i lägenheten på Narvavägen i centrala Stockholm.

Hon ansträngde sig för att komma till ro, men hur hon än kämpade vägrade sömnen att infinna sig. Snart måste de stiga upp, hon hade ställt klockan på väckning redan vid sex, och nu oroade hon sig för att den kanske inte skulle ringa och att de skulle missa planet.

Mona och hennes man Gösta hade fått resan i present av hennes föräldrar. Biljetterna kostade 1250 kronor styck. För de pengarna kunde man köpa två nya Volvo PW, hade hennes make häpet utropat när han fick syn på priset. Charter kallades det visst och de skulle bli de allra första resenärerna. Färden skulle gå söderut, tvärs över hela den europeiska kontinenten, sedan fortsätta över Atlantiska oceanen till Gran Canaria. Det verkade fullständigt obegripligt. Och nu låg hon här, nattlinnet fuktigt av svett och magen full av fladdrande fjärilar.

Till slut klev hon ur sängen och gjorde sig en kopp kaffe. Medan hon väntade på att vattnet skulle koka upp såg hon ut genom fönstret mot gatan där nedanför, den praktfulla allén där de kala trädens grenar täcktes av snö. Tänk att det fanns platser på jorden där det alltid var sommar.

Det var en förväntansfull grupp resenärer som samlades på Bromma flygplats klockan åtta på morgonen. Den allra första charterresan till Gran Canaria skulle ta över ett dygn och kräva fem mellanlandningar, i Göteborg, Malmö, Zürich och Barcelona och sedan i Tanger där sällskapet skulle övernatta. Det var rörigt i avgångshallen, många journalister och fotografer hade kommit för att föreviga händelsen. En representant från resebolaget som var på plats för att hjälpa till med incheckningen förklarade att eftersom kaffet var så starkt i Spanien delades ett halvt kilo Gevalia ut till varje passagerare. Alla tog tacksamt emot sina paket.

Så var det dags för ett gruppfoto ute på plattan med flygplanet, en Vickers Viking, i bakgrunden. Mona kastade ett öga på sina medpassagerare. De var välklädda allihop, precis som hon och Gösta. Damerna i dräkt och kappa, herrarna i slips och kostym med överrock, alla såg de högtidliga och en aning spända ut. Den förväntansfulla stämningen smittade av sig, hon kände hur hjärtat började slå hårdare i bröstet. Den tidigare nervositeten försvann och förbyttes i förväntan och en viss stolthet. Nu skulle hela Sverige få läsa om deras resa. Tänk att just hon och Gösta var med i denna utvalda grupp. De var pionjärer på väg mot okända äventyr.

Det bildades en kö i trappan som rullats fram till planet. När de klev in genom kabindörren möttes de av en tjusig flygvärdinna i dräkt och båtmössa över den perfekta svinryggen.

– Välkomna, sa hon och log brett.

Det var lågt i tak och mindre inuti än det verkade på utsidan. Två rader av dubbla säten, små ovala fönster. Det tog en stund innan de kommit fram till de platser som var angivna på biljetterna. Mona tog av sig kappan, trots att det var kyligt i planet.

Gösta halade fram sina Chesterfield och erbjöd henne en. Hon tog tacksamt emot cigaretten, nerverna hade börjat ge sig tillkänna igen. Det var skönt att dra ner röken i lungorna. Askfatet satt mellan flygplansstolarna, tänk att det var så fiffigt uttänkt. Och så fanns här små bord man kunde fälla ner om man behövde. Men det var trångt för benen. Så kände hon hur planet krängde till och började rulla ut på banan.

Mona trevade efter Göstas hand. Hjärtat bultade. Farten stegrades hastigt, motorernas vrål fyllde kabinen. Hon blundade instinktivt. Känslan av hur planet lyfte från marken påminde inte om något annat hon upplevt och det slog lock för öronen när de tog höjd. Hon öppnade ögonen och tittade ut genom det lilla fönstret, såg Stockholm bli allt mindre under sig, de röda tegeltaken på Brommavillorna, skogsdungarna, vägarna där bilarna såg ut som leksaker.

De landade i Göteborg och i Malmö för att plocka upp fler passagerare. I Malmö fick alla gå av för att äta lunch innan det var dags att fortsätta söderut. Sedan måste Mona ha tuppat av en stund. Flygvärdinnan hade varnat för att det kunde inträffa eftersom luften i planet var så tunn. Som tur var bar piloterna syrgasmasker.

I Zürich snöade det kraftigt och de landade med en hård duns.

– Då får jag hälsa er välkomna till Schweiz, sa flygvärdinnan. Vi skulle egentligen bara ha tankat här, men dessvärre har vi fått problem.

Is och snö täckte visst planet, alla krafter som fanns till buds måste vara med och försöka få rent det för att de skulle kunna komma vidare. Schweizarna bistod med spadar och kvastar, men passagerarna själva måste göra en insats. Gösta räckte upp handen, liksom de flesta andra män.

– Det finns varma drycker medan vi väntar, upplyste flygvärdinnan.

Efter någon timme fortsatte flygningen och efter en mellanlandning utan missöden i Barcelona där planet återigen tankades gick färden mot algeriska Tanger där de övernattade på hotell eftersom planet saknade tillstånd för nattflygning.

Först dagen därpå nalkades de äntligen Kanarieöarna och flygvärdinnan tog till orda:

– Vi närmar oss Gran Canarias flygplats, till höger kan ni se toppen på vulkanen Teide på grannön Teneriffa. Det är Spaniens högsta berg med sina 3 718 meter och den tredje största vulkanen på jorden.

Ett sus gick genom passagerarna. Långt där nere skimrade havet, grönblått och vidsträckt. Bergen och stranden var också en vidunderlig syn, där de bredde ut sig vid kusten. Plötsligt kände Mona sig inte det minsta trött.

Planet tog mark och som på en given signal började alla applådera. Någon ropade ett högljutt *bravo!* Humöret var på topp medan planet saktade in och slutligen stannade vid terminalen.

Flygvärdinnan öppnade dörren och varm luft strömmade in. Mona kunde höra musik därute, och när hon och Gösta slutligen klev ur planet förstod hon varför. En röd matta hade rullats ut och en välkomstkommitté väntade på dem med en musikorkester som spelade en uppsluppen melodi. En stor grupp människor började applådera när de fick syn på svenskarna som kommit. Mona böjde sig fram och viskade i Göstas öra.

– Jag känner mig som en drottning.

31

Sara och Quintana hade bestämt möte på ett café i närheten av polishuset i Las Palmas. Kommissaren ville helst träffa henne utanför arbetsplatsen. De flesta visste att han hade ett lite väl gott öga till Sara och han fick ofta gliringar av kollegerna för deras umgänge. Att Sara dessutom var journalist och alltid försökte pressa polisen på uppgifter gjorde inte saken bättre. Diego Quintana insåg att han gjorde klokast i att behålla deras möten för sig själv. Innerst inne var han medveten om att han ibland delgav nästintill för mycket information, men han visste var gränsen gick. Han skulle aldrig avslöja något som uppenbart kunde skada utredningen. Inte ens för Sara.

Nu satt han med en café cortado vid ett fönsterbord på det stora, slamriga caféet. Som vanligt kände Quintana ett pirr av förväntan i bröstkorgen när han skulle träffa henne. Tänk att det aldrig gick över, tänkte han. Men han kunde inte hjälpa det. Han strök handen över håret och rättade till sin välstrukna skjorta. Konstaterade lättat att han doftade gott av rakvatten. Kommissarien hade alltid varit mån om sitt yttre och särskilt vid ett sådant här tillfälle.

Han fick syn på Sara direkt när hon kom in. Herregud, så söt hon var. Det mörka håret i page, de bruna ögonen och skrattgroparna. Det var en molnig och småruggig dag i Las Palmas så hon bar en stickad kofta och över axeln hängde hennes vanliga slitna och alltför stora bruna väska. Hon sprack upp i ett leende när hon fick syn på honom och det gungade omedelbart till i magen.

Han reste sig och de kindpussades som brukligt var. Quintana visste vad hon ville ha och beställde en dubbel espresso och ett glas mineralvatten.

– Hur är det med dig? frågade han när hon slagit sig ner mitt emot.

– Jodå, det knallar, svarade hon och log brett. Mycket att göra förstås. Hur är det själv?

Hon såg ovanligt glad och nyponkindad ut, tänkte han. Nästan uppsluppen. Han rynkade pannan. Hade det hänt något?

– Fullt upp, som du förstår. Hur är det? frågade han igen och såg forskande på henne. Du ser ut som om det har hänt nåt roligt.

– Gör jag? utbrast hon förvånat och skrattade till. Nej, knappast. Jo, jag har börjat spela piano.

– Jaså, sa han förvånat. Det visste jag inte.

– Jag har faktiskt haft min första lektion i dag. Det är en gammal dröm som jag äntligen har tagit tag i.

Hon smuttade på kaffet och plirade mot honom med sina bruna ögon. Håret var lite rufsigt och hon var om möjligt ännu sötare än vanligt.

– På så vis, sa han. Att du tar dig tid till sånt.

– Det måste man, sa Sara. Vi lever bara här och nu, vad vet vi om morgondan? Det gäller att ta sina drömmar på allvar. Vi i vår ålder har inte hur mycket tid som helst på oss.

Quintana kände hur det ryckte till i hans ena ögonbryn. Han skulle kunna ta henne på orden och sträcka sig fram över bordet och kyssa henne vilt och hämningslöst. Istället suckade han nästan omärkligt och tog en klunk av kaffet.

– Det är väl lättare sagt än gjort, mumlade han.

– Vad? frågade Sara.

– Ingenting, sa han och viftade bort det med handen. Varför ville du träffas i dag?

– Jag hörde att Lindas make Bengt har släppts ur häktet. Hur kommer det sig?

– Åklagaren ansåg att det inte fanns tillräckligt på honom för att kunna hålla honom kvar.

– Vad beror det på?

– Offret hade hudrester under naglarna och de kommer inte från maken. Blodanalysen visar att det fanns blod från en annan person i bungalowen, och det var inte heller från Bengt. Han var också klädd i samma kläder han burit under mordkvällen och de hade inte en enda bloddroppe på sig, fortsatte kommissarien. Så mycket blod som stänkte omkring vid angreppet så hade det varit omöjligt att inte få nåt på sig. Dessutom intygar bartendern på El Semáforo att Bengt satt där vid tidpunkten för mordet.

Sara tittade intresserat på förundersökningsledaren.

– Betyder det att han inte är misstänkt längre? Är han avförd från utredningen?

– Nja, sa Quintana. Vi vill inte utesluta nånting. Han kan ju ha bytt kläder och tvättat av sig noga. Linda kan ha varit i bråk med nån annan under kvällen. Bartendern kan missta sig eller ljuga medvetet av nån anledning. Enligt taxichaufförens vittnesmål grälade de dessutom rejält under färden hem, och Bengt ska ha gett Linda en örfil.

Han tvekade lite innan han fortsatte.

– En annan sak förresten.

Sara såg förväntansfullt på honom.

Han älskade den där blicken. Han tog fram mobiltelefonen och letade fram bilden på de svarta pärlorna. Räckte fram mobilen. Sara lutade sig framåt och studerade bilden.

– De här hittades på brottsplatsen.

– Tror du att de tillhör gärningspersonen?

– Det är för tidigt att säga, nån annan kan ha tappat dem där. En möjlighet är också att de tillhörde Linda även om Bengt inte känner igen dem. De är skickade på analys, vi får vänta och se vad resultatet säger.

– Aha, jag förstår. Kan jag skriva om det här?

– Vänta lite. Kanske senare om vi bedömer att vi behöver allmänhetens hjälp.

Quintana drack ur det sista av kaffet och sköt undan koppen. Rätade på kroppen och kastade en blick runt i lokalen. Den var nu fylld av tjattrande människor som tagit en paus i sin upptagna storstadsvardag. Han drömde sig bort för en sekund. Om de hade suttit här, de två. Som ett par, på kort rast från sina respektive arbeten. I en annan tid, i ett annat liv, tänkte han.

32

Manuel rattade turistbussen längs den kurviga kustvägen ut ur Arguineguín. Strax före den lilla badorten Patalavaca svängde han av från vägen och nerför den grusiga branten mot havet och det stora hotellet vid vattnet. Bussen var fylld av soltörstande svenska semesterfirare som något besvikna klivit av planet utanför ett mulet och småregnigt Las Palmas, men vars ansikten lysts upp mer och mer ju längre söderut de kom. Himlen blev blåare för varje avverkad kilometer och solen starkare. Väl nere på kusten flödade solskenet från en molnfri himmel och temperaturen utanför bussfönstret hade stigit med nästan tio grader. Bussen stånkade sig ner på den torra och dammiga grusplanen framför hotellet och Manuel bromsade in framför entrén.

När de var framme drog passagerarna en suck av lättnad. De ombads att lämna de stora väskorna i bagageutrymmet i bussen och samlas i receptionen för att checka in. Alla reste sig ivrigt från sina säten, samlade ihop sina saker och klev av. Njutningsfyllda utrop hördes när de vinterfrusna svenskarna äntligen fick känna värmande solstrålar mot huden för första gången på ett halvår. De sträckte vällustigt ut sina armar och blundade mot solen. Manuel klev även han av och gick mot hotellets entré. Han kände ett trängande behov av ett toalettbesök innan han skulle börja lasta av bagaget. Det var ändå ingen brådska. Incheckningen av femtiotvå resenärer brukade ta tid. Kanske skulle han kunna ta en kopp kaffe också ihop med Raquel. Han hade redan sett sin goda vän stöka omkring bakom bardisken ute vid poolen.

Svalkan i den luftkonditionerade receptionen slog emot honom när han steg in genom glasdörrarna. Han hälsade på receptionisterna som han kände sedan gammalt. Han hade för länge sedan tappat räkningen på hur många gånger han kört turister till och från detta hotell. Lobbyn fylldes snabbt av alla resdammiga svenskar som var ivriga att få sina rum så att de kunde byta om till solklänningar och shorts och gå ner till poolen och njuta av det första doppet.

Efter sitt toalettbesök fortsatte Manuel ut till Raquel. Hon stod i poolbaren med ryggen till och höll på att stöka bland flaskorna.

– *Hola. Buenos días,* hälsade han.

Snabbt vände hon sig om och sken upp när hon fick syn på honom.

– *Hola, Manuel.*

De kindpussades och småpratade om ditt och datt medan hon ordnade kaffe och gav honom en sandwich med ost och skinka och ett glas färskpressad apelsinjuice. Han slog sig ner vid en av barstolarna och tog för sig med frisk aptit. Det var lugnt kring poolen. Några ungdomar kastade boll i vattnet och en och annan solbadare låg på vilstolarna och läste eller bara blundade njutningsfullt mot himlen.

Plötsligt hördes rop utanför hotellet. De kunde se hur brandrök spred sig mot himlen. Den såg ut att komma från platsen där bussen stod parkerad. Manuel reste sig tvärt.

– *Joder, qué pasa?*

Han rusade genom poolområdet och in i lobbyn där människor var på väg ut för att se vad som stod på. När Manuel trängt sig förbi alla och kommit ut genom entrén trodde han inte sina ögon. Hans buss stod i full brand och höga eldslågor slog upp mot himlen. Fotgängare och solbadare på den lilla stranden intill hade samlats i grupper och stod och stirrade bestört mot det brinnande fordonet. Det är inte sant, tänkte han förtvivlat. Bagaget. Väskorna som han skulle ha packat ur. Nej, nej. Han hade lämnat dem där medan han fikade med Raquel. Tankarna for kors och tvärs i huvudet medan han betraktade det makabra skådespelet. Som på avstånd hörde han rop om brandkår, polis och ambulans bakom sig. Försäkringen, hade han betalat senaste räkningen? Skulle han ställas till svars för att han inte hade tömt bussen innan han tog rast? Och varför var ambulansen här? Det var väl ingen människa skadad? Han hade lämnat bussen obevakad med allt bagage kvar. Tänk om någon gått ut för att leta efter sin väska och hamnat i elden?

Längre hann Manuel inte tänka förrän en öronbedövande smäll hördes och en tryckvåg kastade honom bakåt.

Explosionen syntes ända bort till Anfi del Mar.

33

Sara satt och jobbade på redaktionen när det knastrade till i polisradion. Den andfådda rösten lät hackig och ofokuserad. Rösterna var för det mesta rätt nollställda men denna var annorlunda. Mannen talade snabbt med ett koncentrerat allvar. Han efterlyste förstärkning, det var bråttom. Först förstod hon inte riktigt. Men strax upprepades budskapet och nu sjönk informationen in. Det hade visst hänt något vid all inclusive-hotellet nere i Arguineguín. Ett fordon stod och brann, det var oklart om någon kommit till skada. Det pratades om en explosion.

Sara fylldes av den välbekanta känslan när adrenalinet släpptes lös i venerna. Pulsen steg och hjärtat slog snabbare. Den rabblande mansrösten fortsatte, det var visst en buss som brann. Rörde det sig om en turistbuss? Vad kunde ha hänt? En olycka? Gran Canaria var tryggt jämfört med många andra turistresmål, även när det gällde trafiken, som flöt på bra och ständigt kontrollerades av den lokala polisen. Vägnätet var välorganiserat med många rondeller och vägmärken och de flesta bilister visade stor hänsyn. Nerfarten till hotellet i Arguineguín var inte på något sätt trafikfarlig. Hon hade svårt att tänka sig att det skulle röra sig om en olyckshändelse. Men om en turistbuss brann var det illa, om passagerare fanns ombord, där var säkert åtskilliga barn och även pensionärer. Så här års, i januari, var det många som ville fly snön och kylan i Skandinavien och hotellen var ofta fullbokade.

När Sara närmade sig Arguineguín såg hon elden på håll, svart rök steg mot himlen från udden där hotellet låg.

Det skulle troligen bli svårt att komma så nära hon önskade med bilen, så hon svängde in vid sidan av vägen en bit ifrån och parkerade. Småsprang nerför sluttningen mot vattnet. Hon såg en stor buss stå i ljusan låga precis utanför hotellet. Flera brandmän höll på att släcka elden. Utanför samlades nyfikna som stirrade mot de flera meter höga eldslågorna som steg mot himlen. Uniformerade poliser rörde sig på platsen, avspärrningsband spändes upp. Hon kunde känna hettan från elden. Någon pratade om att bussen hade exploderat. Vrakdelar som låg spridda på marken tillsammans med sönderslitna kläder och väskor vittnade om att det stämde. Fanns det skadade eller till och med dödsoffer? I så fall skulle detta bli stort i de svenska kvällstidningarna, kanske även i de norska, och hon var ett viktigt ögonvittne. Hon undrade om det fanns risk att branden spreds. Det blåste friskt och lågorna slog långt ut på bägge sidor om bussen, en mindre personbil som stod parkerad intill hade också fattat eld. Sara plockade fram kameran ur väskan och började fotografera.

– Tillbaka, skrek en av poliserna och gjorde avvärjande gester mot fotgängarna som nyfiket skockats en bit ifrån.

Sara fick syn på en ung blond kvinna i orange pikétröja och mörkblå kjol som stod tillsammans med en skock uppenbart oroliga gäster. Reseledaren såg stressad ut och pratade i telefon samtidigt som hon försökte få folk att gå in på hotellet.

– Men det är ju fruktansvärt, utbrast en blek kvinna med det ljusa håret samlat i en tofs. Vi har nya väskor från Samsonite! Alla våra saker!

– Varför är det så få brandmän på plats? undrade en äldre fetlagd man med arg röst. Allt hinner ju brinna upp! Jävla mañanamentalitet, fräste han och skakade på huvudet.

Sara gled omärkligt in bland gästerna, ställde sig intill en av barnfamiljerna. Pappan höll en skrikande bebis i famnen, mamman stod med en lite äldre flicka i handen.

– Vad är det som har hänt? frågade Sara.

– Det är inte klokt, svarade kvinnan. Vi hade precis klivit av bussen och skulle checka in här på hotellet när vi hörde en smäll. Någon skrek därute.

– Alla rusade ut, fortsatte pappan. De hade inte hunnit få ut bagaget, allting brinner. Ingen fattar vad som pågår.

– Tänk om vi hade suttit kvar i bussen … man vågar inte tänka på vad som kunde ha hänt.

Kvinnans ögon vidgades en aning, hon kramade flickans hand.

– Min mamma tyckte inte att vi skulle åka utomlands, det är så oroligt i världen, men jag sa att det är lugnt på Gran Canaria, hit kan man åka.

– Vi har bara handbagage, suckade hennes man. En enda blöja kvar. Allt låg i resväskorna.

– Jag måste be er allesammans att gå in nu, ropade reseledaren samtidigt som ännu en stor brandbil svängde in bredvid bussen. Det kommer bli ännu stökigare om ni alla står och trängs.

– Men våra saker då? opponerade sig en medelålders kvinna i foppatofflor och rosa tunika. Min dator blev kvar i bussen.

– Ni kommer att bli kompenserade, försökte reseguiden lugna. Men alla måste gå in *nu*.

Motvilligt började turisterna röra sig mot lobbyn. Sara hörde upprörda röster som talade om att det kunde vara en terroristattack. Hon såg hur brandmännen snart hade släckt branden. Lågorna kvävdes av skummet men tjock svart rök fortsatte att fylla luften med stark stickande lukt. Detta var inte den publicitet ett charterhotell var intresserat av, tänkte Sara. Men likväl skulle incidenten snart fylla hemlandets tidningar. Flera terroristattacker hade inträffat mot turistanläggningar nyligen, både i Nordafrika och i Turkiet. Hade turen kommit till Gran Canaria? De senaste decenniernas lugn hade inte alltid varit en självklarhet. Sara mindes hur den kanariska självständighetskampen hade sett ut på sjuttiotalet, då frihetsrörelsen på öarna påminde mera om den baskiska separatiströrelsen ETA:s härjningar i norra Spanien med sprängladdningar i köpcentra och attentat mot politiker. De senaste decennierna hade det emellertid varit förhållandevis lugnt och motståndet hade mera handlat om fredliga protester mot oljeborrningar och de exploaterande delarna av turistindustrin. Hon såg upp över hotellet och hur de tjocka rökmolnen gled över den pampiga vitputsade fasaden. Hade bussbranden en naturlig orsak eller kunde detta vara ett planerat attentat mot turistanläggningen? Knappt hade hon hunnit tänka tanken förrän hennes blick föll på den vita muren som löpte utefter vattnet och utgjorde ett skydd mot vågor och vind. Där hade någon sprayat *Viva Canarias libre* med stora svarta bokstäver.

Den kanariska självständighetsrörelsens slagord.

34

Kristian Wede hade just besökt platsen där turistbussen smällt och bistått polisen genom att agera tolk vid förhören med de drabbade resenärerna. När han var färdig med allt och skulle köra tillbaka mot Las Palmas tvekade han. Han ville inte åka hem till sin tomma lägenhet riktigt än. Han funderade på paret Anderssons goda vänner, Sture och Lotta Eriksson. Varför hade de betett sig så märkligt när han besökte dem? Han bestämde sig för att åka till Svenska baren i Puerto Rico och ta reda på mer om Bengt och Linda och deras samröre med människorna där.

Detta är verkligen turistghettonas Mecka, tänkte Kristian när han parkerade utanför det stora köpcentret som var inrymt i en sorts galleria med blinkande neonskyltar. Butiker som sålde billiga solglasögon, vykort med solbadande toplesstjejer och ölöppnare i form av plastdildos som det stod Gran Canaria på. Smaklöshetens högborg, muttrade han för sig själv. Inne på Svenska baren satt några enstaka gäster och drack öl. Ägaren Fredrik stod innanför bardisken och torkade glas när han kom. Kristian presenterade sig.

– Vad får det lov att vara? frågade Fredrik.

– Har ni svenskt kaffe?

– Självklart.

Barägaren gav honom ett snett leende och vände sig om efter

kaffebryggaren. Av doften att döma så var kaffet nybryggt.

– Classic kaffe – franskrost, om det kan smaka. Mjölk, socker?

– Nej, tack. Ingenting. Bara svart.

Kristian slog sig ner vid bardisken och smuttade på det starka kaffet. Han betraktade Fredriks breda rygg när han fortsatte med disken. Han var muskulös och tillbringade antagligen timmar i gymet varje vecka. Barägaren verkade vara ensam, frun syntes inte till.

– Sköter ni hela stället själva? frågade Kristian.

– Vi har en svensk tjej som hjälper till, Karolina, men det är bara över högsäsongen, oktober till och med mars. Sen lugnar det ner sig rejält och vi brukar hålla stängt några månader på sommaren. Då är det ändå så lite folk. Hanne kommer hit så fort hon har stängt turistbyrån.

Barägaren tittade snabbt på klockan.

– Har ni inga lokala anställda?

Fredrik Gren såg irriterad ut. Som om han tyckte att Kristian kom och störde.

– Vi hade en kanarier som ryckte in då och då. Men det blev så besvärligt för han pratade bara spanska och ytterst knapphändig engelska. Många av våra gäster är ju lite äldre, de tycker att det är skönt att komma hit och koppla av och slippa tänka på språket. Det blev för mycket klagomål så han fick gå. Ja, bland annat från Linda och Bengt, och Linda var nog den som klagade mest.

– Klagade på vad?

– På att han inte kunde svenska förstås.

Kristian rynkade pannan. I hans öron var det märkligt att kräva att lokalbefolkningen skulle lära sig ens eget språk när man bosatte sig i ett annat land. I sitt stilla sinne undrade han hur svenskarna skulle ha resonerat om de bott hemma i Sverige. Skulle svenska servitörer vara tvungna att lära sig utländska gästers språk?

– Vad heter han?

– Vi kallade honom för Fabbe. Hans riktiga namn kommer jag faktiskt inte ihåg. Han jobbade svart. Du säger inget till polisen, va?

Fredrik tittade oroligt på honom. Herregud, tänkte Kristian. Han var ju polis själv, även om han inte arbetade aktivt som det längre. Men ibland var man tvungen att se mellan fingrarna. Det var självfallet inte ett avslutat svartarbete som var det mest intressanta just nu.

– Så ni driver en turistbyrå också?

– Ja, eller det är egentligen bara en utflyktsbutik där man kan köpa biljetter till olika aktiviteter. Loca Canaria heter den. Jag vet att namnet låter knäppt, men vi ville sticka ut.

Fredrik smålog generat.

– Vilken typ av turism sysslar ni med?

– Det handlar om upplevelser här på Gran Canaria, en del sportaktiviteter och så har vi småresor till de andra Kanarieöarna. Men mest är det guidade turer runt ön, som jag själv tar hand om till stor del. Jag ska faktiskt hålla i en tur i morgon, till Moya och Arucas bland annat.

– Du guidar?

– Ja, det har jag gjort i ganska många år nu. Annars säljer vi allt ifrån vandringsturer i bergen till delfinsafari. Allra mest till skandinaver, sa Fredrik och hämtade en trasa och började torka av bardisken.

Kristian drack ur kaffet. Barägaren hälsade på någon som var på väg in. Kristian vände sig om. Samtidigt som de mötte varandras blickar stelnade båda till. Senaste gången som Kristian träffat på mannen som närmade sig var inne på anstalten Juan Grande. Bengt Andersson såg friskare ut än sist, även om det bara gått ett par dagar sedan de träffades. De hälsade kort och utbytte artighetsfraser. Kristian reste sig för att gå. När han kommit ut stannade han till och tittade in genom fönstret. Bengt hade slagit sig ner där han just suttit vid bardisken och han och Fredrik var redan inbegripna i ett intensivt och intimt samtal. Det såg ut som om de hade något mycket viktigt att prata om.

Ingen av de bägge männen lade märke till att Kristian stod utanför och iakttog dem.

35

1957

Det var ett annorlunda landskap som öppnade sig framför de svenska turisternas ögon på utflykten. Las Palmas låg snart bakom dem och bussen körde ut på den gropiga steniga vägen på väg söderöver. Passagerarna skumpade upp och ner i sina säten och Mona tänkte flera gånger att nu blir det punktering. Men på något mirakulöst sätt fortsatte de att rulla framåt, även om det här och där gick allt annat än fort.

– Gran Canaria ligger inte långt från Afrikas kust, berättade reseledaren Siv. Vi är nu på väg mot Playa del Inglés, vilket betyder engelsmannens strand. Det var nämligen engelsmän som turistade här i slutet av artonhundratalet som gav upphov till namnet. Landskapet på öns södra del är mycket vackert, trots att det är kargt. Och Playa del Inglés är en sällsamt skön naturupplevelse. Sanden har blåst hit med passadvindarna från Sahara.

– Åh, det låter underbart, utbrast en av damerna som satt längre fram.

– Finns det ormar? undrade en annan.

Siv skakade på huvudet.

– Nej, ön är förskonad från farliga djur. Sanden är visserligen från Afrika, men några giftiga fripassagerare har inte blåst hit, såvitt jag vet.

Humöret var fortsatt på topp när bussen körde in till vägkanten och stannade intill något som såg ut som ett provisoriskt skjul. Det hade blivit dags för en drickpaus. En kvinna i Monas ålder, i svart blus och kjol och med det mörka håret samlat i knut, sålde lemonad och färska tomater.

– *Buenos días, Rosaria*, hälsade Siv som uppenbarligen kände kvinnan.

– *Buenos días*, svarade kvinnan stillsamt.

Hon såg trött ut och Mona fick en känsla av att hon egentligen inte tyckte om att stå där i dammet vid vägkanten. Gösta köpte två muggar av den syrliga lemonaden, men när de försökte le mot kvinnan slog hon bara ner blicken.

Det var nästan skönt att få sätta sig tillrätta i bussen igen och fortsätta färden.

– Rosarias familj tillverkar lemonaden på sin egen gård, berättade Siv i mikrofonen. De har även en tomatodling, en av dessa ser ni här på vänstra sidan och nedanför er.

Hon pekade mot berget de precis passerade.

– De flesta av odlingarna här ägs av tomatgreven Alejandro Castillo, vars familj tar väl hand om sina anställda och bygger bostäder åt dem. För annars är nöden utbredd här på ön. Många är fattiga och får ge sig av och söka jobb på fastlandet eftersom arbetslösheten är så stor. Kanske kommer det bli ändring nu när det börjar byggas fler hotell bortåt Playa del Inglés och även vid Maspalomas och San Agustín. Vi ska faktiskt äta lunch med Manfred och Rikard, två av byggherrarna som skapar arbetstillfällen till lokalbefolkningen. De kommer att berätta för er om sina planer.

– Fantastiskt, sa en av herrarna belåtet. Det känns bra att vi tar med oss en bit av folkhemsbygget ut i världen.

Äntligen stannade bussen på en liten provisorisk parkering intill den vidsträckta stranden. Palmerna vajade i den lätta brisen och havet böljade frestande framför dem.

– De som vill kan passa på att ta sig ett dopp, sa Siv efter att de klivit av bussen. Var bara försiktiga och gå inte för långt ut, för strömmarna kan vara starka. Ni som inte kan simma så bra får nog hålla er till strandkanten. Sedan äter vi lunch på caféet där borta klockan två.

Hon visade mot en låg byggnad med halmtak och några träbord utanför. Doften av stekt kyckling fyllde luften och Mona kände att hon redan blivit hungrig. Men samtidigt längtade hon efter att få svalka sig i vågorna.

Detta måste ändå vara paradiset på jorden, tänkte hon, när hon äntligen satte de bara fötterna mot den våta sanden i vattenbrynet och fick det fräsande skummet över tårna.

– Sisten i är en rutten sill, ropade Gösta och sprang förbi henne så att dropparna skvätte. Han dök i med huvudet före och kom sedan upp, glatt frustande.

– Kom, älskling, lockade han, och snart gjorde Mona honom sällskap.

Efter dem kom flera och snart badade hela sällskapet i de bitvis vilda dyningarna som rullade in mot stranden.

Gösta höll på att bli rejält solsvedd på axlarna, kunde Mona se. Men det tog han ingen notis om och avfärdade hennes försök att smörja in honom med solkräm med att sådant bara var för tunnisar. Medan de var på väg mot caféet mötte de en man i halmhatt som rökte en cigarett. Hans ögon smalnade av när han betraktade svenskarna och Mona fick än en gång samma känsla som när de handlat lemonad. Som om de inkräktade. Men Siv hade ju sagt att turistnäringen var en räddning för den karga primitiva ön. Borde inte lokalbefolkningen istället vara glada för att turisterna kom och spenderade sina pengar här? Hennes funderingar avbröts av den karismatiske Manfred, en av de svenska nybyggarna som deltog i lunchen och som hade med sig planritningar på hur områdena runt Playa del Inglés skulle bebyggas. Tillsammans med kompanjonen Rikard charmade de alla sällskapets damer och skålade med dem i sangria, en sorts rödvin med frukt.

– Om några år lär ni inte känna igen er här, sa Manfred självsäkert. Det kommer att bli bungalows och hotell. Vi håller på att förhandla om marken med några av ägarna, men jag är inte orolig, om man säger så.

Han skrockade och tände en Pall Mall, blåste sedan ut röken och kliade sig i den ena polisongen.

– Målet är att göra Gran Canaria till charterön nummer ett, fyllde Rikard i. Swimmingpooler! Shoppingcentra! Hotell med balkonger som vetter mot havet! Möjligheterna är oändliga.

– Mänskligheten behöver inte fler tomater. Däremot behöver vi skandinaver sol, flinade Manfred.

Mona lyssnade medan hon petade i det saffransgula riset. Kombinationen skaldjur och kyckling var ovan och smaken var annorlunda. Hon visste inte riktigt om hon tyckte det var gott eller inte. Men sangrian var stark och snart började hon känna sig lite berusad.

Hon tog Göstas hand.

Vad spelade det då för roll att mannen på caféet och kvinnan som sålde lemonad betraktade de svenska turisterna med sådan skepsis? De behövde väl vänja sig vid allt det nya, tänkte hon och log mot sin man. Precis som hon själv behövde vänja sig vid smaken av saffran i en maträtt som inte var adventsbröd. Paella hette den visst.

36

Sara fortsatte undersöka fallet med den brinnande bussen i Arguineguín. Det var en ovanlig och anmärkningsvärd händelse, men ingen människa hade skadats. Polisen kunde ännu inte bekräfta om det var ett attentat. Eftersom hon hade avtalat en ny tid med Ricardo under eftermiddagen lämnade hon redaktionen tidigare än vanligt. Sara kunde inte hjälpa att hjärtat bultade i bröstkorgen när hon körde den korta biten hem. Hon tänkte på hur det hade känts första gången de sågs. Inbillade hon sig eller hade det legat en spänning i luften? Han hade berömt hennes pianospel, fått henne att känna sig duktig, skrattat åt hennes skämt. Hon hade känt sig sedd och bekräftad.

Vad tog det åt henne? tänkte hon irriterat. Ta det lugnt, det är bara en pianolärare. Ändå kunde hon inte låta bli att ta en snabbdusch och snygga till sig innan han kom. Hon bytte kläder flera gånger, vred och vände sig framför spegeln och lockade håret bara för att rufsa till det igen. Sniffade nervöst i armhålorna, all denna anspänning gjorde henne svettig. Hon for omkring som en skottspole, driven av en inre rastlöshet som fick hennes händer att darra och hjärtat att slå snabbare. Stressen var som en piska som fick henne att rusa runt i huset. Hon mötte sin blick i spegeln och såg en medelålders kvinna med ett jagat ansiktsuttryck.

När hon öppnade dörren gick det en stöt genom kroppen. Ricardo var så attraktiv att han tog andan ur henne. Tyckte han att hon var lite fin? Eller var hon för gammal?

Den här gången slog de sig ner vid pianot på en gång. Ricardo började instruera henne, men hon hade svårt att lyssna. Fastnade med blicken på hans läppar när de rörde sig istället, hans hals, hans adamsäpple. Såg hur en lock av håret fallit ner i pannan. Han tycktes inte lägga märke till hennes uppenbara koncentrationssvårigheter utan fortsatte obekymrat att prata på. De repeterade ackorden och stycket hon hade lärt sig sist och Sara gjorde sitt bästa för att fokusera på musicerandet. Efter en stund bad han om att få låna toaletten och reste sig från pianopallen. När han försvunnit ur synhåll strök hon med händerna över tyget där han just suttit. Hon flyttade sig dit och det pirrade i hela kroppen när hon tänkte på att det var hans värme som just nu fortplantade sig i hennes kropp.

När han kom tillbaka gick de igenom några nya ackord. Hon stirrade på hans händer, hörde honom förklara som på avstånd. Åsynen av fingrarna som lekfullt rörde sig över de vita och svarta tangenterna, känslan av hans ben mot hennes, var alltför förvirrande för att hon skulle hänga med i det han försökte lära henne. De satt så nära varandra, han var bara ett tunt pappersark ifrån henne. Skulle hon luta sig fram bara en aning skulle hennes läppar kunna snudda vid hans kind.

– Sara?

Hon ryckte till, som väckt ur en dvala.

Ricardos händer hade slutat röra sig och nu pratade han visst med henne.

Hon försökte skärpa sig.

– Ja. Förlåt. Jag hängde inte riktigt med.

– Du kanske har svårt att koncentrera dig? frågade han lite bekymrat. Du har väl en massa att göra på jobbet med mordet på hon den där svenskan?

– Ja, i och för sig, sa Sara och greps genast av ett styng av dåligt samvete. På jobbet satt de och arbetade intensivt och själv hade hon sagt att hon skulle tillbringa eftermiddagen med att göra research bland Linda Anderssons bekanta. Men det är ingen fara, fortsatte hon. Jag hinner med mina lektioner ändå. Får bara fördela om jobbet lite.

– Vad är senaste nytt förresten? frågade Ricardo, liksom i förbifarten medan han lutade sig fram och tog en klunk vatten ur glaset hon ställt på ett bord bredvid honom.

– Tja, sa Sara, lite förvånad över frågan. Det finns inte så mycket nytt egentligen, polisen letar fortfarande efter gärningspersonen.

– Det är inte hennes make då?

– Det verkar inte så. Han släpptes ju. Fast jag vet inte om han är helt avförd från utredningen. Han kan fortfarande vara misstänkt även om åklagaren inte hade tillräckligt på honom för en häktning.

– Jaha. Ricardo log mot henne. Jag har bara läst lite om det där, sa han urskuldande. Och tänkte att du vet väl mycket, som har tidningen och allt.

Han strök lätt med fingarna över pianot. Det blev tyst. Stämningen blev med ens annorlunda. Det var så påtagligt att någonting pågick mellan dem, något outtalat, som bara hade med fysisk attraktion att göra. Luften blev tjock av spänningen. Han satt så nära, hon var intensivt medveten om hans kropp intill hennes.

– Vill du att jag tar det en gång till?

Nej, det här fungerade inte. Hon klarade inte av att sitta så nära honom.

– Förlåt, men jag behöver nåt att dricka. Låt oss ta en paus.

Utan att vänta på svar reste hon sig från sin plats vid pianot och nästan sprang ut i köket. Hon hade redan bjudit honom på mineralvatten, men nu behövde hon något starkare. Det skulle ännu dröja några timmar innan Lasse och barnen kom hem. Blicken föll på flaskorna i vinstället.

Hon märkte inte att han kommit efter henne ut i köket.

– Kan jag hjälpa till med nåt?

Hans ord fick henne att rycka till. Hon vände sig hastigt om. Där stod han i dörröppningen och hela hans uppenbarelse gjorde henne knäsvag.

– Jag ... jag ...

Hon stammade, fick inte fram något vettigt. Han kom närmare.

37

Det hade blivit mörkt utanför fönstret och Bengt hade just avslutat middagen framför teven. En ny svensk dramaserie på SVT 1. Han försökte sysselsätta sig med saker bara för att få tiden att gå, men orkade inte ta sig utanför huset än, trots att vännerna hade försökt få med honom på olika aktiviteter. Han ville bara vara inne och ifred. Det kändes konstigt att vara i huset utan Linda, men han insåg att han skulle bli tvungen att vänja sig. Just nu befann han sig som i ett vakuum, gjorde saker automatiskt utan att tänka eller känna. Han hade börjat plocka bland hennes tillhörigheter, hade fått rådet att packa ner dem i kartonger, men han klarade det inte ännu. Det gjorde för ont. Det var konstigt att se Lindas rosa morgonrock på kroken i badrummet, men tanken på att ta undan den kändes ännu värre.

Kvällen var varm och han hade låtit altandörrarna stå öppna. Han var precis i färd med att sätta på en kopp kaffe när han hörde ett skrammel ute på terrassen. Han vände sig om och försökte urskilja vad det kunde vara genom det mörka fönsterglaset. Lamporna var tända inomhus och han såg inte ett dyft. Han ställde bryggkannan på plats på plattan och knäppte på. Gick ut på den stenlagda altanen och spejade i mörkret över deras lilla gräsplätt. Ingenting. Han funderade på att ta en cigarett, men beslutade sig för att vänta tills kaffet var klart. Tillbaka i köket blev han stående en stund och stirrade på kaffebryggarens puttrande vatten i glasbehållaren. Så många gånger som han och Linda hade bryggt kaffe till sig i den bryggaren. Den fanns kvar, men inte Linda.

Draperiet mot altanen fladdrade till av en vindpust. Det var Linda som hade sytt det. Han mindes hur förtjust hon varit när hon hade hittat det finmönstrade tyget på Ikea, samma tyg som de haft till gardinerna hemma i vardagsrummet i Bromma.

Då såg han. Ett par nakna fötter som stack fram under draperiet. Hjärtat stannade i Bengt Anderssons bröstkorg och han stod alldeles stilla. Oförmögen att röra sig, oförmögen att tala, oförmögen att göra någonting alls.

38

Kristian drog in doften av det saltstänkta havet där han satt på sin favoritbar i San Cristóbal med ryggen mot väggen, medan de sista solstrålarna från den varmröda kvällssolen smekte ansiktet. Bar El Cantábrico var liten och enkel och låg nere vid havet. Merparten av borden stod utomhus och ibland gick vågorna så högt att de slog upp över den skyddande muren och stänkte ner gästerna. Han hörde vågorna dundra mot stenväggen nedanför men han såg det inte, bara sitt eget ansikte i den svarta, blanka iPaden han höll i handen. Han hade jobbat länge på konsulatet den här dagen, suttit i telefon, svarat på frågor från de stora medierna i Norge. De norska tidningarna hade börjat rapportera om bombexplosionen på turistbussen efter att polisen gått ut med att det rörde sig om ett attentat och inte en olycka. När Kristian tänkte på vad som hade kunnat hända om bussen hade varit full av passagerare kände han en kall ilning utefter ryggraden, trots att det var varmt ute. Obehagskänslan ville inte släppa taget.

Han scrollade ner för att läsa kommentarsfältet till en artikel om explosionen. Det var speciellt en kommentar han lade märke till, ett längre inlägg om ett bombattentat på flygplatsen i Las Palmas 1977 som indirekt ledde till den värsta flygkraschen i historien, då nästan sexhundra personer miste livet. Kristian hade hört talas om olyckan, men inte att den skulle ha haft koppling till ett bombdåd. Inlägget var en kommentar till den ökande nationalismen i Europa och ställde frågan om attentatet skulle betraktas som terror eller en frihetskamp. Om man hade rätt att kämpa för sin självständighet med våld eller inte. Kommentarerna på inlägget var många och spridda, alltifrån att stötta till att idiotförklara resonemanget.

– Men ser man på, min norske vän.

Kristian tittade upp och såg en av de få vänner han hade i San Cristóbal, konstnären Jorge, stå där med sitt skissblock. Han lade ifrån sig iPaden och bad Jorge sätta sig.

– Vad vet du om flygolyckan på Teneriffa 1977?

Den äldre mannens blick blev mörk.

– En förfärlig händelse.

– Vilka låg bakom?

– Den gången var det den kanariska självständighetsrörelsen, MPAIAC, som de hette då, som tog på sig dådet och en av deras medlemmar dömdes till fängelse. Ingen människa dödades i själva bombdådet, men jag minns att tjejen som arbetade i blomsteraffären där det hände skadades allvarligt. Jag har för mig att familjen kämpade i många år för att få ersättning från staten för hennes lidande. Usch ja, en hemsk historia.

Jorge skakade på huvudet och halsade ur ölflaskan han hade framför sig.

– Men hur ser den kanariska självständighetsrörelsen ut nu? fortsatte Kristian. Kan det vara de som ligger bakom attentatet mot bussen?

– Det har jag svårt att tro. Kampen i dag förs ju på ett helt annat sätt. Fredligt. Och mest protesterar de mot det där. Han nickade ut mot den stora oljeplattformen som låg en bra bit utanför kusten, men som syntes tydligt från land. Det handlar framför allt om miljöfrågor nuförtiden. Sen är de väl sura på all inclusive-hotellen också och menar att de tar turistinkomster från de lokala näringsidkarna. Vilket de har helt rätt i.

Jorge tystnade och tog ännu en klunk öl. Solen sjönk och himlen färgades röd.

– Men attentatet mot bussen är allvarligt och jag hoppas att de griper den eller de skyldiga snabbt. *Madre mía,* jag hörde om det på radion. Snart slutar väl turisterna komma hit. Inte för att det spelar så stor roll för mig, men ön lever och andas av de rika nordeuropéerna. Även om de är utsugare hela bunten. Jorge log snett mot Kristian. Inte riktigt hela bunten.

– Jag förstår vad du menar. Vill du ha en till öl?

– Alkoholen är bedövningsmedlet som tar oss genom livets operation, deklarerade Jorge lakoniskt.

– George Bernard Shaw, sa Kristian.

Jorge skulle alltid hålla på och citera berömda författare och filosofer. Ibland kändes det som om han gjorde det bara för att pröva sin betydligt yngre norske väns litterära kunskaper. Kristian tittade efter barens ägarinna María del Mar, som redan var på väg ut med två kalla Tropical i händerna.

– Man kan tro att du är synsk, sa Kristian och log mot henne.

– Jag känner er bägge vid det här laget, svarade María.

Jorge vägde på stolen och drack av ölen medan blicken försvann med solen ner vid horisonten.

María del Mar kom ut och ställde sig vid dörren, hon lutade sig mot väggen för att få känna den friska vinden från havet. Himlen låg nu mörk över den lilla stadsdelen utanför Las Palmas. Gatljusen som varma, självlysande bikupor längs den smala vägen mot muren och vågorna.

– Jag tar upp beställning på en sista runda, sen är det stopp, sa hon. Det är bara ni två kvar, så jag tänkte stänga lite tidigare.

Kristian såg på Jorge.

– Jag borde också gå hem, sa den äldre och reste sig. Tack för ölen och sällskapet. Det var länge sen sist.

Kristian tog honom i handen och såg honom vandra ner över vägen med skissblocket under armen.

– Jag tar en öl till, sa Kristian till María. Sen kan jag ta notan.

Han såg ut över havet som långsamt höll på att läggas i mörker. Ljusen syntes borta från den brusande storstaden. Men här i San Cristóbal var det lugnt och stilla.

39

Sara svängde in på den lilla parkeringen vid hamnen i Arguineguín. Hon och Kristian hade båda ärenden i byn, och hade bestämt sig för att äta frukost tillsammans. Efter att ha ställt bilen promenerade hon över plazan med utsikt över den mörka lavastranden, havet och klipporna bort mot Puerto Rico och Mogán. Några ungar spelade fotboll med en skuttande valp i hasorna, ett par äldre damer satt på enkla stolar i skuggan och pratade utanför sina hus. Teides snöklädda topp syntes tydligt bortifrån Teneriffa. Hon tänkte på det senaste mötet med Ricardo. I sista stund hade hon brutit spänningen, lett in samtalet på neutral mark innan hon klagat på huvudvärk och avbrutit lektionen. Hon kunde inte bestämma sig för om det var det klokaste eller det dummaste hon gjort. Oavsett var Ricardos vackra händer det enda hon kunde tänka på.

Hon kunde sakna sitt gamla, avslappnade jag. Den Sara som inte törstade efter blickar och bekräftelse och drömde om sexuella eskapader. Som inte oroade sig för hur hon såg ut. Som inte hade en miljon myror som kröp runt i kroppen. Kunde det handla om att hon var på väg in i klimakteriet? Att hennes sexualitet plötsligt och yrvaket kommit till liv bara för att dra en sista suck innan den falnade totalt? Tanken var skräckinjagande.

Sara försökte leda in sitt resonerande på andra banor, som inte var lika deprimerande. Kanske hade den här nya oron börjat när hon träffade Kristian Wede, som hon lärt känna ett år tidigare i samband med ett stort mordfall. En mördad svenska hade hittats på klipporna nedanför den norska sjömanskyrkan i Arguineguín. Sara stannade upp och vände sig om. Kyrkan låg bortanför stranden på en udde och syntes tydligt från platsen där hon stod. Offret var arrangerat enligt det berömda konstverket Venus födelse av den italienske konstnären Botticelli. Mordet hade följts av flera dåd, där samtliga mordplatser symboliserade olika berömda konstmotiv. Sara upplevde att hon och Kristian hade kommit varandra nära då, under utredningen. Lärt känna varandra riktigt bra. Samtidigt hade Kristian berättat för henne om den tragiska händelsen med hans syster. Hon hade börjat hjälpa honom med att gräva i mysteriet och försöka ta reda på vad som hade hänt. Det fanns en mikroskopisk chans att systern fortfarande var i livet. Och även om så inte var fallet var Sara övertygad om att vetskapen om vad som inträffat skulle hjälpa Kristian och ge honom lite frid. Han var en orolig själ, det hade hon känt direkt. Kanske var det också det som gjorde honom intressant. När det gällde Kristian var det något som både lockade och samtidigt stötte bort henne. Ibland kunde han vara obekvämt attraktiv, men sedan hade han dagar då han såg ut som ett vrak: orakad, oduschad, med fläckar på skrynkliga kläder. Även hans humör var ojämnt, han växlade från pratsam och social till sammanbiten och sur. Hon undrade vilken dagsform som gällde i dag.

Kristian kom gående längs med strandpromenaden, hon såg honom på håll. Han hade på sig jeans och en grå T-shirt. Själv hade hon precis varit hos frissan, fått en ny toning och även klippt av en bra bit. Förändringen var slående, tyckte hon, att håret blev kortare gav henne ett nytt utseende. Hon såg tuffare ut, helt enkelt. Yngre? Hon vågade inte ens tänka den tanken, den rörde bara upp en massa ovälkomna känslor inom henne. Men hon kände sig fin. Hon vinkade och han återgäldade gesten. Snart var han framme hos henne och gav henne en hastig kram.

– Hej, hur är läget? frågade han och hans andedräkt var varm mot hennes öra.

– Jo, bra, sa hon och benen mjuknade. Vad var det med henne? Hon var som ett enda stort känslospröt hela hon. Som om varenda cell i hennes kropp ropade efter närhet, beröring och sex.

De slog sig ner och beställde in kaffe, omeletter och färskpressad apelsinjuice. Den ljumma brisen fläktade behagligt.

– Vad var det för nytt du ville prata om? frågade hon och tittade uppmärksamt på honom.

Hon undrade hur lång tid det skulle ta innan han kommenterade hennes nya frisyr, om han ens lade märke till den. Kristian berättade om kanariern som kallades Fabbe och som fått sparken från Svenska baren för att han inte kunde svenska. Om det märkliga mötet med vännerna Sture och Lotta. Och om hur Bengt dykt upp på baren och samtalat intensivt med Fredrik, som om de bägge stod varandra nära.

– Jag lurar på om den där Fabbe kan vara inblandad i mordet på Linda, avslutade han på sin sjungande norska. Eftersom Fabbe kommer från Arguineguín och tydligen bor här i krokarna tänkte jag gå runt i dag och försöka få fatt i honom. Förhoppningsvis ta ett snack.

– Men varför skulle det faktum att han fick sparken från Svenska baren ha nåt med mordet på Linda Andersson att göra? invände Sara. Skulle han verkligen ta livet av henne för en sån sak? Då ligger det väl närmare till hands att hämnas på den som sparkade honom, Fredrik Gren.

– Linda var tydligen en av dem som klagade mest högljutt över att Fabbe inte kunde svenska.

– Det kan ju vara nåt annat också, fortsatte Sara. Linda var tydligen intresserad av andra karlar, hon kanske hade nåt ihop med den där Fabbe. Vet du verkligen inte hans riktiga namn?

– Nej, Fredrik hade inga papper på honom överhuvudtaget. Han jobbade svart.

– Vad kan det stå för? mumlade Sara. Fabbe ... Det låter som nåt en svensk har hittat på, jag tror inte en enda kanarier skulle kalla honom det. Fernando, Fabiano ... Hur gammal är han?

– I femtioårsåldern, jag vet inte exakt.

I samma stund kom servitrisen med deras frukost på en bricka. Sara vände sig mot henne.

– Förlåt, men känner du nån man härifrån som är runt femtio och heter Fabiano eller Fernando eller nåt sånt? Han har jobbat som servitör på Svenska baren i Puerto Rico.

– Jag är osäker, sa servitrisen. Men vänta ett ögonblick, så ska jag fråga ägarna. De känner varenda kotte häromkring.

Hon vände på klacken och försvann in i restaurangen. De tog för sig av frukosten som smakade ljuvligt. Strax var den vänliga servitrisen tillbaka.

– Ni kanske menar Fabiano Rivera? Han har tydligen hoppat in och jobbat extra här också, men det var innan jag började. Jag känner honom inte själv, men han bor borta på Calle Real del Mar.

Hon pekade längre bort i området mot en radda nergångna hus längst ute mot hamnen och varvet nedanför. Sara rynkade pannan.

– Rivera, sa hon långsamt. Det namnet känner jag igen nånstans ifrån.

– Konstnären, sa Kristian och drack ur det sista av apelsinjuicen i det höga glas han hade framför sig. Diego Rivera, världsberömd mexikansk konstnär som var gift med lika berömda konstnären Frida Kahlo. Du minns väl hennes tavla Henry Ford Hospital?

– Hur skulle jag nånsin kunna glömma det? sa Sara.

Minnesbilderna från föregående års mordfall kom tillbaka. Ett av offren var arrangerat som målningen. Sara mindes alltför väl järnsängen ute på papayafältet i Tasarte, den blodiga kvinnan död i sängen med söndertrasat underliv och de märkliga föremålen runt omkring. Frida Kahlo hade målat verket i sin sorg efter ett missfall på sjukhuset i Detroit 1932.

– Jag ska söka upp den där Fabiano. Hänger du med? frågade Kristian medan han tecknade åt servitrisen att han ville betala.

Sara kollade klockan. Hon hade gott om tid, och detta verkade spännande.

40

1959

De tomma väggarna i det nybyggda flerfamiljshuset på andra sidan motorvägen gav ett främmande och kallt eko. När de talade med varandra var det som om rösterna inte tillhörde dem. Orlando och Rosaria stod vid fönstret och såg sig vilset omkring. De sa ingenting, stod bara där tysta. De höll varandra i händerna, som om det skulle hjälpa.

Lägenheten hade två sovrum, ett vardagsrum med kök och ett badrum med badkar, toalett och rinnande vatten. Väggarna var tomma och vita, golvet i brunt kakel. Husen låg en bra bit upp från vägen, fem fastighetskomplex efter varandra, tre våningar höga. Långt där nere glittrade havet mot horisonten. Ett nyöppnat café låg tvärs över gatan, på hörnet fanns en liten supermercado. En äldre man satt på trottoarkanten utanför en port och hälsade avmätt på dem som gick förbi. Annars var det stilla på gatan, en bil gled långsamt fram, åkte ner på en tvärgata och försvann. Fönstren saknade ännu gardiner. Det hade aldrig behövts hemma hos dem. Deras gård hade legat på en kulle, helt och hållet för sig själv, en kilometer från närmaste granne. Nu kunde de som bodde mitt emot se rätt in. Rosaria var inte van vid det, att fly undan andras blickar. Hon måste se till att sy gardiner fortast möjligt.

Det mesta av deras bohag och tillhörigheter stod uppradade i kartonger längs väggen. För att muntra upp sig hade Rosaria lagt en duk på det nyss uppställda köksbordet. Hon hade ärvt den efter sin mor. Dukens spetskant hade blivit sliten med åren och borde egentligen bytas ut, men den påminde om hennes familj. Hennes ursprung. Tidigare låg den på det stora matbordet i det rustika köket i barndomshemmet i Playa del Inglés. På transistorradion spelades kanarisk folkmusik, men den knastrade betydligt. Mottagningen var sämre här, närmare bergen.

Allt var sämre här, tänkte Orlando och undslapp sig en djup suck. Han avbröts av dottern Marisol som kom inspringande i rummet med sin lillebror i släptåg. Trots att hon var så liten tycktes hon känna av sin pappas sinnesstämning. Hon stannade upp och gick fram till honom. Tog hans hand.

– Jag tycker det är fint här, pappa, sa hon tröstande.

– Tycker du? sa han och ville bara gråta.

– Ja, det finns en lekplats här utanför. Med gungor. Får jag och Juan gå ut och leka?

Orlando och Rosaria växlade blickar. Rosaria nickade.

– Javisst, gör det. Men håll er bara där vi kan se er genom fönstret. Gå ingenstans och följ inte med nån ni inte känner.

Barnen sprang iväg. De tycktes så obekymrade och sorglösa, verkade bara acceptera situationen. Orlando kände en värme av tacksamhet i bröstet, men kunde inte hjälpa att han avskydde lägenheten redan nu.

– Det kommer att ordna sig, tröstade hans hustru. Vi var tvungna att sälja marken, det var inte ditt fel. Det blev ohållbart.

– Jag sålde inte marken, sa han. De tog den. Rövade bort den. De tvingade oss att sälja, försök inte att få det att låta som nåt annat. Det är den förbannade Franco. Han säljer ut oss.

– Vi blev av med skulden. Tänk positivt, vi har fortfarande en bit mark kvar.

– Det är ju bara sand. Man kan inte odla nåt och det ligger för långt från vattnet för att vara intressant för de där hotellbyggarna, sa han och såg bistert ut genom fönstret. Den är inte värd nånting.

– Inte nu kanske, sa Rosaria. Men en dag ska du se att den biten blir värdefull. Vänta bara.

41

Sara och Kristian promenerade bort mot de låga husen i utkanten av det lilla bostadsområdet ovanför hamnen i Arguineguín där Fabiano Rivera bodde. Gatorna var trånga och husen låg tätt ihop. Vissa möbler stod utomhus och här och var hängde kläder på tork tvärs över gatan. Luggslitna katter strök utefter husväggarna och några hönor gick och pickade i den magra jorden på de gräsplättar som fanns. Nedanför hördes slammer och maskiners brummande från varvet där man arbetade med båtarna. Sara kastade en blick på Kristian där han gick bredvid henne. Vad lång och stilig han var. Hon strök med ena handen över håret, fortfarande hade han inte kommenterat hennes nya frisyr. Hon suckade, men slog bort tankarna på sig själv och sin egen fåfänga.

– Du vet, det sprayade slagordet på muren utanför hotellet. Nån hade skrivit *Viva Canarias libre*, sa Sara.

– Leve ett fritt Kanarieöarna, översatte Kristian. Ja?

– Det skulle kunna vara en signal, även om ingen organisation har tagit på sig dådet ännu.

De var framme vid Calle Real del Mar. Husen låg på rad utefter den smala gatan med utsikt mot vattnet. Det såg gemytligt ut med blomkrukor utanför dörrarna. Ingen människa syntes till. Från en mörk fönsterglugg hördes musik.

Runt hörnet kom en yngre man, klädd i gummistövlar med en stor, blank fisk i ena handen. Det var inte svårt att gissa att han kom direkt från en av fiskebåtarna i hamnen nedanför.

– *Hola, buenos días*, hälsade Sara. Vi letar efter en Fabiano Rivera, vet du var han bor?

– *Hola*, jo visst vet jag det. Nummer tjugoett, längst bort i hörnet, det låga rosa huset, sa ynglingen och pekade bortåt den lilla gatan.

Framme vid den vita dörren stod ett par blomkrukor med eldröda prunkande blommor som varken Sara eller Kristian visste namnet på. En liten skylt med namnet Rivera visade att de kommit rätt. Ingen ringklocka fanns så de knackade på dörren. Det tog en stund innan den öppnades med ett knarrande. En äldre kvinna med blommig klänning, förkläde och håret i knut plirade mot dem. De hälsade och Sara förklarade vilka de var och att de gärna ville tala med Fabiano. Kvinnan gav dem en misstänksam blick.

– Han är inte hemma.

– När väntas han hem då? frågade Sara. Är han på jobbet kanske?

– Ska ni skriva om honom i tidningen?

– Bara om han själv vill, sa Sara. Vi jobbar med ett reportage om kanarier som blir av med sina arbeten på grund av att de inte kan tala turisternas språk. Vi tycker helt enkelt att det är förskräckligt och att det borde uppmärksammas. Vi skulle vilja prata med Fabiano eftersom vi har hört att han fick sparken från Svenska baren för att han inte kunde svenska.

Kristian stirrade förvånat på henne. Sara knuffade diskret till honom. Hon slirade på sanningen för att de skulle få över tanten på sin sida och bli insläppta. För den goda saken var alla medel tillåtna. Egentligen trodde hon inte att detta med Fabiano skulle leda någonstans när det gällde mordfallet. Däremot var historien om hur han förlorade jobbet intressant att ta upp i hennes tidning. Det absurda i att en kanarier får sparken för att han inte talar turisternas modersmål. Själv hade hon inte hört talas om denna problematik tidigare och det var definitivt något för Dag & Natt att skapa en debatt kring. Så egentligen ljög hon faktiskt inte alls.

Den gamla damen såg osäker ut.

– Ja , i så fall ... ja, det är bara jag och min man hemma. Hon sträckte fram handen. María Rivera heter jag. Sara tog hennes hand och kindpussades, Kristian tog bara handen. María visade in dem i ett litet trångt vardagsrum med en soffa och en teve och ett stort antal fotografier på finklädda barn med blommor i händerna. Flickor med tofs i sidenband och vattenkammade gossar med slips. Bröllopsfoton och familjebilder. I ena hörnet satt en äldre man med pipa i munnen.

– Det här är min man, Juan.

Mannen satt kvar i samma ställning, med den ena ådriga handen om pipskaftet och den andra vilande i knäet. Han var prydligt klädd i långbyxor och brun skjorta. Han rörde inte en min. Hans hustru lutade sig fram mot honom.

– De är journalister, de kommer från tidningen. De vill prata med Fabiano om hur han förlorade jobbet. De vill skriva om det. De kanske kan hjälpa oss så att han får jobbet tillbaka.

Mannens ansikte förvreds och knogarna som höll om pipan vitnade. Han talade tyst men intensivt till sin hustru utan att de lyckades uppfatta vad han sa, men av allt att döma var han inte glad över besöket. När han var färdig vände sig María mot dem och sa ursäktande.

– Jag är ledsen, men ni måste gå. Fabiano har ingenting att säga till pressen och vår familj vill inte bli indragen i nåt.

Den gamla damen följde dem till dörren. Sara kastade en blick mot mannen med pipan. Hon tyckte sig känna igen honom, men kunde inte komma på varifrån. Någonstans hade hon sett honom förut. Det var hon säker på.

42

Bussen färdades långsamt uppåt på den smala, kurviga vägen genom det storslagna landskapet på öns norra, grönskande sida. Den var fullastad med entusiastiska turister från Sverige som köpt biljetter för att få följa med den populäre guiden Fredrik Gren på en tur runt ön. De hade just besökt den pittoreska bergsbyn Moya och var på väg mot Arucas och en av öns mest magnifika kyrkor. Den nygotiska kyrkan San Juan Bautista påminde mer om en katedral än de övriga kyrkorna på ön. Dess sextio meter höga torn reste sig som ett jättelikt monument mot himlen och syntes vida omkring. Omkring kyrkan bredde ett böljande, grönt landskap ut sig med grönskande kullar, vitputsade hus och lantegendomar här och var i omgivningarna. Hagar med getter och får. Små vägar där traktorer puttrade fram, fruktodlingar; bananer, mango och papaya. Sockerrörsfält fanns det gott om, framför allt på grund av att melassen därifrån användes till romframställning i Arucas berömda romfabrik. Denna del av norra ön utgjordes av ett bördigt jordbruksområde, långt ifrån de torrlagda markerna, de kala bergen och de sandiga stränderna på södra sidan av Gran Canaria. Här var det inte ovanligt att träffa på människor i täckjackor på vintern, temperaturen var ibland femton grader lägre än på den södra sidan och det regnade relativt ofta, åtminstone den här årstiden.

Fredrik Gren hade just berättat om det sjuttio år långdragna och mödosamma bygget av kyrkan med lavasten från trakten när bussen stannade med en knyck på parkeringsplatsen.

Han lade ifrån sig mikrofonen och gick åt sidan för att låta turisterna kliva av. De var ivriga att komma ur bussen, fingrade med kameror och mobiltelefoner medan de pratade upprymt med varandra. Han förstod dem, första gången han själv hade åkt vägen upp till Arucas hade han också nästan tappat andan av det vackra landskapet. Nu stod de där och knäppte bilder av den gröna dalen som bredde ut sig under dem.

Fredrik klev av bussen och gick bort till en informationstavla. Han hade redan läst den ett otal gånger, men det kändes bra att vara ifred en stund. Han såg ut över dalen. En rostig lastbil skumpade fram på en mindre traktorstig och stannade framför ett hus som såg ut att vara en lagerlokal. Chauffören klev ur bilen och plockade av några trälådor från flaket som han bar in i byggnaden.

För ett ögonblick funderade Fredrik på hur tillvaron tedde sig här uppe i bergen. Att i sin vardag befinna sig i denna natursköna miljö, i grönskan, bördigheten, bland färgsprakande blommor och dignande fruktträd. Där han stod kunde han se citroner och apelsiner som pigga ljuspunkter mot det gröna lövverket runt omkring. En åsnekärra med en bondkvinna som körde och en hund som sprang vid sidan om. Visserligen var Arucas en stad med ganska många invånare, men det var så olikt det hektiska turistlivet på sydkusten. Han kunde längta efter ett annat liv. Komma bort från baren, drickandet och serverandet. De blinkande neonskyltarna och stressen. Arbeta utomhus istället, i dagsljus, med händerna, bli svettig och utmattad efter en lång dag av kroppsarbete. Sätta sig vid middagsbordet och se solen försvinna bakom bergen som stod likt skyddande klossar runt det enkla livet. Fredrik suckade. Om bara allt hade varit så lätt. En gång i tiden hade det varit det, men han hade valt en annan väg. Och nu stod han här och blickade ut över det frodiga landskapet som hade allt han kunde önska sig. Han väcktes ur tankarna av att den svenske prästen från San Agustín lade en vänskaplig hand på hans axel.

– Visst är det härligt häruppe. Luften är så frisk, man känner verkligen att man lever.

Fredrik nickade.

– Ja, det är magiskt vackert. Synd att inte alla turister får se det här. Eller snarare tar sig tid att åka runt ön för att uppleva det.

– Det är svårt att inte tänka på allt Gud har gjort för oss när man är omgiven av den här naturen.

Fredrik mumlade något ohörbart till svar. Han ville helst inte ge sig in i den diskussionen. Han var ganska säker på att om det mot all förmodan fanns en Gud så brydde han sig lika lite om Fredrik som Fredrik brydde sig om Gud.

– Kan vi ta en bild?

Ett äldre par i gruppen hade närmat sig med en kamera för att fotografera.

– Ta på oss alla tre med dalen i bakgrunden, instruerade kvinnan sin man. Jag i mitten med så stiliga karlar på var sida.

Hon stack bestämt sina armar under deras och log brett mot kameran.

Fredrik samlade ihop gruppen och de fortsatte i samlad tropp mot kyrkan. Den var egentligen stängd vid den här tiden på dagen, men han hade fått låna nyckeln för att kunna visa upp den i lugn och ro. De tog trapporna upp och stannade först utanför för att beundra den imponerande fasaden. Inuti var den inte mindre storslagen. Ljuset föll in genom de höga fönstren och letade sig in mellan de mäktiga valvbågarna. Andäktigt gick deltagarna efter honom när han visade upp altaret, de olika koren med sina skulpturer och utsmyckningar, dopfunten, biktstolarna och längst in Golgatakoret med en träskulptur av den liggande Jesus. Efter rundvisningen fick alla fri tid att gå runt och fotografera, äta lunch och strosa omkring. De kom överens om att träffas vid bussen på parkeringsplatsen nedanför kyrkan ett par timmar senare. Han stängde och låste kyrkporten efter den sista eftersläntraren och andades ut. Han var bakis sedan gårdagen då han blivit kvar i baren med några av gästerna till sent och druckit alldeles för mycket. Stubben och Lotta hade varit med, men inte Benke. Det var nog för tidigt för honom, han hade ju just blivit utsläppt.

Fredrik orkade inte gå ut och beblanda sig med folk, utan gick tillbaka in mot kyrkan och öppnade dörren till sakristian. Slog sig ner vid det gedigna mahognybordet och plockade fram sin medhavda matsäck ur ryggsäcken. Därinne var det svalt och tyst. Så lugnt nu när alla hade gått och han var ensam. Han fick upp en burk Coca-Cola och tömde den i några djupa klunkar. Kände sig något bättre. Vecklade upp den medhavda bocadillon med ost och serranoskinka från det omslutande papperet och började äta. Plötsligt hörde han något som skramlade till utifrån kyrkorummet. Han stannade upp. Lyssnade. Hade han hört fel? Avvaktade en stund. Inget mer. Han tuggade snabbt i sig det sista av smörgåsen och sträckte sig efter en ny colaburk. Tyckte sig höra ett skrapande mot väggen. I nästa ögonblick gled den halvstängda dörren upp med ett knarrande, långsamt, centimeter för centimeter. Fredrik satt blick stilla på stolen. Så gick allt väldigt fort. Dörren slogs upp helt, en figur i svart, utan ansikte. Någon flög på honom, starka händer runt halsen. Han föll till golvet. Hörde sig själv skrika till. I ögonvrån uppfattade han ett skaft, en arm som höjdes. Så smärtan. En explosion i huvudet, sedan mörker. Och det blev alldeles tyst.

43

Efter besöket hos familjen Rivera promenerade Sara hem till Ricardo. Han hade föreslagit att de skulle ta nästa pianolektion hemma hos honom eftersom hans bil var på verkstaden. Sara hade tvekande accepterat, men tänkt att hon måste stålsätta sig och inte låta honom charma henne. Senast kändes det som om det hade varit nära att något hände. Hon var väl medveten om att det var en farlig väg att slå in på, men hon kunde inte stå emot. Han upptog hennes tankar alltmer och hon var både attraherad och nyfiken. Nu skulle det väl i alla fall klarna om han hade familj eller levde ihop med någon. Hittills hade hon inte vågat fråga, tyckte det kändes för privat. Hon hade ju faktiskt anlitat honom som pianolärare, inget annat, även om hon mest hade tänkt på annat än fingersättning sedan hon träffade honom. Det brann till i magen på henne när hon såg hans ansikte framför sig, förstod inte varför han påverkade henne så. Inte vid ett enda tillfälle under sitt över tjugo år långa äktenskap med Lasse hade hon varit otrogen och inte planerade hon att börja nu. Eller? Hon var inte säker på sig själv längre, det kändes som om hon var i stånd till nästan vad som helst bara för att åstadkomma en förändring. Lasse hade förklarat att han inte skulle komma hem förrän sent på kvällen och att hon fick fixa middag. Det hade hon ingenting emot. Det gav henne andrum och tid att vara ifred med sina tankar.

Hon kollade mobilen och upptäckte att hon hade ett missat

samtal från Ricardo. Han hade lämnat ett meddelande där han bad om ursäkt för att han behövde skjuta på mötet en timme.

Skulle hon stanna här i Arguineguín eller åka tillbaka till redaktionen? Fast det var knappast någon mening. Hon skrev tillbaka att det gick bra. Nu hade hon plötsligt en timme till sitt förfogande. Det var länge sedan hon haft gratistid att bara slå ihjäl.

Sara promenerade ett varv runt hamnen, flera av de så karaktäristiska blåmålade träbåtarna hade kommit in med fisk och det rådde full aktivitet. Här nere låg både en bra fiskrestaurang och en fiskaffär som var öppen på förmiddagarna. Detta var verkligen en del av charmen med Arguineguín, att det fortfarande fanns så mycket kvar av kanarisk fiskeby, det riktiga livet. Hon slog sig ner på en bänk och betraktade en stund hur männen på båten arbetade med att lasta ur fångsten. Plötsligt upptäckte hon två små huvuden i vattnet som rörde sig raskt framåt. Hon reste sig och tittade närmare – vad var det?

En fiskare lade märke till henne och ropade:

– Det är sköldpaddor. Ett par, de bor här.

Han log brett mot henne och vinkade glatt. Hon besvarade leendet och vinkade tillbaka. Det var alltså ett par vattensköldpaddor som bodde i det inre av hamnen. Hon reste sig och gick fram till kajkanten. Vattnet var klart och hon kunde se deras kroppar när de närmade sig. Fantastiskt, tänkte hon. Att de bor här mitt i all aktivitet. Hon såg upp på bostadsområdet ovanför. Det var verkligen genuint. Husen hade byggts för den fattiga fiskarbefolkningen som fått köpa dem till rabatterat pris av staten någon gång på femtiotalet. De låg tätt ihop i rader på udden med havet runt omkring. Gatorna var trånga och beboddes fortfarande övervägande av kanarier, trots att några enstaka hus köpts upp av turister som i de flesta fall totalrenoverat dem. Men fasaderna var tämligen lika, så de smälte in fint bland den övriga bebyggelsen. Här skulle hon faktiskt kunna tänka sig att bo. Ibland kunde Sara tycka att även om hennes familj bodde vackert i en stor villa så var de långt ifrån det lokala, vanliga livet. Det fanns knappt något sådant i San Agustín överhuvudtaget, det var helt uppbyggt för turister.

Sara tittade på klockan. Den var lite över ett. Hon bestämde sig för att gå till en av strandrestaurangerna och äta lunch. Restaurang Taste Méson var utmärkt, de hade en internationell meny av delikata smårätter, alltifrån kanarisk svartgris till varm chèvre och champinjonkroketter och det passade henne perfekt just nu. Hon slog sig ner vid ett av uteborden, beställde ett glas vin och tände en cigarett. Ett glas kunde hon ta fast hon skulle köra. Det skulle dröja flera timmar innan hon satte sig i bilen igen. Dessutom behövde hon stärka sig. Ännu en vågrörelse i magen. Innerst inne hoppades hon på att det skulle hända något mellan henne och Ricardo. Det kändes som om hon klivit på ett tåg som inte gick att stoppa.

Hon satt där och såg ut över havet en stund. Strandlinjen i Arguineguín påminde lite om franska rivieran, tyckte hon, med palmer på rad. På strandpromenaden strosade kanariska familjer blandat med turister. Här fanns daghem, skola, en levande fiskehamn, järnaffär och pensionärsverksamhet. Två kvinnor gick förbi med matkassar och småbarn i händerna, några äldre tanter satt på en bänk och såg ut över havet och ett gäng unga kanariska killar spelade fotboll på stranden.

Hon åt en lunch bestående av en ljummen rödbetssallad och marinerad lokal tonfisk. Maten var verkligen utsökt, men hon önskade att hon kunnat ta ännu ett glas vin. Nervositeten steg i takt med att minuterna gick.

Det var inte svårt att hitta fram till huset. När dörren öppnades hade hon ingen aning om vad hon skulle mötas av och ängslan gjorde henne vimmelkantig. Hon blev inte mindre nervös av hans uppenbarelse. Där stod han, blöt i håret och med bar överkropp. Bara en handduk virad om de smala höfterna. Hans hud glänste och hennes blick gled över den vältränade kroppen.

Han var så ung, så spänstig. Kring halsen bar han silverkedjan med korset och runt handleden ett armband med små svarta och röda avlånga pärlor.

De kindpussades. Hans hud var sträv och han doftade fräscht av rakvatten.

– Hej, vad jag är glad att se dig igen, sa han och log. Förlåt att jag inte är klädd än, jag kom just ur duschen. Jag blev lite sen. Hade en lektion på andra sidan ön som drog ut på tiden. Ge mig en minut så får jag på mig kläderna, du kan gå in och kika på pianot så länge. Pröva det lite.

Hans blick gjorde henne lugnare, han såg glad ut, men lite uppjagad. Kanske var han lika nervös som hon. Kanske hon påverkade honom. Konstigt att han varit på andra sidan ön, tänkte hon. Var inte hans bil på verkstaden? Det var åtminstone vad han hade sagt. Eller var det bara en förevändning för att de skulle ses ensamma hemma hos honom där hon säkert skulle känna sig friare? Ett fladder i magen när hon tänkte på att det skulle kunna vara så. Och varför hade han duschat mitt på dagen? Det stärkte hennes tes. Tänkte han försöka förföra henne? Hon svalde hårt.

Han visade henne in i det lilla huset. Fönsterluckorna var stängda, det starka dagsljuset skärmades av och gjorde att det blev dunkelt därinne. I vardagsrummet stod en soffa, på väggarna fanns bokhyllor och ett par gitarrer. Ett piano stod i ena hörnet.

– Varsågod, sa han. Jag kommer strax.

Det dröjde en stund innan han kom tillbaka. Hon hann sitta och klinka ganska länge, medan pulsen steg.

– Vill du ha nåt att dricka? frågade han.

– Ja tack, mineralvatten, svarade hon och hörde hur hon darrade till på rösten.

Sara kände sig obekväm och nervös. Samtidigt fanns det en lockelse i att hon befann sig hemma hos en man som i stort sett var en främling. Hon visste egentligen ingenting om Ricardo.

Hans mobiltelefon ringde och han blev upptagen i ett samtal. Sara reste sig och började studera hans bokhylla under tiden. Där fanns romaner av en rad spanska och latinamerikanska författare, några kände hon till, andra hade hon aldrig hört talas om. Även några historiska romaner och naturvetenskapliga tidskrifter. Böcker om konst, musik och fotografi. Flera stycken om guancherna, den kanariska ursprungsbefolkningen. Hon såg en halvöppen dörr och kikade in. En obäddad säng, hans sovrum. Så nära.

Hon avbröts av att Ricardo kom in i rummet.

– Förlåt, sa han. Jag var tvungen att ta det där samtalet.

– Det gör inget, försäkrade hon.

De slog sig ner vid pianot och han serverade henne vattnet som hon drack i djupa klunkar. När hon ställt tillbaka glaset på bordet såg han på henne och log.

– Då sätter vi igång. Minns du vad vi gjorde sist?

– Ja, ljög hon.

44

Turistgruppen hade väntat inne i den varma bussen i nästan tjugo minuter och stämningen blev alltmer irriterad. Busschauffören hade startat motorn för att få igång luftkonditioneringen, men den var för svag för att ge någon märkbar effekt. När han stängde dörrarna blev protesterna högljudda även om han förklarade att det krävdes för att det skulle kunna bli svalare. De flesta gick demonstrativt ur bussen, ville inte vänta i den kvava luften. Guiden Fredrik hade fortfarande inte dykt upp, trots att det var han som hade bestämt att de skulle ses klockan två, och nu började allas tålamod tryta. Prästen från San Agustín som satt längst fram strök pekfingret mellan sin svettiga hals och skjortkragen innan han tog upp en näsduk ur fickan och torkade svetten från pannan. Han reste sig och böjde sig fram mot chauffören.

– Jag går och letar efter honom, vi kan inte vänta längre.

Chauffören drog i en spak bredvid sätet och släppte ut prästen. Solen stekte mot bussen, värmen dallrade ovanför asfalten och fick det att se ut som om gatorna lutade. Det hade inte varit så här varmt på länge, och att en sådan hetta kom under de annars relativt svala vintermånaderna var ovanligt. Det var den förbaskade caliman förstås. Hoppas den var över snart. Prästen drog en suck och traskade bort mot kyrkan som kastade långa mörka skuggor över gatan. Genast upptäckte han att porten till den sidoingång gruppen hade använt stod en aning på glänt.

Försiktigt öppnade han den och gick in. Drog igen den tunga porten efter sig, kyrkan skulle vara stängd ända fram till klockan halv fem på eftermiddagen. Inne i den enorma byggnaden var det öde och tyst. Han började gå mot sakristian. Hade Fredrik somnat därinne? När de tog lunchpaus hade han erkänt att han var bakis efter en sen fest föregående kväll och skulle passa på att ta en tupplur. Även om prästen var liberal och själv drack alkohol ibland tyckte han att det var illa. Fredrik hade ansvar för en grupp på fyrtiofem personer som betalat dyra pengar för att åka med honom runt ön.

Hans skugga växte i mittgången. Det var helt tyst därinne, det enda som hördes var hans andetag genom näsan och fotstegen som ekade mot stengolvet. Prästen gick långsamt bortåt, under det höga välvda taket, kalkstensväggarna. Det var vackert, mer majestätiskt nu när han var ensam, men samtidigt var det något som skrämde honom. En känsla av att han inte var ensam. Och det var inte närvaron av en Gud. Det var då han lade märke till helt färska blodspår över golvet, som om det hade droppat från något eller någon. Händerna skakade och han märkte att han svettades. Instinktivt följde han bloddropparna och höll sig utefter ena sidan nära väggen för att inte trampa i blodet. De tycktes leda in till koret längst bak, bortom altaret.

När han kom närmare fick han syn på honom. Först fötterna, hopsurrade, och så benen, sedan hela kroppen. Där låg Fredrik. Bredvid den liggande träskulpturen av Jesus, med benen uppdragna och fötterna bundna precis som frälsaren. Prästen gav ifrån sig ett skrik och händerna flög upp över munnen. Blod hade stänkt omkring i koret, på golvet, på väggarna och på Jesusfiguren. Skjortbröstet var färgat av blod från den krossade skallen. Ansiktet var söndermosat och ögonen tittade åt olika håll, det ena såg ut att vara intryckt i huvudet.

– Gud, min skapare, Gud hjälpe mig! viskade prästen.

45

Sara satt i bilen och var på väg tillbaka hem till San Agustín när Kristian ringde. Ett nytt mord på en svensk, i en kyrka, hade inträffat. Det lät för otroligt för att vara sant. Kristian fattade sig kort, men undrade om de skulle åka dit tillsammans. Hon körde så fort hon vågade på motorvägen norrut och försökte upprepade gånger att ringa till Quintana under tiden. Prövade också med polisens presstalesman, men fick inget svar någonstans. Strax före Las Palmas svängde hon av ner till San Cristóbal och plockade upp Kristian. Samtidigt som hon envist fortsatte att ringa Quintana kunde hon inte låta bli att fascineras av hur vackert det var i denna förstad. De färgglada, men väderbitna kåkarna som trängdes utefter havet. Kristian bodde i ett knallblått hus med en typisk kanarisk träbalkong med utsikt över vattnet och Las Palmas skyline längre bort. Det gick inte att köra ända fram så hon stannade på parkeringen vid fiskrestaurangen intill som de kommit överens om. Det var bara skönt att få sitta där i några minuter och se på havet. Hon behövde samla ihop sig efter lektionen. Ricardo fick henne att känna så mycket, utan att något egentligen hade hänt. Kanske var det bara hennes egen fantasi och längtan det handlade om. Att hon tolkade in saker som i själva verket inte existerade. Men det kändes som om det faktiskt pågick något mellan dem. Hon avbröts i tankarna av att Kristian dök upp.

– Otroligt, sa han när han damp ner på sätet bredvid Sara. Ännu ett mord. Har du fått reda på vem det är?

– Inte identiteten, bara att det är en svensk man som har hittats död i kyrkan och att polisen misstänker mord.

– Jag vet inte heller mer än så. Quintana ville ha dit mig för att hjälpa till med förhör av vittnen på plats. Offret var visst guide för en turistgrupp.

– Jaså, sa Sara. Undrar om man vet vem det är. Har du pratat med Quintana? Jag har försökt ringa honom en massa gånger, men inte fått nåt svar.

– Inte så konstigt, han har väl annat att göra. Kristian vecklade upp ett smörgåspaket han hade i handen. Vill du ha?

– Nej, tack.

Han bet i bocadillon och såg på henne.

– Väldigt vad du ser fräsch och pigg ut, har det hänt nåt?

– Nej, vadå? sa hon osäkert.

Kristian drog på mun.

– Nånting är det, det ser jag. Du är alldeles rosig i ansiktet och ögonen glittrar. Du ser ju nyförälskad ut.

– Va? Sluta nu.

– Vem är det?

– Lägg av. Jag har börjat spela piano och tycker det är kul. Jag tar privatlektioner och läraren är jättebra.

– Mig lurar du inte. Vem är han – för jag utgår ifrån att det är en man? Snygg?

– Larva dig inte. Han heter Ricardo dos Santos och är från Arguineguín.

Sara kände hur hon rodnade i hela ansiktet. Som tur var avbröts de av att Kristians telefon ringde. När Sara förstod att det var Quintana gestikulerade hon vilt att Kristian skulle lämna över telefonen till henne när han var klar. Han lyssnade och hummade medan hon hörde hur kommissarien pratade på i andra änden, utan att hon kunde urskilja vad han sa. Till slut tog Kristian till orda.

– Vi är på väg nu, jag åker med Sara Moberg. Hon vill förresten prata med dig. Han gjorde en paus och tittade på Sara. Nehej, okej. Jaha. Vi ses där då.

Kristian avslutade samtalet.

– Hade han inte tid? suckade Sara besviket. Vad sa han?

– Vet du vem det är som de har hittat död i kyrkan? Kristian gav henne en allvarlig blick. Fredrik Gren.

– Barägaren? Det menar du inte, utbrast Sara. Är det sant?

– Ja, vad i helsike det nu kan betyda.

– Märkligt sammanträffande. Sara kastade en snabb blick på Kristian. Och Lindas man Bengt är utsläppt. Kan det handla om ett svartsjukedrama?

– Helt omöjligt är det inte, men varför skulle han slå till på ett så krångligt ställe som i en kyrka under en guidad tur? Om han ville ta livet av Fredrik kunde han ju valt ett enklare tillfälle, när de var på tu man hand nånstans.

– Jovisst, det kan man ju tycka, mumlade Sara. Kan det ha hänt oplanerat då, i affekt?

– Ja, de verkade ju stå varandra rätt nära när jag såg dem på baren. Det handlade inte bara om allmänt kallprat, det syntes tydligt.

En halvtimme senare nådde de Arucas. Den imponerande kyrkan syntes på långt håll och de parkerade nedanför. Guardia Civil hade spärrat av hela området runt byggnaden och det kryllade av uniformerade poliser. Flera hundpatruller var på plats och en polishelikopter surrade i luften. Omedelbart upptäckte Sara kommissarie Quintana innanför avspärrningsbanden. Han kom ut ur kyrkan tillsammans med en yngre kvinna som hon kände igen som rättsläkare. Alldeles bakom följde åklagaren och en man som hon gissade var kriminaltekniker. Det var en skillnad mellan Sverige och Kanarieöarna, tänkte hon. Här åkte alltid en hel delegation ut till brottsplatsen, något som säkert underlättade både när det gällde själva förundersökningen och vid eventuella kommande rättegångar.

Kristian banade väg och de trängde sig fram bland alla nyfikna som strömmat till. Människor som satt vid utomhusborden vid baren mitt emot entrén stirrade mot kyrkan. Den fetlagde barägaren stod utanför på gatan och ömsom skakade på huvudet, ömsom ryckte på axlarna åt folk som frågade honom vad som föranledde denna stora polisinsats. Än så länge såg Sara inte till några journalister. Hon knäppte av en radda bilder på folkhopen, helikoptern i luften, avspärrningarna och poliserna. Tänk om hon var först på plats, det var i så fall inte dåligt. Nu gällde det bara att försöka komma in i kyrkan. I nästa sekund skämdes hon. Här hade en människa just tagits av daga och hon tänkte som en hyena. Men ibland tog journalisten i henne över, så var det bara. Adrenalinet rann till och hon tänkte först och främst på att leverera nyheter. Och hon var den enda reportern på plats. Hon passade på att ta några bilder av Quintana och rättsläkaren som stod och pratade medan en ambulans blinkade i bakgrunden. Sara antog att kroppen fanns kvar i kyrkan eftersom rättsläkaren fortfarande var där. Hon och Kristian hade nått fram till avspärrningsbanden framför entrén och i samma stund fick hon ögonkontakt med Quintana. Han såg dem bägge två och avslutade samtalet med rättsläkaren som försvann in i en bil.

– Hej, hälsade kommissarien. Den vanligtvis så sansade Quintana såg uppjagad ut. Bra att du kom, sa han och vände sig till Kristian efter att han hälsat på Sara. Det är några förhör som ska hållas omgående här ute på plats, vissa iakttagelser har gjorts som verkar intressanta och som vi gärna vill ta del av med en gång.

– Kan du berätta vad som har hänt? bad Sara.

Quintana tog ett steg närmare och sänkte rösten.

– En man har hittats död inne i kyrkan nu för bara ett par timmar sen. Han har slagits ihjäl med ett trubbigt föremål.

– Precis som Linda? utbrast Sara.

– Det finns likheter.

– Och han som har mördats är identifierad? fortsatte Sara trots att hon mycket väl visste svaret.

Quintana tvekade en skund och växlade blickar med Kristian innan han svarade.

– Ja, han har identifierats.

– Kom igen, sa Sara. Vem är det? Nån som har anknytning till Linda?

– Så är det. Quintana suckade. Det kommer ändå komma ut direkt eftersom det var en hel turistgrupp som var med och de lär knappast hålla tyst. Det är Fredrik Gren, ägaren av Svenska baren, som också jobbar som guide.

– Och ni har inte gripit nån?

– Inte än, sa Quintana. Han lyfte på avspärrningsbandet för att släppa in Kristian. Nu måste vi gå, jag är ledsen.

– Men kan du säga nåt om vilka spår som finns? Var kyrkan öppen när det hände? Och mordvapnet? Tror ni att det är samma som användes mot Linda Andersson?

– Nu får du lugna dig, manade Quintana med viss irritation i rösten. Jag kan inte säga ett skvatt mer. Men jag kan tänka mig att vi säkert kommer att gå ut med nån typ av information senare i dag, ett pressmeddelande eller så. Och visar det sig att de här två morden faktiskt hör ihop så lär det bli presskonferens.

Han nickade lätt och försvann med Kristian in i vimlet. Sara stod och såg efter dem.

Herregud, tänkte hon, först Linda Andersson och nu Fredrik Gren. Båda mördade med bara några dagars mellanrum. Båda svenskar. Och Bengt Andersson var släppt ur häktet. Kanske var det han ändå. Om det nu inte handlade om något helt annat.

46

Kristian följde efter Quintana som stegade före honom in genom den tunga kyrkporten. Han kunde inte hjälpa att han drog efter andan när de klev in i den mäktiga kyrkan med sina höga valv, breda pelare och imponerande takhöjd. Ljuset flödade in över det blanka stengolvet. Rödbrokiga mattor och blomsterarrangemang i magnifika silverglänsande urnor stod utplacerade kring altaret i mitten. Flera kriminaltekniker gick omkring med plasthandskar och skoskydd och samlade spår.

– Ta på dig de här, sa Quintana och räckte fram ett par blå skoskydd till Kristian. Han satte själv på sig ett par medan han fortsatte: Kroppen kommer säkert att flyttas härifrån när som helst, men jag vill gärna att du tar dig en titt på skådeplatsen först. Ja, ursäkta uttrycket, men det påminner faktiskt om en teaterscen. Man tror inte riktigt att det är verklighet. Ett synnerligen brutalt mord och till råga på allt på den heligaste platsen av dem alla.

De gick bort till koret som låg längst inne i kyrkan, bakom altaret. Framför staketet som löpte runt om fanns ett podium av trä med röda ljuslyktor som besökare kunde tända om de lämnade en slant. Flera av ljusen brann som en påminnelse om att turistgruppen just varit där på besök. Ljusen måste ha tänts när Fredrik Gren fortfarande levde och de brinner ännu när han är död, tänkte Kristian och huttrade till. Först fick han syn på Jesusgestalten i trä som låg på en kista inne i koret. Raklång med benen uppdragna och fötterna hopsurrade, armarna vilande rakt utefter sidorna. Den slanka kroppen bar endast ett höftskynke och håret var lockigt och flöt ut som en krans kring det bakåtfällda huvudet. Kristian flämtade till när han upptäckte Fredrik Grens kropp bredvid, nedanför på golvet bakom. Han låg i exakt samma ställning som skulpturen. Ansiktet var vänt uppåt mot solljuset som sken in genom de höga fönstren. Men det var fullkomligt massakrerat och han gick knappt att känna igen. Armar, axlar och bröstkorg var blodiga och det hade också runnit blod runt omkring honom. Det fanns tydliga släpmärken på golvet. Kroppen har flyttats hit, tänkte Kristian.

– Fy fan, utbrast han och tittade bestört på kommissarien. Ansiktet är ju helt mosat. Hur gick det här till?

– Mördaren passade på under lunchpausen, sa Quintana bistert. Fredrik Gren skildes från turistgruppen efter visningen av kyrkan strax efter tolv och de skulle mötas igen klockan två.

– Och tillvägagångssättet? sa Kristian och tittade på den sönderslagna skallen. Är det samma mördare som Linda råkade ut för? Även om han har tagit i mycket mer här.

– Det verkar så. Det är ju samma rättsläkare och hon tycker att skadorna ser likartade ut, förutom att det är värre den här gången. Inget mordvapen har hittats än, men det kan ju dyka upp. Trubbigt våld är det fråga om i alla fall.

– Vem var det som hittade honom?

– Prästen i Svenska kyrkan i San Agustín, han var med på turen. Han sitter i förhör just nu. Fredrik hade inte dykt upp som avtalat, så prästen gick tillbaka till kyrkan för att se efter om han var kvar där. Och det var han ju, uppenbarligen, sa kommissarien och undslapp sig en lätt suck.

– Men han har flyttats, eller hur?

– Ja, det ser ut som om han har slagits ihjäl i sakristian, det är en massa blod därinne, sa Quintana och nickade snett bakom sig. Teknikerna håller på med blodstänksanalys nu.

– Och vad vill mördaren säga med att placera offret här? sa Kristian och slog ut med armarna.

– Det kan man undra, sa Quintana. Bara Gud vet.

Kommissarien gjorde korstecknet och de motades bort av teknikerna som ville sköta sitt arbete ifred. Två ambulansförare dök också upp med en bår för att flytta undan kroppen. Kristian och Quintana lämnade kyrkan och klev ut på gatan.

Polisen hade samlat alla turisterna inne på den lilla baren som var belägen mittemot kyrkan. De satt runt de små borden och pratade, vissa hade inte fått sittplats och stod vid bardisken. Alla samtal i lokalen kretsade kring det som precis skett. Några såg bleka och apatiska ut och stirrade bara rätt fram, flera grät. Sjukvårdspersonal fanns på plats för att hjälpa dem som kanske behövde prata eller få något lugnande medan de väntade på att förhöras av polisen. Quintana hade bestämt att alla förhör skulle göras på plats, det var viktigt att få in eventuella tips snabbast möjligt. I väntan på information från polisen delade folk sina spekulationer mellan varandra. En naturlig reaktion, tänkte Kristian när han gick bort mot det lilla kontoret längst bak, som för tillfället fungerade som förhörsrum.

Baren kokade av värme, rösterna därinne surrade som en bisvärm. Lukten av svett och kaffe låg som en hinna över lokalen. Kristian öppnade dörren till kontoret. Någon hade tagit fram en fläkt och kopplat in den i väggen, vilket fick den varma luften att röra på sig så pass mycket att det åtminstone var uthärdligt att vistas i rummet. Längs väggen stod hyllor med pärmar, gamla bilder inramade i gamla ramar. Väggarna var mörkbruna, golvet smutsigt. Det var något nostalgiskt över rummet, orört, som om ingen hade orkat uppdatera det med tiden utan bara låtit det vara som det alltid varit. Det vilade i sin egen historia. Kristian satte sig ner bakom skrivbordet och kollade igenom listan med namn på de deltagare i utflykten som hade förhörts. De flesta var avbockade men det var fortfarande några kvar. Det skulle dröja en stund till, bussen skulle inte komma iväg förrän om tidigast en timme. Quintana stack in huvudet.

– Här är ett vittne. Hon verkar vara en av de få som har nåt vettigt att säga, men du måste hjälpa till med förhöret för hennes spanska är alldeles för dålig. Och jag har inte tid att sitta med, du får sköta det själv. Ta den här.

Han räckte fram en bandspelare och vände sig sedan om och släppte in en liten gråhårig kvinna i sjuttioårsåldern. Kristian sträckte fram handen och presenterade sig. Quintana sköt fram en stol till kvinnan och försvann ut. Kristian satte på bandspelaren och läste in de vanliga standardfraserna. Kvinnan såg förskräckt ut.

– Ska du spela in?

– Det är inget att vara rädd för, det är ren rutin, sa Kristian och bjöd damen att sitta ner.

– Åh, vad skönt med nån man kan prata med, sa hon lättat och log mot honom. Även om det är på norska.

– Ja, jag hoppas att det ska gå bra. Hur väl kände du Fredrik Gren?

– Inte alls egentligen. Det var en väninna som sa att han var så bra som guide och hon fick med mig på rundturen. Jag har aldrig träffat honom förut. Inte för att jag tyckte att han var så märkvärdig direkt, tillade hon och snörpte på munnen. I nästa ögonblick var det som om hon kom på vad hon precis hade sagt. Förlåt mig, man ska ju inte tala illa om de döda …

Kristian höll upp handen i en avvärjande gest.

– Ingen fara. Lade du märke till nåt särskilt under turen? Nån person som betedde sig underligt eller nåt annat avvikande?

– Inte innan vi kom till Arucas, men när vi lämnade kyrkan för att gå och äta lunch såg jag en bil som kom och parkerade en bit bortåt vägen. Den ställde sig så dumt, nästan på trottoaren.

Hur kan man förvänta sig att folk ska kliva ut mitt i gatan för att kunna komma förbi? Trottoarerna är smala nog som de är i det här landet.

– Och bilen?

Kristian tittade otåligt på henne.

– Det är tur att det inte är så mycket trafik här som nere i stan. Med stan menar jag San Agustín, även om det knappt kan kallas en stad. Där parkerar alla hur som helst också. Lite fler trafikpoliser hade varit en bra idé om du frågar mig. Hade det varit i Sverige så hade det aldrig kunnat hända.

– Varför lade du märke till just den bilen?

– Just för att den parkerade så konstigt. Och sen var det ingen som klev ur utan människan måste ha stannat kvar inne i den. Jag menar, det är en sak att nån ställer sig i vägen för att göra ett snabbt ärende, men att bara sitta där och stoppa trafiken. Hade det varit i Sverige ...

– Visst, jag vet, sa Kristian otåligt. Kan du beskriva bilen och den som körde? Eller om det var fler personer i den?

– Jag såg inte vem som satt i den, men det är olikt en kvinna att vara så omdömeslös, i alla fall där jag kommer ifrån. Det var säkert en karl, det är bara de som beter sig så vårdslöst i trafiken.

– Och bilen? Minns du hur den såg ut?

– En blå Toyota, vi hade en likadan bil när min man levde, det är ett tag sen nu.

– Lade du märke till registreringsnumret?

– Ja, det var GC 4510. Jag har ett bra minne för sånt, löser ofta korsord. Och så var det dessutom både mitt födelseår och min födelsemånad. Jag är född den fjortonde oktober 1945.

– Tack, sa Kristian. Inget mer du vill tillägga?

– Nej, det tror jag inte.

– Om du kommer på nåt mer så kan du ringa, sa han och gav henne ett visitkort. Tack för din tid. Jag hoppas att det inte tar så lång tid innan ni kan åka vidare.

De tog farväl och kvinnan försvann ut. Kristian lutade sig bakåt i stolen. Det här kunde verkligen vara något. Det kunde ha varit mördaren som suttit i bilen.

47

Sara var tillbaka på redaktionen och knackade ner nyhetsartiklar om mordet till Aftonbladet och ett par norska tidningar hon arbetade för. Hon var ensam och hade satt på en cd med Ted Gärdestad på full volym, samtidigt som hon knaprade på knäckemackor och försökte koncentrera sig på jobbet. Eftersom det fanns så många norska turister på ön och Fredrik Gren dessutom varit gift med en norska var intresset stort även i Sveriges grannland. Samtidigt snurrade det av frågor i huvudet. Att två svenskar mördats på liknande sätt på så kort tid kunde inte vara en tillfällighet. Och vad betydde sprängattentatet vid det svenska hotellet? Var man konspiratoriskt lagd kunde man ana att händelserna hade med varandra att göra. Hon tänkte på slagordet som någon sprayat på muren. *Viva Canarias libre.* Hon slog in det på datorn och började läsa. Så hette från början den kanariska självständighetsrörelsen som leddes av advokaten Antonio Cubillo från Teneriffa. Det var länge sedan, rörelsen bytte namn redan 1961, men slagordet levde kvar. Kampen för ett Kanarieöarna fritt från Spanien var som hårdast på sjuttiotalet. Från november 1976 och arton månader framåt skulle ett tjugotal bomber smälla på Kanarieöarna och i Madrid. Den första sprängdes på ett varuhus som ägdes av diktatorn Francos familj i centrala Las Palmas. Totalt placerades ett sextiotal sprängladdningar ut under denna tid, men bara tjugoåtta detonerade eftersom det oftast rörde sig om hemmabyggen av dålig kvalitet.

Sara läste vidare med stigande intresse. Under sjuttiotalet ägnade sig den kanariska självständighetsrörelsen också åt attentat riktade mot turistindustrin. Rörelsen låg bakom en våldsam brand på ett hotell på södra Gran Canaria. Strax därefter exploderade ytterligare sju sprängladdningar, utplacerade på olika resebyråer i Las Palmas. Bombattentat utfördes också mot turistinformationen i Puerto de la Cruz på Teneriffa och på två av de största hotellen i samma stad. Men det allvarligaste som ledaren Cubillo ställdes till svars för var händelserna den 27 mars 1977 då en sprängladdning detonerade i en blomsterbutik inne på Las Palmas flygplats och indirekt orsakade den värsta katastrofen i flygets historia.

Cubillo ville att Kanarieöarna skulle bli en självständig federal stat och medlem av FN och när han beslutat sig för att resa till FN:s högkvarter i New York för att uppmärksamma Kanarieöarnas sak gjordes ett mordförsök på honom, arrangerat av den spanska staten ledd av general Franco. Cubillo överlevde, men blev invalidiserad. Han levde i exil i Alger och dog i sitt hem 2012.

Sara lutade sig tillbaka i stolen och knäppte händerna ovanför huvudet. Sedan ledarens död hade den kanariska självständighetskampen varit förhållandevis fredlig. Hon visste att det fanns en organisation som hette Lucha Canaria och som höll till i den gamla stadsdelen La Vegueta i Las Palmas. Lucha Canaria var ett passande namn, det kallades också en kanarisk kampsport som mest påminde om brottning och ursprungligen utövades av guancherna för att lösa tvister av olika slag. Sara insåg att hon visste väldigt lite om hur frihetsrörelsen såg ut i dag, antagligen för att den förde en förhållandevis tynande tillvaro. Eller hade så gjort i alla fall. Kanske var det värt ett besök till La Vegueta.

48

Mordet på mannen i kyrkan väckte en enorm uppståndelse, inte bara i den lilla bergsstaden Arucas utan över hela Gran Canaria. Morgonen efter var tidningarnas förstasidor täckta av nyheten, liksom sändningarna i den lokala teven och radio. Löpsedlarna skrek ut: *Mordet i kyrkan, Vansinnesdåd i Guds hus, Misstänkt dubbelmord, Seriemördare härjar på ön.* Det anmärkningsvärda fallet togs även upp i riksnyheterna och utomlands, framför allt i Sverige eftersom det var ytterligare en svensk som hade mördats på kort tid.

Naturligtvis gick spekulationernas vågor höga om huruvida morden hade med varandra att göra och vad motivet i så fall kunde vara. Det uppmärksammades förstås att Linda Anderssons make hade släppts ur häktet och polisen fick utstå hård kritik. Att en gärningsperson gick fri som av allt att döma hade mördat två personer, och dessutom två inflyttade svenskar, ansågs katastrofalt för ön som var så beroende av turism och kanske särskilt den från Skandinavien.

Pressen var hård på kommissarie Diego Quintana när han skyndade genom polishusets korridorer till salen där presskonferensen skulle hållas. Han hade sovit dåligt och kände sig uselt förberedd, men högsta chefen för Guardia Civil hade propsat på att en presskonferens skulle hållas direkt på fredagsmorgonen. Det var nödvändigt, menade han, för att försöka sprida lugn och övertyga alla om att polisen arbetade kraftfullt och metodiskt och hade flera intressanta spår som gjorde att man hyste gott hopp om att inom kort kunna gripa gärningspersonen. Vilket var en lögn, tänkte Quintana bistert och klev in i salen. Han studsade till över sorlet därinne och hur fullt av journalister där var. En radda mikrofoner stod uppställda på podiet där han skulle sitta tillsammans med åklagaren, presstalesmannen och polischefen. De var redan på plats och längst bak i salen stod flera tevekameror uppställda. Han rättade till kavajen, nickade kort åt de andra och slog sig ner. Klockan var exakt nio när högste chefen tog till orda, hälsade alla välkomna och presenterade de övriga. Sedan lämnade han över till Quintana.

– God morgon, sa Quintana. Tack för att ni har kommit hit. Jag ska ge er en kort introduktion och sedan är det fritt fram att ställa frågor. En svensk man, född 1972, har alltså påträffats död i kyrkan San Juan Bautista i Arucas klockan 14.25 i går eftermiddag. Mannen hittades vid Golgatakoret, han har dödats med kraftigt trubbigt våld mot huvudet. Inget mordvapen har återfunnits. Mannen var guide och ledde en grupp turister som var ute på sightseeingtur. Medan de tog lunchpaus blev guiden kvar ensam i kyrkan och under den tiden slog förövaren till. Kroppen har förts till Rättsmedicinska avdelningen i Las Palmas och kommer att undersökas under dagen. Polisen har spärrat av området kring kyrkan och den tekniska undersökningen pågår fortfarande och kommer säkert att fortsätta under de närmaste dagarna. Kyrkan hålls stängd tills vidare. Ett stort antal förhör har gjorts och det arbetet fortsätter naturligtvis.

Quintana tystnade, torkade svetten ur pannan med en servett och tog en klunk av vattnet han hade framför sig. Det var olidligt varmt i den fullpackade salen.

– Kan nån öppna ett fönster? bad han. Eller flera, för guds skull.

En kollega skyndade sig för att göra som han sa. Genast blev luften lite bättre.

– Varsågoda, då är det fritt fram för frågor, sa Quintana.

En skog av händer i luften och en skur av frågor som kastades ut från olika håll. Quintana lyfte upp ena handen i en avvärjande gest.

– Lugn, lugn. En i taget.

Han pekade på en reporter längst fram som han kände igen från dagstidningen La Provincia.

– Finns det nåt samband mellan det här mordet och det på Linda Andersson i lördags?

– Inget som vi kan säga bestämt. Förutom att de kände varandra, båda är svenskar och i samma ålder och tillvägagångssättet är likartat. Mer kommer att klarna när obduktionen är gjord.

– Hon var vän med Fredrik Gren och befann sig på hans bar samma kväll som hon mördades. Tyder inte det på ett samband? fortsatte reportern.

– Jo, det kan man tycka. Men vi låser inte fast oss så här i början av utredningen, utan arbetar på bred front.

– Hennes man har ju just släppts ur häktet, envisades reportern. Har ni tagit in honom igen?

– Det kan jag inte svara på. Men han är inte avförd från utredningen, så mycket kan jag säga.

– Finns det några vittnesuppgifter? frågade en tevejournalist från den regionala kanalen Televisión Canaria.

– Flera personer har gjort intressanta iakttagelser och de följer vi naturligtvis upp mycket noggrant. Jag vill också passa på att säga att polisen tacksamt tar emot tips från allmänheten. Alla som tror att de har uppgifter som kan vara intressanta vill jag uppmana att höra av sig så snabbt som möjligt.

– Nu har ändå två svenskar mördats brutalt med kraftigt våld mot huvudet inom loppet av några dar, konstaterade en legendarisk radioreporter som arbetat på nyheterna så länge Quintana kunde minnas. Det här sätter naturligtvis skräck i framför allt turisterna. Man skulle ju kunna tolka det som att det är nån som vill skada turismen i största allmänhet. Hur resonerar polisen kring det?

Quintana svalde. Frågan var relevant, men brännhet. Han ville för allt i världen inte elda på någon massflykt bland turisterna. Det var just den här typen av spekulationer hans chef ville att han skulle tysta ner.

– Det känns ändå ganska långsökt i nuläget. Att det skulle handla om turismen, menar jag. Båda offren kände varandra och umgicks, jag tror nog att det är det man måste utgå ifrån i utredningen, även om vi självfallet inte utesluter nåt.

– Så turister har ingen anledning att känna sig oroade? fortsatte den garvade reportern. Han sköt upp sina glasögon i pannan och spände ögonen i kommissarien vid podiet. Trots att vi har ett scenario där först en svenska slås ihjäl i det äldsta turistkomplexet vi har, Rocas Rojas i San Agustín, och sedan mördas en svensk turistguide under en sightseeingtur. Det senaste offret äger dessutom en bar för svenskar i Puerto Rico, med namnet Svenska baren. Han snörpte på munnen när han uttalade namnet och rösten dröp av sarkasm. Samtidigt inträffade ett sprängattentat mot en buss i Arguineguín utanför ett svenskt hotell bara häromdan. Är det verkligen långsökt att tycka att det känns som om det finns ett samband mellan de här tre händelserna?

En kort stund blev det knäpptyst i lokalen. Quintana kastade en blick på sina kolleger som satt uppradade vid sidan av honom. Själv hade han inget bra svar att ge.

49

Kristian vaknade av att han hörde dammsugaren köra igång. Vad i helsike? tänkte han yrvaket. Han kollade klockan på nattduksbordet. Fan också, han hade försovit sig.

Snabbt kom han ur sängen och skyndade mot badrummet innan städhjälpen Aurora Moreno fick syn på honom. Han hade bara kalsonger på sig. Lyckligtvis hann han in och stänga dörren innan hon visade sig. Han tog en snabb dusch och återvände ut i lägenheten med badrocken om kroppen.

– *Buenos días*, hälsade hon godmodigt och log mot honom från den pall som hon stod på för att nå upp till en lampa som hon höll på att damma.

– Men inte ska fru Moreno upp där och klättra, utbrast Kristian och skyndade fram för att hjälpa henne ner. Lampor och sånt som är placerat högt uppe tar jag. *Buenos días*, förresten.

– Jag är försäkrad om det händer nåt, invände fru Moreno.

– Men även om ni är försäkrad så är det väl inte roligt att falla ner och skada sig?

Trots att det kändes förlegat kallade Kristian fortfarande fru Moreno för hennes efternamn och inte Aurora. Hon ville ha det så och det var bara att anpassa sig. En sak hade han lärt sig, man sa inte emot fru Moreno. Så var det bara. Egentligen kunde man tycka att det var onödigt för honom som en ensamstående, fullt frisk och vuxen man att ha städhjälp i en lägenhet som inte heller var särskilt stor. Det var Sara som hade ordnat en provstädning åt honom när han var nyinflyttad eftersom hon tyckte att han levde i en svinstia. Och sedan var det kört. Numera kändes det som om han inte skulle klara sig utan fru Moreno.

– Bara en sak, sa fru Moreno allvarligt när hon kommit ner på golvet igen. Hur ska du göra med vespan?

– Vespan? upprepade Kristian fånigt.

Den gamla vespan som stod i hallen på bottenvåningen var hans terapiprojekt som han älskade att pyssla med när han behövde distrahera sig från omvärlden. Den hade stått i lägenheten när han flyttade in och var det enda han behållit, en gammal PX 77.

– Den smutsar ner och står i vägen. Dessutom luktar den illa. Det stinker ju olja i hela lägenheten. Det spelar ingen roll hur mycket jag fejar och skurar och gnor, den där lukten tränger igenom allt. Och det är inte bra för Valeria heller, du är ju far och allt och har barn att ta ansvar för.

– Jo, men ...

– Inga men. Nu har jag stått ut med det där åbäket i ett år och du har lovat, jag vet inte hur många gånger, att du snart har mekat klart och ska ta ut den på gatan. Men så ut med den då.

Kristian tog förfärat ett steg baklänges, fru Moreno tycktes ha eldat upp sig ordentligt. Den lilla rultiga damen stod framför honom och viftade och grälade som om hon vore hans mamma. Plötsligt fick han lust att dra på munnen, men behärskade sig.

– Lugn, lugn, jag ska. Jag lovar. Senast nästa vecka är den ute.

Fru Morenos ansikte ljusnade och rösten fick en annan ton.

– Så det betyder att jag aldrig mer behöver se den härinne? Och att när jag lämnar detta hus nästa gång så kommer det att dofta skurmedel och inget annat?

– Jag lovar, sa Kristian och insåg i samma stund att löftet skulle bli svårt att hålla. Han var överhopad med arbete.

Tanken fick honom att stelna till. Arbete, han var ju sen till jobbet.

– Fan också, utbrast han och letade rätt på sin telefon. Snabbt slog han numret till Grete och förklarade att han skulle missa morgonmötet. Hon var som vanligt förstående.

– Har du sett på nyheterna? frågade hon.

– Nej, inte sen i går. Har det hänt nåt nytt?

– Polisen söker fortfarande en gärningsperson och jag fick just höra att de har plockat in Fredriks fru till förhör. Hon är ju norska.

– Jaså?

– Jag vill att du pratar med henne, hon kan behöva konsulatets hjälp. Kanske måste hon skaffa advokat.

– Javisst, självklart. Jag tar tag i det med en gång.

Kristian knäppte av samtalet och stirrade framför sig medan han tänkte intensivt. Svartsjuka som möjligt motiv hade man ju redan pratat om, men då hade fokus hela tiden legat på Benke, Lindas man. Att han skulle ha velat hämnas. Men det kunde förstås lika gärna gå åt andra hållet. Det kunde vara Fredriks fru, den tystlåtna och försynta Hanne.

50

1958

Sista kvällen i solparadiset Gran Canaria var det dags för något alldeles speciellt. Under hela semestervistelsen hade flera av resenärerna klagat över att hotellmaten var av för dålig kvalitet. Mona och Gösta var inte heller direkt överförtjusta, och trots att de hade halvpension, där middag i hotellets matsal ingick, så valde de många gånger att äta ute på stan istället. Las Palmas var en ganska stor stad, med en vacker strand där ett flertal restauranger låg på rad. Reseledaren Siv hade i alla fall tagit klagomålen på allvar och för att kompensera gästerna hade resebolaget bjudit in alla resenärer till en middag i en liten pittoresk bergsby som hette Santa Brígida, två mil från Las Palmas. Det skulle ta ett tag att åka dit, men det var det värt, menade Siv och hon var så övertygande att alla i gruppen följde med. Finklädda satt de nu i en skumpande buss som skulle ta dem upp i bergen till bodegan där middagen skulle hållas. Det skulle visst bjudas på grillspett och det lät ju gott, det tyckte både Mona och Gösta.

När bussen stannade utanför bodegan klev en rakryggad man i kostym ut genom entrén och hälsade dem välkomna med stor entusiasm och ett brett leende. Han kysste alla damer på hand och gav dem varsin ros vilket gav upphov till allmän förtjusning. Han visade in dem i en trädgård bakom bodegan med en stenterrass, vackra blommor och exotiska träd runt omkring där alla kunde röra sig runt. Genom de stora fönstren från restaurangen kunde de se långborden, vackert ordningsställda med linnedukar, blommor, stearinljus och vinkaraffer i glas med långa pipar utplacerade här och var. Strax därefter kom en rad unga servitriser med brickor med glas fyllda med sangria.

Kvällen börjar bra, tänkte Mona och skålade med Gösta. Resan hade varit över all förväntan. De hade njutit av det underbara vädret och solat på den långa och vackra sandstranden Las Canteras i Las Palmas, badat i de skummande, salta vågorna, strosat längs strandpromenaden på kvällen, ätit middag ute och sedan njutit av kvällarna på några av de små barerna som låg längs vattnet. De hade följt med på flera utflykter runt den dramatiska och bergiga ön och den mest spännande turen hade gått till den södra sidan som huvudsakligen bestod av ökensand och vildmark. Men med tanke på de planer som de svenska exploatörerna hade haft var det spännande att föreställa sig hur det skulle se ut längs den fantastiska, breda och flera kilometer långa sandstranden om tio år.

Plötsligt klappade Siv i händerna för att påkalla uppmärksamheten. Hon ställde sig på ett litet podium och höll en mikrofon i handen.

– Jag vill hälsa er alla hjärtligt välkomna till denna grisfest som señor Antonio del Monte har bjudit in oss till. Det är han som äger bodegan och det är han som har sett till att vi får helstekt gris till middag i kväll – ni känner väl vad gott det doftar? Hon sträckte på nacken och sniffade i luften för att illustrera vad hon menade. Inte illa, va? Till grisen serveras sallad och pommes frites – *patatas fritas*, som man säger här i Spanien, men det kanske ni hade lärt er redan, ni som har varit här i fjorton dar nu?

Hon fnissade till. Alla småskrattade samstämmigt, de flesta hade blivit lite rosiga och upprymda av sangrian.

– Jag tror att Antonio gärna vill säga nåt också.

Ivrigt viftade hon fram kvällens värd och lämnade över mikrofonen till honom.

– Välkomna allesammans, började han på knackig svenska vilket förorsakade ett jubel bland gästerna. Det är en stor ära för mig att ha er som gäster här i kväll och jag hoppas att ni ska bli nöjda. Vi ska strax sätta oss till bords, men jag vill också berätta att vi kommer att bjuda på en överraskning under kvällen. Ett sus gick genom de församlade som tittade förväntansfullt på varandra och passade på att skåla en gång till. Mer avslöjar jag inte, utan nu vill jag bara välkomna er till bords och *buen provecho* som vi säger här i Spanien.

Han avslutade med att göra en inbjudande gest mot restaurangen och fick en varm applåd.

Grisen smakade utmärkt, det var visserligen inga grillspett, men det gjorde ingenting. Vinet flödade och med jämna mellanrum kom servitörerna och hällde vin rakt ner i struparna på gästerna från glaskarafferna med de långa piparna. Mona hade undrat när hon såg dem, men nu förstod hon vad de skulle användas till.

Antonios röst hördes återigen i mikrofonen. Så var det dags för kvällens stora överraskning, ropade han förnöjt. *Los tres hermanos y Juanita!!!*

Tre män med röda västar, halmhattar och gitarrer kom in och började spela och sjunga en pigg kanarisk melodi, som Mona gissade var en folkvisa av något slag.

Gitarrerna smattrade och då och då slog männen taktfast med händerna mot gitarrkroppen. De sjöng med höga, klara röster på spanska så hon förstod naturligtvis inte ett ord. Så släcktes plötsligt ljuset i lokalen och bara en strålkastare lyste på en fläck på golvet framför de tre gitarristerna. Mona och Gösta såg på varandra. Strax kom en slank kvinna med rödglänsande klänning in. Det långa svallande svarta håret med korkskruvslockar låg som en matta på den bara ryggen. Klänningen var lite väl urringad, tyckte Mona, på gränsen till ekivok faktiskt, med åtsmitande kjol och volanger nertill. Hon dansade i en liten cirkel på golvet med armarna lyfta över huvudet och klapprande kastanjetter i händerna. Hon stampade ordentligt med fötterna i golvet. Gästerna stirrade andäktigt på den vackra kvinnan och den speciella dansen. De hade aldrig sett något liknande. All personal hade slutat servera och ställde sig runt om och klappade händerna i takt med musiken.

Mona såg sig runt om i lokalen samtidigt som hon kände sin solsvedda hud hetta lite lagom. Hon tittade ner på sina händer som aldrig varit så bruna, på de övriga solbrända turisterna som satt där, sommarklädda mitt i vintern, leende och avslappnade av mat och vin. Blicken drogs åter till den dansande kvinnan. Någon hade viskat att det var flamenco. Hon smakade tyst på ordet. Flamenco. Det lät exotiskt och spännande och det var det också. Allt var annorlunda här. De hade rest till en annan årstid, en annan kultur, helt annorlunda människor som pratade ett helt annat språk. De hade badat i havet och njutit av stränderna, bergen och de små pittoreska byarna. En djup känsla av tillfredsställelse spred sig i hennes kropp. Aldrig förr hade någon rest på en charterresa till Gran Canaria. De var de allra första i världen. Pionjärerna. Äventyrarna. Hon var övertygad om att de inte skulle bli de sista.

51

När Sara klev in på den tysta bakgatan i Las Palmas gamla stadsdel La Vegueta kände hon pulsen stiga. Lucha Canarias högkvarter hade inte varit lätt att hitta. Efter en del krångel och efterforskningar hos olika kontakter hade hon till sist lyckats komma över numret till ledaren Ivan Morales. Han hade gått med på att träffas, till och med låtit henne få komma dit. Kanske var det så att rörelsen välkomnade massmedial uppmärksamhet, kanske hade de något budskap som de gärna ville få ut. En hisnande tanke slog henne. Tänk om de var beredda att ta på sig den senaste tidens dåd? Stopp Sara, tänkte hon. Sakta i backarna. Far nu inte iväg. Det där var rent önsketänkande. Journalistens eviga dröm om det stora scoopet.

Sara letade sig fram till rätt gatunummer. Fasaden på huset var grå och intetsägande. Kanske borde hon ha haft sällskap med sig. Nu ångrade hon att hon inte hade ringt Kristian. Han hade antagligen kunnat följa med. Egentligen visste hon ingenting om de här människorna eller vad de var kapabla till. Det var inte omöjligt att den fredliga rörelsen gått och blivit militant i det fördolda. Nya krafter kanske hade kommit in och förändrat hela kärnan. Hon började ångra sitt beslut att gå dit. Åtminstone ensam.

Sara kastade en blick åt sidorna innan hon knackade som Ivan Morales hade instruerat henne. Tre korta, en paus, tre korta igen. En paus, och så upprepade hon signalen.

Sedan väntade hon medan spänningen steg i bröstet.

Efter en stund gick dörren försiktigt upp. Ett ansikte dök upp i dunklet. Det tillhörde en yngre man, smal och gänglig med långt hår. Han var klädd i en T-shirt och slitna jeans.

– Sara Moberg från Dag & Natt, sa hon.

Han studerade henne skeptiskt innan han reglade upp dörren och släppte in henne.

Innanför dolde sig en smal trapp som stupade rätt ner i en källares mörker. Ett smalt lysrör i taket spred ett kallt naket sken. Det blinkade orytmiskt, som om det sjöng på sista versen. Den unge mannen gestikulerade att han ville att Sara skulle gå före, själv följde han tätt bakom. De klev ner i underjorden och hon hörde en fläkt surra någonstans och ett svagt mumlande av röster längre bort.

Hon lade märke till hur hon andades tungt och andfått, men hon försökte behärska sig och inte låtsas om sin nervositet. De passerade några övergivna källarförråd innan de var framme vid ännu en dörr. Det luktade fukt och mögel. En kackerlacka kröp längs den skrovliga väggen. Ynglingen trängde sig förbi henne utan att säga något, skramlade med en nyckelknippa och låste upp. Med sinnena på helspänn skannade Sara snabbt av rummet. Det var lågt i tak och saknade helt fönster. Mitt på golvet stod ett fyrkantigt bord med en naken glödlampa ovanför. Papper och stora ark som såg ut som ritningar låg kringströdda på bordsytan. Tre personer vände sig om och tittade på henne. Sara kände omedelbart igen en av dem. Det var ledaren, Ivan Morales. Han var lång och reslig med tjock kalufs och välansat skägg. Stora blå ögon och ett öppet ansikte. Hon gissade att han var i trettioårsåldern. Han log mot henne.

– Välkommen, sa han och sträckte fram handen. Så här har vi tredje statsmakten.

– Hej, sa hon och ansträngde sig för att inte visa sin osäkerhet. Det är jag som är Sara Moberg, från Dag & Natt.

– Ivan Morales. Och det här är Vicente och Gustavo. Ivan

rafsade snabbt ihop alla papper på bordet. Så vad förskaffar oss den äran?

Sara brydde sig inte om att han inte bjöd henne att sitta ner, utan drog ut en skraltig stol och tog plats vid ena kortändan.

– Jag undrar hur ni reagerar på den senaste tidens våldsdåd?

– Vad ska vi tycka om det? sa Ivan. Det finns inte så mycket att säga, förutom att det ju alltid är illa när oskyldiga människor dödas. Även om de är turister.

Han gjorde en grimas åt kamraterna kring bordet som drog på mun.

– Och vad vet vi förresten om deras skuld? invände han som hette Gustavo. Han var ung, kanske i början av tjugoårsåldern, med stort lockigt hår och helskägg. Vad vet man om de där två, utöver att de är svenskar? De kanske håller på med en massa skumma affärer som ingen har nån aning om. Motivet verkar ju rätt oklart.

Han uttryckte sig vuxet, tänkte Sara. Han lät välutbildad. Kanske var han student på universitetet.

– Varför är du här egentligen? frågade den äldre mannen vid bordet, som hette Vicente. Han var klädd i vit skjorta och svart väst och Sara gissade att han var ungefär lika gammal som hon själv. Tror du att vi har nåt med de där morden att göra?

– Nej, försäkrade Sara, inte alls. Jag tänkte mer på sprängattentatet mot bussen utanför hotellet i Arguineguín. Nån hade ju sprayat *Viva Canarias libre* på muren precis utanför.

– Det var hans ledord, sa Ivan och nickade bort mot porträttet på väggen. Antonio Cubillo, vår ledare och förebild. Ingen har kämpat för Kanarieöarnas självständighet som han. Frid över hans minne.

Han gjorde korstecknet och skickade en slängkyss bort mot porträttet.

– Men var det ni som låg bakom det attentatet?

Sara kunde inte låta bli att vara lite provokativ.

– Det var länge sen den kanariska självständighetskampen tog sig våldsamma uttryck, sa Ivan. Tyvärr kanske man ska säga, det händer ju inte mycket när man håller sig till icke-våld. Samtal, tröstlösa försök till överenskommelser och goda intentioner.

– Hur många medlemmar har ni nu?

– Lite över tvåtusen om man räknar alla öarna.

– Och hur många på Gran Canaria?

– Ungefär hälften här och hälften på Teneriffa. Bara ett fåtal bor på de andra öarna.

– Och hur skulle du beskriva er kamp i dag? Existerar den ens?

– Det är klart att den gör. Vår senaste protestaktion mot oljeborrningarna samlade hundratals demonstranter borta på Las Canteras-stranden. Då fick vi också stor massmedial uppmärksamhet. Det skadade inte att vi använde oss av nakna snygga tjejer som promenerade utefter stranden under demonstrationen, inkletade med en svart, tjock substans som såg ut som råolja. Sex och våld funkar om man vill ha uppmärksamhet. Annars händer ingenting.

– Har ni tröttnat på att ni får så lite gehör för vad ni vill åstadkomma? Har ni kommit dithän att ni är beredda att ta till våld?

De tre männen växlade blickar. Ingen sa något. Frågan blev hängande i luften.

52

Redan före klockan sex på morgonen lämnade Fabiano hemmet för att möta sin syster Paula som arbetade på bageriet i närheten. De hade bestämt sig för att göra en utflykt till sin morbrors getfarm, inte långt från Arguineguín. Vanligtvis slutade Paula inte på bageriet förrän klockan sju, men han ville vara där i god tid och kanske stjäla till sig en kopp kaffe och en bit nybakat bröd till frukost.

Han promenerade utefter stranden, gatan lystes upp av det varmgula ljuset från lyktstolparna, havet kluckade stillsamt och kunde bara anas i mörkret. Han njöt av att vara helt ensam. Egentligen var detta den tid på dygnet han gillade bäst. Han brukade rumla hem från sina festnätter vid den här tiden. När inga turister rörde sig ute, då kändes det fortfarande som om gatan tillhörde honom. Han såg sin syster genom fönstret när han närmade sig. Hon stod där i sina vita kläder med det långa mörka håret i en knut på huvudet. Han kunde inte låta bli att stanna upp en liten stund och betrakta henne. Hans storasyster, som alltid ställt upp för honom, ända sedan de var små. Det var tur att de hade varandra. Han såg hur Paula torkade svetten från pannan, det var alltid varmt inne i bageriet. Hon tömde en säck mjöl i en stor bakmaskin och fyllde på med vatten innan hon stängde locket. De var fyra som arbetade skift i bageriet, ingen av dem hade fast anställning. Fabiano hade frågat chefen om han kunde få jobba extra, men hittills hade det inte funnits något behov. I dessa arbetslöshetens tider höll de lyckligt lottade som hade ett jobb ordentligt fast vid det.

En av Paulas arbetskamrater kom med en ny säck över axeln och ställde ner den på golvet bredvid henne. De växlade en blick men sa ingenting, det hade säkert varit en slitsam natt, många tunga lyft som fick ryggen och armarna att värka. Systern brukade klaga på att hon hade ont när hon kom hem. Han såg hur Paula sträckte på sig och tittade upp på klockan. Långa lysrör kastade ett blekt ljus i lokalen. Sedan såg hon ut genom fönstret och deras blickar möttes. Han log mot henne och vinkade.

Det första som mötte honom när han öppnade dörren till bageriet var doften av nybakat bröd som fick det att vattnas i munnen. Härinne var det liv och rörelse till skillnad från stillheten ute på gatan. Dunkandet från maskinerna som stadigt rörde runt med degen, skramlet av plåtar som kördes in och ut ur ugnarna. Slammer och stök. Röster när de som arbetade ropade till varandra.

Paula kom fram och hälsade snabbt, hela hon var mjölig. Hon torkade av händerna på förklädet hon hade knutet runt midjan. Hennes pass var äntligen över. Hon visste vad Fabiano ville ha och gav honom kaffe med varm mjölk och några nybakade frallor innan hon försvann in i omklädningsrummet för att byta om.

De satt tysta i bilen medan Paula körde upp i bergen mot Las Crucitas där Mateo drev getfarmen. Den påminde Fabiano om tiden då familjen brukat sin egen jord, även om han själv aldrig hade fått uppleva det. Deras farföräldrar hade haft en gård i Playa del Inglés där de odlat tomater. Sedan kom exploatörerna och familjen tvingades sälja marken. Vägen var smal och kurvig och slingrade sig genom det karga landskapet. Solen höll på att gå upp och spred sig som ett gyllene täcke över bergen.

Getfarmen låg på en platå mitt ute i det karga, ödsliga bergslandskapet. Paula parkerade utanför morbroderns hus. Det var byggt i typisk kanarisk stil, vitputsade väggar med bruna vulkanstenar i fasaden. Getfarmen hade tillhört familjen i generationer, men det var inte länge sedan myndigheterna hade dragit vatten och avlopp ända fram till fastigheten i denna avkrok. På gården stod en gammal Ford med flak, som användes till reservdelar ifall något behövde bytas på den lite nyare modellen av samma bilmärke som stod under tak. Tunnor och bildäck låg i en hög på gården. Det såg ut som om Mateo hade försökt städa i ordning, men utan att ha en plan för var han skulle lägga allt. Lutade mot den gamla bilen stod några rostiga cyklar som syskonen brukat låna som barn för att utforska de smala stigarna runt farmen. När de gick ut ur bilen kom Lobo springande. En gyllene, långhårig pastor garafiano som var svart och vit med mörk teckning runt ögonen och mer såg ut som en varg än en vallhund. Paula satte sig på huk och tog emot hunden som hoppade och var så ivrig att den nästan dansade på bakbenen.

Deras morbror bodde ensam där med sina getter. Han hade aldrig gift sig eller fått barn. Han ägnade tiden åt djuren som just nu betade i den stora inhägnaden som låg strax bakom själva boningshuset. Hunden skällde och annonserade deras ankomst och det dröjde inte länge förrän morbrodern kom gående i gummistövlar med sin sedvanliga keps på huvudet. Han log brett mot dem.

– *Buenos días, chicos*, hälsade han med hunden hoppande kring benen. Ni är tidigt ute. Är allt bra?

– *Buenos días, tío*, mycket bra tack, svarade Fabiano glatt och bredde ut armarna. Han och Mateo hade alltid haft en speciell kontakt. Hur är det själv?

– Bara bra, tack. Jag har just fått en stor beställning av getost från Las Palmas. En ny kund.

– Men så roligt, sa Paula och kindpussades med sin morbror.

Hon räckte över en papperspåse med bröd. Varsågod, direkt från bageriet.

Ända sedan deras pappa hamnat i fängelse när de var små hade Mateo varit som en far för dem, speciellt för Fabiano som hade tagit allt som hänt i efterdyningarna av bombdådet på Las Palmas flygplats särskilt hårt.

Mateo vände sig mot Fabiano.

– Getterna ska släppas ut på bete, du kan väl fixa det, *hijo mío.*

Hunden sprang ivrigt ett par gånger runt bilen. Mateo tecknade åt den att sitta ner. Den satte sig och väntade, van vid att lyda.

– Ta med dig Lobo, är det nåt du inte kan hantera så hjälper han dig.

Fabiano nickade. Han hade glatt sig över att åka upp i bergen, känna den friska luften, lyssna på getternas bräkande. Det kändes som en evighet sedan. Tröttheten från att ha stigit upp i ottan var som bortblåst. Han visslade på Lobo som reagerade med att se sig osäkert omkring. Han väntade på ett tecken från sin husse, men Mateo hade gått in utan att säga något. Hunden reste sig på alla fyra och skakade på den smala kroppen innan den ivrigt travade bort till Fabiano och slickade hans hand.

Den djupa ravinen skar berget i två delar. Kring gården låg oliv- och tomatodlingar, ett bananfält längre bort. En klunga citronträd som stod gröna och friska mot det mörka berget. Han mindes fotografier av fadern i hans krafts dagar, hur han hjälpte farfar att lasta på tomatlådor på åsnekärran innan de for iväg till marknaden i Tablero. Historierna om hur fadern och hans syster som barn hade sprungit omkring och lekt på lantgården, hur de red på åsnan, badade i havet och nallade tomater och avokador som de tjuvåt på hemliga gömställen. Efter att familjen mer eller mindre tvingats sälja marken hade de flyttat in i en lägenhet. Där hade han och Paula fötts och vuxit upp. Familjen hade bara fått behålla en liten bit mark.

Fabiano satte sig på huk och strök hunden över ryggen. De

hade bott så länge vid havet att han nästan kunde glömma hur vackert det var häruppe.

Han kände sig fri här, som att något lossnade i honom.

53

Det här var ingen vanlig fredag, tänkte Kristian när han slog sig ner på den enda lediga barstolen på Svenska baren. Flera andra satt uppradade vid bardisken med en öl framför sig, men de tittade knappt åt honom. Alla bord var upptagna, stället var fullt av människor, men det var anmärkningsvärt tyst. Ingen pratade högt, skrattade eller tjoade som folk brukade när de träffades för att ta några öl. Samtalen hölls på en lågmäld nivå, han såg några som kramade om varandra länge när de hälsade, en kvinna grät stilla. Musiken var så låg att den knappt hördes. På glasrutorna mot shoppinggallerian satt en stor bild på Fredrik Gren och människor hade lämnat blommor, tänt ljus och skrivit kort med hälsningar utanför. Ett anslag berättade att baren hölls öppen för att hedra Fredriks minne. Kristian hade blivit förvånad när han ringde upp Fredriks fru Hanne och hon berättade att hon skulle hålla baren öppen. Hon förklarade att hon gjorde det både för sin egen skull och Fredriks. Efter att hon varit inne på Rättsmedicinska och identifierat sin man och tagit farväl av honom hade hon eskorterats till polishuset och suttit i ett förhörsrum hela kvällen. Om hon stannade hemma och lät tankarna ta över och gå i spinn skulle hon bli galen.

Nu dök hon upp från ett rum innanför baren. Hanne var skandinaviskt ljushårig. Hon var blek i hyn och såg inte ut att tillbringa många timmar ute i solen. Håret var ordnat i en tjock fläta som hängde på ena sidan. Hon var ovanligt lång och muskulös, klädd i jeans och vit, kortärmad skjorta, men ansiktet var vekt och det syntes tydligt att hon gråtit. Kristian sträckte fram handen.

– Hej, det är jag som är Kristian Wede, från konsulatet.

– Hej, hälsade hon. Handtaget var slappt och undflyende. Vill du ha nåt att dricka?

– Ja tack, jag kan ta en kaffe om du har.

– Visst. Hon vände sig om mot kaffebryggaren och började fylla upp en kopp. Mjölk? Socker?

– Nej, tack. Bara svart.

Hennes ögon var blanka. Det var svårt att se vad hon tänkte eller hur hon kände sig, blicken var inåtvänd. Hela hennes uppenbarelse gav ett intetsägande intryck. Gästerna som satt bredvid honom i baren vände sig mot dem med nyfikna blickar. De undrade säkert vem han var, men ingen frågade. Kristian fick en känsla av att han gjorde intrång och att de övriga vid baren var Hannes egna vakthundar. Det var tre medelålders män och en kvinna med varsin ölsejdel framför sig. Alla något slitna och tilltufsade, med skinnjackor och tatueringar. Som vaksamma rottweilers satt de där och såg ut att vara beredda på att gå till attack när som helst. Längre bort upptäckte han paret Anderssons goda vänner, Sture och Lotta. De satt i mitten av ett långbord med ett femtontal personer, alla lutade sig framåt och pratade lågmält men intensivt. Det var som att befinna sig i en sektliknande församling där alla höll ihop mot omvärlden.

– Först och främst vill jag veta om du behöver hjälp med nåt praktiskt, du är ju norsk medborgare fortfarande, eller hur?

– Ja, jag har bara uppehållstillstånd här, inget medborgarskap. Än så länge, men jag håller på med den processen. Jag vill mycket hellre ha kanariskt medborgarskap än norskt. Känner mig mer hemma här än i Norge. Men jag behöver ingen hjälp. Mamma och pappa är här nu och jag har så mycket stöd från mina vänner som ordnar med allt. Fredrik ville att hans aska skulle spridas utefter kusten här på Gran Canaria så det behövs ingen transport av hans kropp.

– Och juridisk rådgivning? Behöver du en advokat?

– Det verkar inte så. Polisen verkade först misstänka att jag skulle ha nåt med Fredriks död att göra, men jag var i vår utflyktsbutik här i centret hela dan. Förresten har vi redan en revisor till företagen och hon hanterar också det juridiska kring det som har hänt nu.

Kristian slogs av hur känslokall Fredriks hustru verkade. Men kanske var det bara ett skydd, ett sätt att hantera det oerhörda. Kanske var det chocken. Människor reagerade så olika.

– Inget annat jag kan bistå med?

Nu smålog hon för första gången.

– Nej, men tack i alla fall.

– När det gäller era företag, frågade Kristian. Hade ni dem ihop eller var och en för sig? Varför ställer jag ens en sådan fråga? tänkte han i nästa sekund. Jag är här som konsulatmedarbetare, för att bistå med stöd. Nu var det utredaren i honom, polismannen, som vaknat. Quintana hade nämnt att det fanns en livförsäkring på Fredrik Gren på hundratusen euro som betalades ut till efterlevande vid hans eventuella död. Hanne tittade förvånat och lite irriterat på honom.

– Vad har det med saken att göra?

– Det kan spela roll för hur detta ska hanteras. Norska myndigheter kan bli inblandade, det har med företagens konstruktion att göra.

Hanne gav honom en lång blick.

– Vi hade dem ihop.

– Okej, kan du ge mig senaste årsredovisningen och utdrag över anställda?

– Ja, det ska jag väl kunna ordna, sa hon tveksamt.

– Nu med detsamma? frågade han.

– Ett ögonblick.

Hanne ropade på en yngre tjej som plockade disk bland borden.

– Karolina, kan du ta över i baren en stund?

Kristian läppjade på sitt kaffe och såg sig omkring. Han noterade att flera par ögon var riktade mot honom.

Efter en stund var Hanne tillbaka och räckte honom några papper.

– Det här är förteckningar över dem som har jobbat här i baren och i utflyktsbutiken det senaste året. För att gå längre tillbaka behöver jag mera tid. Även för årsredovisningen. Jag kan skicka den till dig om du vill. Det är inte en offentlig handling här i Spanien.

Kristian ögnade igenom listorna.

– Axel Malmborg, är det möjligen Linda Anderssons son?

– Ja, sa Hanne och rodnade plötsligt.

Kristian såg förbryllat på henne.

– Så ni har haft honom anställd? Hur länge då? Jag fick uppfattningen att han bodde i Sverige.

– Han var mer här på Gran Canaria än han berättade för sin mamma om man uttrycker det milt. Han hade inte mycket till övers för Linda. Men han har bara arbetat extra hos oss, hoppat in ibland.

– När jobbade han senast?

– För två veckor sen. Men han var mest nere vid stranden och höll i våra vindsurfingkurser.

– Så nyligen?

Hanne gav honom en outgrundlig blick till svar. Kristian samlade ihop listorna.

– Kan jag behålla de här?

– Självklart. Påfyllning? frågade Hanne och sträckte sig efter kaffekannan.

Hon tycktes lättad över att de lämnade ämnet.

– Ja tack, svarade han och sköt fram koppen. Han såg forskande på henne. Hur tänker du själv på mordet? fortsatte han. Har du nån tanke om vem som kan ha velat skada din man?

Hennes blick blev kall.

– Man kan snarare ställa frågan tvärtom. Vem finns det som inte har velat skada Fredrik?

Kristian tittade förvånat på henne.

– Vad menar du?

Nu märktes att de som satt bredvid hade börjat spetsa öronen. All fyra stirrade ogenerat på honom och brydde sig inte om att låtsas som något annat.

– Här på baren var det förstås många som gillade honom. Men lika många tyckte tvärtom.

För första gången fick Hanne tårar i ögonen. Hon knep ihop munnen till ett bistert streck och började frenetiskt torka av bardisken med en trasa. Kristian funderade på om detta kunde ha med otrohetsryktena att göra, men tyckte det var ett opassande tillfälle att ta upp en så känslig sak med blodhundarna som dreglade precis intill.

– Vad menar du? Vilka då?

Hanne stannade upp i torkandet av bardisken och såg rakt på honom med sin tomma, isblå blick.

– Alla som har en kärlek de är rädda om.

54

Grottan är övergiven sedan länge och ligger högt över havet, som utmejslad av naturens krafter i berget med en oansenlig öppning mot världen utanför, dold för förbipasserandes ögon. Enda sättet att ta sig hit är att klättra uppför klippan med hjälp av ett rep. Men jag är stark och smidig och har använt grottan som mitt hemliga gömställe länge. Ingen vet att jag använder den och ingen vet vad jag gör här. Detta är min fristad. Den är inte särskilt stor, men räcker för mig. Jag är omsluten av de skrovliga väggarna, här är jag trygg, här kan ingen hitta mig. Det trampade jordgolvet är hårt och kompakt under mina nakna fötter, bär mig stadigt. Jag kan känna bergets innanmäte, fukten som sipprar ut ur väggarna är dess utandningsluft, dess djupa andetag. Det luktar svagt av mögel och förruttnelse, av rötter och metall.

Jag behöver inte mycket för att klara mig. Kylan är tillräcklig för att maten inte ska bli skämd de gånger jag övernattar här och behöver ha med mig något att äta. Även om jag knappt känner någon hunger när jag tar min tillflykt hit. Som om min kropp får energi av något annat, en osynlig kraft, något ursprungligt som jag inte kan förklara. Det är som om jag hör hemma här.

Måsarna skränar utanför. De flaxar med vingarna, stiger och sjunker, stöter aldrig ihop. Ibland känner jag mig som en av dessa vilda fåglar som seglar under himlavalvet. För alltid ensam och utlämnad åt mig själv. Min överlevnad hänger på min skicklighet, mitt mod, min uthållighet.

Jag ställer mig vid gluggen och ser ut över havet långt där nedanför. Jag vet precis hur den våta sanden känns mot fötterna när man vandrar i vattenbrynet. Klipporna översköljs ständigt av havet och får aldrig chansen att torka ordentligt. De svarta krabborna kilar målmedvetet bland stenarna och söker efter föda. De har ögonen på skaft och flyr hastigt när de anar minsta fara.

Fiskebåtarna ligger för ankar en bit ut från stranden, vaggar lojt i den stilla brisen. Några fiskare söker lyckan vid klipporna. Musselsamlare trampar runt bland stenarna i vattnet med sina hinkar. Allt är frid, allt är ro. Det är så här det ska vara. Jag sätter mig i gluggen och tänder en cigarett, blåser långsamt ut röken. Jag har gjort mer än jag hade en aning om att jag var kapabel till och jag fylls av en inre tillfredsställelse jag aldrig tidigare känt. Äntligen har jag tagit makten över mitt liv och det är inte slut än.

Faktum är att det bara har börjat.

55

Sara hade, efter många om och men, lyckats få till ett möte med Quintana. Han hade lovat henne att hon skulle få följa med och se på det senaste offret så fort obduktionen var klar. Nu kom han och mötte henne i receptionen, prydlig i välskräddad kostym och blanka skor.

Hon var glad över deras fina kontakt. Hon skulle aldrig ha kunnat ligga så i framkant när det gällde nyhetsartiklarna som hon sålde till kvällspressen om det inte vore för Quintana. Sara var medveten om att den tjänst hon gjort honom för många år sedan i samband med hans dotters korta period av drogberoende hade stor inverkan, men visste samtidigt att det inte var den enda förklaringen. Hon kände tydligt av hans förtjusning, även om hon försökte låtsas att den inte existerade. Trots att hon befann sig i denna känslomässiga och turbulenta period och var så mottaglig för uppmärksamhet och bekräftelse, kunde hon inte känna något annat än vänskap för Quintana. Han var en stilig man, men det handlade inte om det. Något med hans utstrålning gjorde att han aldrig kunde bli mer än en vän för henne.

Hon kindpussades med Diego och kunde inte låta bli att le åt hans förtjusta uppsyn. Han var inte särskilt bra på att dölja sin beundran. De promenerade bort tillsammans i korridoren med dess välpolerade stengolv.

– Alma väntar på oss, sa Diego. Alma del Fuego du vet, rättsläkaren. Du har väl träffat henne?

– Hon den unga? Ja, det vet jag vem det är, men jag har aldrig pratat med henne.

– Hon är mycket professionell, men en aning stram, ja, formell. Säger inte ett ord i onödan. Och hon är faktiskt trettioåtta.

– Okej, jag är glad att hon låter mig komma in i alla fall.

– Ja, jag blev verkligen förvånad. Jag trodde hon skulle säga nej.

Quintana öppnade glasdörren in till undersökningsrummet. Det luktade fränt av desinfektionsmedel. Alma del Fuego stod vid en diskho och tvättade händerna. Hon var klädd i vit rock med ett hårnät om huvudet. Hon såg upp när de båda kom in.

– Hej, stig på.

Rättsläkaren torkade av händerna och kom fram och hälsade. Hon log varmt mot Sara.

– Vad trevligt att träffa dig, jag tycker mycket om din tidning.

– Jaså? sa Sara, glatt överraskad. Det hade hon inte väntat sig. Pratar du svenska?

– Jag har en pojkvän från Stockholm och han tragglar språket med mig. Jag brukar läsa högt ur Dag & Natt för honom.

Quintana såg häpet på Alma del Fuego. Så här uppsluppen hade han aldrig sett henne förut.

– Vad roligt, sa Sara och log brett. Det gläder mig.

– Men nu kanske vi ska ägna oss åt allvarligare saker, sa rättsläkaren och hennes leende försvann.

De ställde sig alla tre vid båren. Sara tyckte alltid att det var obehagligt att betrakta döda människor, särskilt när hon nyligen hade träffat personen i fråga i levande livet. Som nu. Det var overkligt att se Fredrik Gren, som nyss varit full av liv, ligga där, stel och kall. Han var nästan oigenkännlig. Inte bara skallen var krossad, utan även ansiktet. Kroppen var rentvättad från blod men skadorna på huvudet såg otäcka ut. Skallen låg sårig och öppen. En tunn filt dolde resten av kroppen.

– Skallskadorna påminner starkt om dem på Linda Andersson, började rättsläkaren. Förövaren har fokuserat mer på ansiktet, som ni ser är det svårt sargat med krossat näsben och käke, ena ögat har tryckts in i huvudet. Ett liknande vapen som i Lindafallet har använts, om inte samma. Ett trubbigt vapen som slagits mot skallen upprepade gånger.

– Några andra skador? frågade Quintana.

Alma del Fuego lyfte undan filten och hela kroppen blottades.

– Han har ett kraftigt blåmärke på ena axeln. Alma del Fuego pekade på kroppen. Antagligen har förövaren missat ett slag mot skallen och träffat axeln istället. Annars ingenting.

– Kan du säga nåt om hur du tror att mordet har gått till? frågade Sara.

– Fredrik Gren var ju både lång och muskulös, konstaterade rättsläkaren. Ingen man som går att brotta ner särskilt enkelt. Antagligen har han överfallits bakifrån och golvats av det första slaget som troligen gjorde honom ganska så omtöcknad. Han har gjort, vad det verkar, ganska så svagt motstånd, och har samtidigt fått ta emot ett stort antal slag mot huvudet. Gärningsmannen är stark, om det råder ingen tvekan.

– Är du säker på att det är en man som har mördat honom? frågade Sara.

En rodnad drog över Alma del Fuegos ansikte.

– Nej, du har rätt, jag uttryckte mig slarvigt. Förlåt mig, det där är bara gammal vana. Ni svenskar är så mycket mer genusmedvetna än vi, och det uppskattar jag. Min pojkvän är feminist och jag vet inte hur ofta han säger ifrån till våra killkompisar när de fäller någon sexistisk kommentar om kvinnor. Det är imponerande.

– Verkligen, sa Sara. Det är vi inte bortskämda med, vi kvinnor, att en man säger ifrån och står upp för kvinnors lika värde. Inte ens i Sverige.

– Ursäkta om jag är sexistisk men detta börjar likna ett kaffe-rep, insköt Quintana. Kan vi återgå till det stackars offret? föreslog han med en nickning åt mannen på båren.

– Javisst, sa Sara.

Quintana hade en poäng, det var inte helt passande att småprata i denna miljö. Alma harklade sig och ställde sig vid offrets huvud.

– Fredrik Gren hade varit död i omkring tre, fyra timmar när jag undersökte honom på plats, men det hade man ju kunnat räkna ut ändå. Alma del Fuego gjorde en paus och en skugga drog över hennes ansikte. Men det är ännu grövre våld den här gången, han har fått ta emot kanske dubbelt så många slag som Linda. Jag skulle nog drista mig till att säga att det varit fråga om ett besinningslöst raseri.

– Vad kan det betyda? frågade Sara.

– Att förövaren har gått ett steg längre den här gången, sa Alma. Men om det nu är en dubbelmördare, eller i värsta fall seriemördare, vi har att göra med så är det inte ovanligt att brotten bara blir värre och värre. Att det accelererar för varje gång.

56

På fredagskvällen hade Lasse sagt att han ville ordna middagen. Det skulle bara vara han och Sara, barnen var ute med kompisar och skulle komma hem senare. Nu satt hon som vanligt med ett glas vin på terrassen medan han stod vid grillen och ordnade med biffarna. Några småfåglar plaskade i poolen och ljusen från hela San Agustín som låg under dem i kvällsmörkret var betagande. Luften var ljummen och syrsorna hade börjat spela i buskarna. Hon betraktade hans rygg i den ljusblå skjortan. Undrade vad han tänkte. Om han anade vad som pågick inom henne. Var det därför han hade varit så angelägen om att de skulle äta middag själva? Några vänner hade bjudit hem dem, men Lasse ville absolut att de skulle stanna hemma. Hon undslapp sig en liten suck. Varför kunde hon inte nöja sig med det hon hade? Så skönt det var att sitta här i lugnet och smutta på vinet och bli omhändertagen. Hon skulle kunna ha det hur bra som helst om hon bara lugnade ner sig. Men hon kunde inte. Hon tänkte på Ricardo nästan hela tiden. Nu hade hon satt telefonen på tyst för säkerhets skull, hon skulle inte klara av att låtsas som ingenting ifall han ringde medan hon satt och åt middag med sin man och Lasse skulle bli misstänksam om hon inte svarade. Sara svarade alltid i telefon. Hon kände sig röksugen och ville egentligen inte röka inför familjen, men nu brydde hon sig inte längre. Herregud, hon skulle fylla femtio och måste få göra som hon ville.

– Du, jag tänkte röka en cigarett, sa hon och reste sig för att hämta paketet i sitt gömställe.

– Jaha, ja, gör det du om du vill, sa han bara. Det är några minuter kvar på biffarna. Det blir bakad potatis till och så har jag gjort en sallad, blir det bra?

– Det låter jättegott.

Hon hämtade paketet och satte sig ner igen, tände en och drog njutningsfyllt ett djupt bloss. Lasse verkade kontrollerad, lugn. Hon undrade vad som dolde sig under ytan.

Så kom han med deras tallrikar, vackert serverat som vanligt.

– Varsågod, sa han och ställde tallriken framför henne.

– Det doftar underbart, sa hon.

– Vad bra, jag hoppas det ska smaka, sa han och log mot henne.

Ljusen brann i lyktorna, Lasse fyllde på vinet och det hade kunnat vara hur mysigt som helst. Om förutsättningarna hade varit annorlunda. De började äta och samtalet flöt på, men kändes krystat. De pratade om praktiska saker, om barnen och deras aktiviteter. Sara kände tydligt hur det låg en spänning i luften och satt bara och väntade på att Lasse skulle fråga vad det var med henne. Så tittade han upp och såg på henne ordentligt för första gången på länge. Nu kommer det, tänkte Sara. Nu finns det ingen återvändo.

– Vi måste prata om en sak, sa han.

Sara lyfte på ögonbrynen med spelad förvåning, som om hon inte hade en aning om vad han skulle komma att säga.

– Du vet Luísa, på jobbet. Jag tror att jag är förälskad i henne.

57

När Sara vaknade upp hemma i den stora sängen i hennes och Lasses sovrum visste hon först inte var hon befann sig. Det tog en stund innan tankarna klarnade och hon mindes vad som inträffat kvällen före. Marken hade ryckts undan fötterna på henne och plötsligt var hennes liv fullkomligt uppochnervänt. Lasse hade träffat en annan. Hon kunde inte tro det. Det var obegripligt hur hon hade kunnat vara så blind. Hon hade varit så inne i sig själv och sitt eget att hon inte hade märkt något alls. Lasse var kanske beredd att lämna henne och allt de hade tillsammans. Tanken fick henne att kallsvettas.

Hon vände sig på sidan och upptäckte att hon var ensam, han hade redan stigit upp. Hon försökte föreställa sig hur det skulle kännas att vakna själv i sängen på morgnarna, utan Lasse. Hon sträckte ut en hand och strök över lakanet. Såg sig omkring i rummet. Tvåsamheten satt i väggarna, år ut och år in hade de levt här. Bara tagit varandra för givna och tillvaron som en självklarhet.

Sara hade varit så fixerad vid sin egen kris och sina egna förvirrade känslor att hon inte ens reflekterat över hur hennes man egentligen mådde och vad som pågick inom honom. Och nu hade det gått så långt att han var förälskad i en annan. Luísa var en vacker, frånskild kanariska som Lasse hade anställt som receptionist ett halvår tidigare. De var i samma ålder, Luísa var till och med något äldre och hade vuxna barn. Sara hade träffat henne några gånger.

Sara tittade på väckarklockan på nattduksbordet. Bara kvart över åtta. Det var tyst i huset. Nu mindes hon. Det var lördag och Lasse hade flera stora grupper med både avresor och ankomster. Helgerna var ofta fullbokade med jobb för honom på hotellet. Honom och Luísa. Sara slog bort tanken och reste sig ur sängen. Kikade in i barnens sovrum, de snusade gott i sina sängar. Hon orkade inte riktigt träffa dem just nu, hon måste försöka agera som vanligt och var osäker på om hon skulle klara det.

Det kröp i kroppen. Hon måste ut och göra något, annars skulle hon bara vandra omkring här som en osalig ande. Tänk om hon och Kristian kunde åka upp till Ayacata och försöka hitta ödehuset där hans familjs bil hittats. Hon ringde upp Kristian. Han lät lite trött när han svarade, hon kunde höra en tjej grymta i bakgrunden. Det var väl den där Diana han träffade. Det stack till i hjärtat. Hennes man var nyförälskad, Kristian hade Diana och Quintana hade sin fru. Vem hade hon? Ricardos ansikte flimrade förbi.

De kom överens om att ses klockan tio. Det var en bra bit upp till Ayacata och vägarna var besvärliga, det var lika bra att försöka komma iväg så fort som möjligt.

Kristian dök upp en halvtimme sent, rufsig i håret och med skrynkliga kläder. Solglasögonen satt på plats och han hade en colaburk i näven.

– Skulle inte du ha Valeria i helgen? sa Sara och höjde på ögonbrynen.

– Tror du att jag skulle vara i det här skicket i så fall? snäste Kristian. Kom igen, en så dålig pappa är jag inte. Hon är hos sin mamma, jag ska hämta henne imorron.

– Okej, visst, sa Sara och satte upp handflatorna i luften. Uppenbarligen hade han en av sina snarstuckna morgnar. Han hade kommit i alla fall vilket Sara var tacksam för och hon gav honom en hastig kram. Han parkerade sin bil på gatan utanför

Saras hus och de satte sig i hennes jeep och styrde färden uppåt bergen.

De passerade den pittoreska bergsbyn Fataga och staden San Bartolomé innan de tog av mot Ayacata som låg ännu högre upp i bergen. Landskapet omkring dem var dramatiskt och vackert med de höga bergen och dalarna fyllda av mandelträd som blommade likt bäddar i rosa och vitt. Sara spelade Ted Gärdestad i vanlig ordning och Kristian såg måttligt förtjust ut. Han hade aldrig förstått charmen med den svenske sångaren som Sara älskade ohämmat. När de kört en stund under tystnad sänkte han musiken.

– Hur ska vi hitta huset? frågade han och trummade med fingrarna mot instrumentbrädan. Det kanske inte ens finns kvar.

– Det ska ju ligga i utkanten av Ayacata, och byn är inte stor. Det bor väl ett trettiotal personer där, sa Sara med blicken fixerad på vägen som blev kurvigare, smalare och brantare ju högre upp de kom. Kolla tidningsurklippen, de ligger i mappen i min väska. Sara nickade mot baksätet. Se om bilderna kan ge nån vägledning.

– Okej.

Kristian sträckte sig efter mappen och tog fram klippen. Allt som syntes var ett vitt hus i sten med en grusplan framför och några träd i bakgrunden. En bit av vägen utanför och bergen runt omkring.

– Det syns inget på bilden förutom huset och i artikeln står bara att *Strax utanför Ayacata hittades den stulna bilen ...* Vi får hoppas att det finns nån kvar i byn som kommer ihåg.

– Ja, jag frågade Quintana om saken. Han lovade att höra sig för bland sina äldre kolleger och kolla bland gamla rapporter så snart han fick tid. Vilket inte lär bli så snart om det fortsätter så här.

De nådde fram till den lilla byn som inte bestod av mycket mer än en samling stenhus och ett kapell. Intill vägen låg ett café med gröna markiser och texten Bar Casa Melo i vitt. De parkerade tvärs över gatan. Några röda plastbord stod utomhus under tak och de slog sig ner vid ett av dem. Strax visade sig en yngre man och de beställde kaffe och smörgåsar. Det var tomt på caféet, men det dröjde inte länge förrän en samling byggnadsarbetare i fläckiga overaller kom och satte sig vid ett bord. Sara plockade fram ett tidningsurklipp ur mappen med ett foto på ödehuset och vände sig mot dem.

– *Buenos días, señores.* Jag heter Sara Moberg och är svensk journalist. Jag undrar om nån av er känner igen det här huset och kan berätta för oss var det ligger?

Det blev tyst kring bordet och männen lät klippet vandra mellan sig. En av de äldre lyste upp.

– Ja, jag vet vilket hus det är. Det är inte långt härifrån.

– Var ligger det? frågade Sara ivrigt.

– Ni ser det nästan, sa mannen och pekade bortåt vägen. Kör till vänster där vägen delar sig, fortsätt förbi det stora gula stenhuset och hagen med getter. Sedan har ni en grusväg på vänster sida. Ta in på den så ser ni huset. Det ligger där vid ravinen, alldeles för sig självt.

58

1977

Grävskopor mullrade, lastbilar brummade och långtradare fullastade med byggmaterial brakade in på vägarna som anlagts helt nyligen. Juan stod tillsammans med sina barn Fabiano och Paula och såg på när marken skövlades och nya hotellkomplex och köpcentra byggdes upp medan det oändliga havet låg orört i fonden. Samma hav som han vuxit upp med, samma hav han badat i som liten. Överallt syntes påbörjade husgrunder, väggar som höll på att resas, tak som lades på hus där man kommit längre. Aldrig hade han kunnat föreställa sig i vilken omfattning hela området skulle exploateras. Att det skulle byggas så många hotell. Och så höga. Exploateringen var ivrigt påhejad av general Franco och hans regim, som välkomnade utvecklingen av turismen på Kanarieöarna. Nu var diktatorn död sedan två år tillbaka och Spanien på väg mot demokrati. Parlamentsval skulle hållas senare samma år, men Juans förhoppningar om att det skulle betyda en förbättring för Kanarieöarna var små. Spanjorerna på fastlandet var bara intresserade av att suga ut pengar från ögruppen, de styrande i Madrid brydde sig inte ett dyft om kanarierna. Därför var den väpnade kampen viktigare än någonsin. I denna brytningstid skulle de faktiskt kanske kunna åstadkomma någonting. Han tänkte på sin far Orlando som aldrig funnit sig tillrätta i familjens nya hem och kände en tacksamhet över att pappan slapp se det han själv tvingades bevittna nu.

Familjen hade åtminstone behållit en liten jordlott. Den låg en bit ovanför stranden, längre bort åt Maspalomas till. Nu skulle det byggas en golfbana precis intill på ena sidan av den och på den andra ett lyxhotell. Hur hade det blivit så här? Allt styrdes numera av turisternas intressen, ingen tänkte på de infödda. Men jorden hade han fortfarande. Och den skulle aldrig säljas, den skulle finnas kvar som ett minne av det familjen Rivera en gång hade ägt och brukat. Han hade fått ärva den av sina föräldrar och ämnade ge den vidare till sina egna barn.

Han var glad över att hans svåger Mateo trots allt hade kvar sin getfarm. Den marken var naturligtvis inte attraktiv för exploatörerna, den låg alldeles för långt ifrån havet. Turisterna ville ju ha nära till vattnet, gud bevars. Hans egna föräldrar hade däremot inte haft något val, hur mycket hans pappa än hade försökt streta emot. Till slut hade Rosaria övertalat honom. Det var inte lönt, menade hon och det sa hon än i dag. Det var lika bra att vika sig för överheten. Det var pengarna som styrde.

Juan mindes hur kuststräckan mellan San Agustín och Maspalomas hade sett ut när han var barn. Det fanns en naturlig skönhet i de öppna vidderna, den flera kilometer långa finkorniga sandstranden, öknen och oasen med sötvattenssjön vid fyren som fortfarande bestod. Området utgjordes av ett kargt stäpplandskap med några enstaka byar och samlingar av hus. Kaktusar, åsnekärror, tomatplockare i halmhattar som skydd mot den brännande solen, flockar av får, kvinnor som bar vatten på huvudet och spädbarn på armarna. Det var ett enkelt, strävsamt och vackert liv. Barnen fick hjälpa till med arbetet när de inte gick i skolan. Han mindes hur han och hans kompisar hade fått sitta och vakta så att inte korpar och andra fåglar kom och åt upp tomaterna. Kom det flygfän skulle de skramla med trä och metallbitar. När de blev äldre fick de bära skördade tomater från fälten till de åsnor som skulle transportera bort dem. Stranden i San Agustín hette fortfarande Las Burras som ett minne av detta. Åsnor, *burras*, fick bära skörden från fälten i stora korgar på ömse sidor om ryggen, upp till lastbilar som väntade vid landsvägen. På söndagarna gick hela familjen ner till den ödsliga, vidsträckta stranden och badade. Sedan förvandlades allt och nu fanns inget som kunde stoppa utvecklingen. Åtminstone inte på laglig väg. Men man kunde åtminstone försöka bromsa den. Och det tänkte han göra.

59

Beskrivningen som mannen på caféet gett stämde perfekt. Ett vitt stenhus som låg ovanför vägen. Några getter bräkte från en inhägnad en bit ifrån. Det var ett ruckel med inslagna rutor, en söndervittrad dörr och ett tak som rasat in till hälften. Väggarna var nerklottrade och putsen hade fallit i stora sjok. De parkerade på den lilla grusplanen framför och klev ur bilen. På andra sidan vägen stupade berget rätt ner och det fanns inga hus i närheten. Tomten var igenväxt och de klev igenom det höga gräset. Kristian kände på den skamfilade ytterdörren, men den var låst.

– Här kan man gå in, ropade Sara som hade tagit sig runt huset. Hon stod framför en öppning där en bakdörr säkert hade suttit för länge sedan. Fast det känns inte direkt gästvänligt, muttrade hon och klev med viss möda igenom ett tjockt spindelnät.

– Vi måste vara försiktiga, varnade Kristian. Huset verkar helt fallfärdigt.

De klev in i något som kunde ha fungerat som vardagsrum. En soffa utan stoppning stod i ett hörn tillsammans med en trasig stol. Solen föll in genom en av gluggarna där fönster säkert hade suttit för länge sedan. Resterna av ett kök med luckor där all färg försvunnit och en sönderrostad spis. Längs en korridor låg några sovrum på rad utan möbler, förutom i ett där en gammal rostig järnsäng lämnats kvar. Ett badrum med nedfallna kakelplattor, ett sönderslaget handfat som hängde snett ut från väggen och en trasig toalettstol utan sits. När de tittat igenom huset såg Sara uppgivet på Kristian.

– Det här ser inte ut att ge några ledtrådar direkt, sa hon och slog ut med armarna.

– Nej, men vad hade du förväntat dig? sa Kristian.

– Det verkar inte bo nån i närheten heller, annars hade vi kunnat fråga grannarna.

Knappt hade Sara avslutat meningen förrän de hörde glada skall utanför och i nästa ögonblick rusade en cockerspaniel-liknande hund in i det gamla nergångna köket. Sara böjde sig ner och klappade den svansviftande hunden och strax därpå uppenbarade sig en äldre man i dörröppningen. Han var liten och krum och hade vitt hår under kepsen. Skägget var långt och lika vitt. Han såg ut som en riktig trollgubbe, tänkte Sara.

– *Buenos días*, hälsade han och såg tvekande på dem.

– *Buenos días*, sa de i kör.

– Vad gör ni här? Har ni köpt huset? Eller är ni spekulanter?

– Vi bara tittar oss omkring lite.

– Ja, jag bor en bit bortåt vägen och la märke till bilen. Har väl inte sett nån vid det här huset de senaste tio åren.

– Vet du vem som bodde här senast? frågade Sara.

– Ja, det var señor Gomez och hans familj. De bodde här för fyrtio år sen, men när han dog så flyttade frun och barnen. Efter det har huset varit obebott.

– För fyrtio år sen, sa du? sa Sara. Bodde du här då, på den tiden?

– Jag har bott i samma hus i sjuttiofem år. Det är mitt barndomshem. Jag föddes där och jag lär väl dö där också, sa gubben och flinade.

En glimt tändes i Saras ögon. Hon rafsade fram mappen ur sin bag. Det var dags att presentera sig.

– Jag heter Sara Moberg och är journalist, och detta är min

vän Kristian Wede från svensknorska konsulatet. Jag är svensk och han är norrman.

– Ramón Munoz, sa mannen och sträckte fram handen.

– Vi är här för att undersöka ett fall med en stulen bil och en försvunnen flicka för trettiofem år sen, fortsatte Sara. Minns du det? Det skedde i Soria. En bil som stals med en liten norsk flicka i baksätet som aldrig kom tillrätta. Men bilen hittades på den här tomten en vecka efter dådet.

Den gamle mannens ansikte mörknade.

– Visst kommer jag ihåg det. Polisen var här länge efteråt och letade efter både biltjuven och flickan. Men de fick aldrig tag i vare sig honom eller henne.

– Det var min syster, sa Kristian som öppnade munnen för första gången. Flickan som satt i bilen var min lillasyster.

– *Por Dios*, utropade mannen och rusade fram till Kristian, gjorde korstecknet och tog därefter hans händer i sina. Jag beklagar verkligen. Och flickan återfanns aldrig?

– Nej, polisen lade ner fallet ett år senare och sen dess har vi inte hört nånting. Jag har bott i Norge hela tiden, men flyttade hit till Gran Canaria ganska nyligen och lärde känna Sara här. Hon är ju journalist och har börjat nysta i saken för att försöka ta reda på vad som hände med min syster.

– Kanske är hon fortfarande i livet? utropade den gamle.

– Man vet aldrig, sa Kristian. Även om det inte verkar särskilt troligt.

– Och vad vi undrar nu, sa Sara och räckte fram tidningsurklippet till mannen, är varför det hängde blommor på den här dörren ett år efter händelsen, trots att huset redan då verkade obebott. Nån hade spikat upp de här blombuketterna på dörren. Har du nån aning om hur det kommer sig?

Mannen rättade till glasögonen på näsan och granskade artikeln. Han tog god tid på sig och när han läst klart tittade han upp på de bägge.

– Det var så tragiskt. Några bergsklättrare fann kvarlevorna efter en kropp nedanför stupet här. Det visade sig vara en ung man från Ayacata, jag tror han var i tjugoårsåldern, som varit försvunnen i ett år.

Sara kände hur hjärtat började slå snabbare. Ett år senare, det stämde precis.

– Minns du vad han hette? Han som hittades död.

Gubben såg ut att tänka efter, men skakade sedan på huvudet.

– Nej, det gör jag inte. Men nån i byn borde veta. Jag kan höra mig för om ni vill.

– Ja, tack gärna, sa Sara och klottrade ner sitt nummer på en lapp. Kan jag få ditt nummer?

– Jag kan lägga in ditt nummer så kan du ta mitt. Han drog upp en liten knallblå Samsung som såg ut att ha många år på nacken, knappade lite på den och räckte sedan fram den mot Sara. Lägg in ditt nummer, du. Sara Moberg, var det va?

– Det stämmer, sa hon och log. Imponerande uttal.

– Jag hade en svensk flickvän en gång. Mannen himlade med ögonen. Den kvinnan glömmer man aldrig. Hon satte sina spår. Jag tror de flesta män här på Gran Canaria nån gång har varit förälskad i en svenska. De vackraste kvinnorna på jorden.

En drömsk blick i hans ögon. Hunden stod vid dörröppningen och gnydde, ville uppenbarligen fortsätta promenaden med husse.

– Jag måste gå vidare med Maya nu, men jag ska lyssna i byn och se vad jag får fram. Jag har också jobbat lite som journalist i unga år och skrivit i lokaltidningen så jag är inte helt oäven.

– Så blommorna sattes upp för hans skull? frågade Sara. Den unge mannen.

– Ja, för att det var precis här han dog. Det var för att hedra hans minne.

60

Det var söndagsförmiddag och Sture kom gående genom det sömniga området Rocas Rojas. Det var ett tag sedan han var här och han kunde inte påstå att han var imponerad. Alla bungalows såg likadana ut, vita små hus med en gräsplätt framför och höga häckar runt om som skydd mot insyn. Då hade han och Lotta det mycket finare där de bodde i Puerto Rico. Det här var samma gångväg Linda tagit när hon gick hem ensam i natten den där olycksaliga kvällen. Han hade svårt att ta in att hon faktiskt var död. Det kändes som om det var alldeles nyss de hade suttit hemma hos dem och druckit cava innan de gick ut. Det var obegripligt. Och nu Fredrik, mördad i en kyrka på liknande sätt. Det var nästan så man började undra om det var en galning som ville ha ihjäl turister i största allmänhet, fast å andra sidan verkade det mera troligt att det var någon i bekantskapskretsen. Tanken sände en obehaglig ilning utefter ryggraden. Varför skulle annars Linda och Fredrik dö, som kände varandra? Han tänkte på stackars Benke och undrade hur han mådde. De skulle ha setts på Svenska baren för att hedra Fredriks minne, men Benke dök aldrig upp. Sture hade ringt honom flera gånger utan att få svar. Eftersom han inte hade lyckats få kontakt under morgonen heller hade han börjat bli orolig. Lotta hade tyckt att han var fånig och överdrev när han sa att han ville åka hem till Benke och kolla hur det var med honom, men han hade insisterat. Hon var bakis och ville inte följa med. Säkert hade han också druckit för mycket i går för att köra bil så här tidigt på dagen, men han hade struntat i det. Han måste ta reda på hur det stod till med hans vän.

Sture vek av in på den smala stigen som ledde till Benkes bungalow. Han kunde inte låta bli att undra om det var här Linda hade mött sin mördare. Det var obehagligt att tänka på. Han gick uppför trappan och kom upp på gräsmattan, såg direkt att bägge altandörrarna var igendragna. Det var soligt och varmt och hade Benke varit hemma hade de med all säkerhet stått öppna. Han såg sig omkring. Inte en kotte, förutom en svart katt som satt en bit bort och slickade tassarna i solen. På terrassen stod en askkopp och en ensam kaffemugg. Han kände på altandörren, den var upplåst. Tryckte ner handtaget och öppnade.

En stank av avföring och urin slog emot honom. Den var så stark att han ryggade bakåt. Så hörde han någon som gnydde. Sture skyndade in och synen som mötte honom gjorde att han fick kväljningar. Där låg Benke, fastsurrad till händer och fötter med munnen igentejpad. Han var blodig och blåslagen.

Hans förtvivlade blick mötte Stures.

– Vad i helvete har du råkat ut för? utbrast Sture.

För första gången sedan Linda mördades kände han sig riktigt, isande rädd.

61

Valeria satt och plockade med sin mjukisgiraff utan att säga något. Kristian växlade upp och strök henne över det mörka håret som lockade sig i nacken. Han hade precis hämtat upp henne utanför musikskolan, där hon gick på söndagsförmiddagar för att lära sig spela gitarr. Hon hade kommit ut hand i hand med sin lärare, men inte lika glad som vanligt. Hon hade inte sprungit mot honom och slängt sig runt hans hals som hon brukade.

De hade klivit in i bilen, han hade böjt sig över henne och knäppt fast säkerhetsbältet. I vanliga fall damp hon glatt ner på sätet och drog bältet över sig, fäste det och tittade nöjt på honom. Men nu satt hon bara stilla, tummen och pekfingret runt ett av giraffens glasögon, snurrade det mellan fingrarna. Hon hade tankarna någon helt annanstans.

– Hur var det i skolan? frågade Kristian.

Valeria tittade ut genom fönstret innan hon böjde sig mot cd-spelaren och höjde volymen. Ur högtalarna sjöng den norska sångerskan Ane Brun. Hon såg på honom, de mörka ögonbrynen samlade sig i en djup rynka i pannan. Kristian kunde inte göra annat än att dra på munnen åt hennes uppsyn.

– Vad sjunger hon på för språk? frågade Valeria.

– Det är på engelska fast hon egentligen är norsk.

Kristian var glad att hon bestämt sig för att säga något.

– Vad handlar låten om?

Hon kröp närmare, den varma lilla kroppen lutade sig mot honom. Kristian lade en arm runt henne.

– Den handlar om att tycka om varandra.

Hon log snabbt innan hon blev allvarlig igen och tittade ner i knäet.

– En pojke i skolan sa att jag ser konstig ut.

Kristian kände en klump i halsen och hans blick blev suddig. Han visste inte vad han skulle säga. Han märkte att Valeria tittade upp på honom med händerna hårt knutna runt gosedjuret.

– Strunta i vad han säger, det finns såna som är dumma och dem ska man inte lyssna på.

– Jag blev ledsen.

– Han ville nog bara retas. Bry dig inte om det. Du är jättesöt, tro inte nåt annat.

Kristian klappade henne försiktigt på kinden. Han tyckte så fruktansvärt synd om henne, men visste inte vad han skulle göra för att trösta.

– Ska vi åka en sväng, bara du och jag? föreslog han. Vi struntar i att åka hem.

Valeria såg frågande på honom, sa ingenting, men nickade. De hade hela eftermiddagen och kvällen på sig. Han skulle ta med Valeria till Soria, till platsen där hans syster försvann. En utflykt upp i bergen, det skulle hon tycka var roligt.

– Då gör vi det, log Kristian. Vi åker till en liten by i bergen. Han sträckte sig efter en flaska vatten och gav den till Valeria.

– Det är långt dit, vi behöver lite att dricka när det är så varmt.

Valeria satt och fingrade med korken. Kristian kände en lättnad, det verkade som om hon fått något annat att tänka på.

Han öppnade fönstret och kände den svalkande vinden mot ansiktet. Valeria gillade inte luftkonditionering, hon tyckte det luktade illa. Som i pappa Miguels garage, sa hon. Han tittade bort på Valeria, hon gjorde samma sak, rullade ner fönstret på sin sida, slöt ögonen och lät vinden leka med håret. Länge satt de så, det var bara vinden, musiken och ett trivsamt lugn mellan dem. Det slags tystnad som gör att två människor kommer närmare varandra. Han kände hennes hand ta tag i hans skjortärm medan han körde.

De tog motorvägen förbi flygplatsen, avfarten till San Agustín. Kristian tänkte på mordet på Linda Andersson i det lugna bostadsområdet bakom den svenska kyrkan. Omedvetet sänkte han farten, lät bilar bakom köra förbi. För de flesta fortsatte livet, de åkte till stranden, pratade med någon de brydde sig om, väntade till dagen efter med att göra något de borde gjort på en gång. Han vände sig mot Valeria som hade krupit upp i sätet och satt på knä med huvudet ut genom fönstret. Han tänkte ett ögonblick på om han skulle säga till henne att hon måste sätta sig ordentligt. Det var säkert så föräldrar gjorde, höll koll på sina barn, såg risker innan det blev farligt, vidtog försiktighetsåtgärder. Var överdrivet beskyddande, för man kunde ju aldrig veta. Men han lät henne hållas.

Hon vände sig mot honom, händerna klamrade sig fast vid dörren som om hon var rädd att vinden skulle få tag och blåsa bort henne.

– Var det nån som tyckte att du var konstig när du gick i skolan?

– Ja, svarade Kristian. När jag var lika gammal som du blödde jag mycket näsblod. Jag blev retad för det.

Valeria gav honom en outgrundlig blick och sjönk tillbaka ner i sätet.

– Blev du ledsen då?

– Ja, jag ville inte vara annorlunda. Jag ville helst vara precis som alla andra.

Kristian tog av ner mot Meloneras, fortsatte på den kurviga gamla vägen längs kusten. Valeria lyste upp så fort de körde förbi Pasito Blanco och hon fick syn på havet som bredde ut sig nedanför. Han hade kört vägen ett flertal gånger tidigare, men varje gång blev han överväldigad av hur vackert det var. Det torra, jordiga landskapet som sträckte sig ner mot vattnet.

– Visst är det fint?

Valeria nickade medan hon bet sig i läppen.

Kristian tänkte på sin syster. Nu var de på väg till platsen där hon försvann. Han och Valeria. Utflykten till Ayacata med Sara dagen före hade satt igång en massa tankar hos honom. Den unge mannen som hittats död i ravinen nedanför ödehuset ett år efter incidenten med rånet av bilen. Kunde det finnas något samband? Mannen som stulit bilen hade varit yngre, det trodde han åtminstone, även om han bara sett honom bakifrån när han stod där vid vägkanten med sin glass. Och allt hade hänt så snabbt. Några flyktiga sekunder som förändrade livet totalt för hela deras familj.

De körde nerför berget och passerade den lilla kustorten El Pajar. I rondellen stod en staty av en urinvånare från ön. Kristian tog till höger, mot Soria.

Landskapet ändrade karaktär och färg ju längre upp i bergen de kom, dalar där plantor och träd sträckte sina gröna grenar upp mot den blå himlen. De körde förbi enstaka hus längs bergssidan, citronträd och papaya växte längs sluttningarna.

– Det luktar annorlunda här, sa Valeria med huvudet ut genom fönstret.

Det var väl därför hans föräldrar hade hyrt bil och kört upp i bergen, tänkte Kristian. För att uppleva ett annat Gran Canaria. Hur hade det varit om de aldrig hade gjort den där utflykten den där dagen? Då hade han haft en syster. Han tittade på Valeria när en bil passerade dem på den smala vägen. Hennes hår var mörkt och tjockt, det lockade sig längst ner som om det lekte på hennes huvud.

– Vad vill du bli när du blir stor? frågade han.

– Djurskötare, kom det direkt från henne. Jag vill jobba med djur, giraffer. Ge dem mat och se till att de inte blir sjuka.

– Det låter bra, svarade han och tänkte på vad hans syster kunnat bli om hon hade levt. Plötsligt kändes det som om han stod vid en avgrund och tittade ner. Han hade aldrig tänkt tanken förut, aldrig reflekterat över att hans syster skulle ha vuxit upp, haft ett yrke, att de skulle ha delat erfarenheter, pratat om saker som intresserade dem. Musik de lyssnat på, böcker de läst, bilsemestrar om sommaren. Han kände hur ögonen tårades.

– Pappa, gråter du?

Kristian tog sig samman.

– Det är bara vinden, sa han.

Valeria såg på honom som om hon inte riktigt trodde på det. Han log mot henne.

– Då kanske jag kan komma på besök och hälsa på alla djur du tar hand om.

– Klart att du får det. Men då måste du resa ända till Afrika för det är där girafferna bor.

Kristian svängde upp till Soria och parkerade ovanför den lilla restaurangen där han och Sara hade suttit när de åkte hit förra året.

– Har de glass här? frågade Valeria och öppnade bildörren och hoppade ut.

Otåligt stod hon och väntade på att Kristian låste bilen.

Några minuter senare satt de på trottoaren utanför kiosken, Kristian sneglade på Valeria. Hon hade en glasspinne i handen, glassen rann ner över hennes haka och droppade på tröjan.

– Vill du ha lite papper? frågade Kristian.

Valeria såg oförstående på honom.

– Nej, behöver jag det?

– Kanske inte.

– Tänk om vi träffar en hund, då kan den slicka mig i ansiktet. Det kittlas på ett kul sätt.

Kristian skrattade och rufsade henne i håret. Han tittade bort över grusvägen som gick förbi dem. Funderade på varför det hade hänt just här. Soria var en ganska öde plats uppe i bergen. Det fanns förvisso en del turister, många som cyklade i bergen brukade rasta i den lilla byn och flera vandringsleder utgick därifrån, men det var ändå ett udda ställe att stjäla en bil på. Hade mannen som tog bilen pratat med henne? Vad hade han gjort med henne? Visste han att hon satt där bak, blev hon sittande utan att säga något? Hade hon varit rädd?

– Vad tänker du på? frågade Valeria och torkade sig runt munnen med tröjärmen.

– Ingenting speciellt, svarade Kristian och lade armen runt henne, drog henne intill sig.

– Jag tänker på glass, sa Valeria och höll upp den rena glasspinnen så att han skulle se.

Kristian log, medan ögonen tårades igen.

– Nu tänker jag också på glass helt plötsligt.

Valeria gav honom en hård kram.

62

Sara hade kommit hem från utflykten i bergen ganska sent på lördagskvällen och Lasse hade inte varit hemma. Hon hade umgåtts med barnen, de hade beställt hem pizza och tittat på teve. När hon vaknade var Lasse inte där. Hade han ens kommit hem under natten? Tanken på att han kanske hade tillbringat den med Luísa fick henne att må illa.

Medan barnen fortfarande sov tog hon en rask promenad vid havet. Tankarna snurrade i huvudet. När hon kom hem igen stod Lasse vid köksbänken och höll på att göra färskpressad apelsinjuice. Radion var på och det doftade kaffe.

– God morgon, sa han och såg prövande på henne. Eller god förmiddag kanske jag ska säga. Jag var ute och sprang en runda i morse. Tänkte bjuda dig på en ordentlig frukost.

Nu såg hon att han plockat fram både ägg, tomater och skinka och att stekpannan stod på spisen. Uppenbarligen höll han på att laga sin goda omelett.

– God morgon, tack, sa hon. Det var snällt.

Han tittade upp från sina bestyr och såg forskande på henne.

– Är du okej?

– Långt ifrån om jag ska vara ärlig.

Hon fick god lust att berätta för honom om hur vilsen hon kände sig, om oron för vad som skulle komma att hända nu, chocken över att han var förälskad i en annan, svartsjukan när hon tänkte på honom och Luísa, om sina känslor för Ricardo, men det kanske var bäst att vänta. Hon ville inte forcera fram några förhastade beslut. Han hade sagt att han var förvirrad, och i ärlighetens namn visste hon inte om hon vågade fråga honom om hans tankar om framtiden. Hon var inte säker på om hon var redo för svaret.

Hon betraktade honom när han stod där och ordnade med frukosten. Så trygg och pålitlig, mån om familjen, mån om henne. Allt som hon tagit som självklarheter var med ens som bortblåst. Samtidigt kanske utvecklingen var oundviklig. Det fanns knappt något kvar av attraktion eller lust. De var som ett par gamla, goda vänner. Det kanske var dags nu, tid att gå vidare för dem bägge två. Barnen var nästan stora, de hade fullt upp med sina egna liv och skulle klara sig bra. Hon och Lasse var inte lika betydelsefulla längre.

Plötsligt kände hon en häftig längtan efter att träffa Ricardo. Hon gick ut ur köket och upp i sovrummet. Skickade ett sms och frågade om de kunde träffas. En stund blev hon sittande där på sängen, fantiserade om att hon vaknade tillsammans med Ricardo, att de gick ner i köket och åt frukost ihop. Att hon fick gå och lägga sig med honom varje kväll. Hon avbröts i sina dagdrömmerier av att telefonen ringde. Blev förvånad när hon såg numret på skärmen. Det var Ingrid på Rocas Rojas.

– Du kan inte ana vad som har hänt.

Väninnan hade gråt i rösten.

– Vad är det som står på? frågade Sara.

– Det är Bengt Andersson. Han har hittats bunden och misshandlad i sin bungalow. Han hade tydligen legat där länge.

63

Kristian tog det tomma vattenglaset och fyllde det vid handfatet. Endast strimmor av ljus hittade in genom de nerdragna persiennerna. Det var kvavt i rummet, luftkonditioneringen fungerade inte och fönstren gick inte att öppna. Han hade precis förklarat för vårdavdelningens personal att han kom från konsulatet, att han var där för att Bengt Andersson var svensk medborgare och att hans jobb var att assistera skandinaver som på ett eller annat sätt behövde hjälp.

Quintana hade ringt och berättat att Linda Anderssons nyss frisläppte make hade hittats misshandlad och svårt uttorkad i sin bungalow och att han troligen legat fastbunden i flera dygn. Kristian hade fått stränga förhållningsorder om att inte prata med Sara om misshandeln. Fallet var alltför känsligt och det kunde skada utredningen om uppgifterna spreds i medierna i detta tidiga skede. Polisen måste först och främst få en chans att höra Bengt Andersson. Enligt sjukhuset skulle han inte kunna förhöras på hela dagen, men Kristian hade släppts in eftersom han kunde innebära en trygghet för Bengt när han vaknade. Kristian hade varit tvungen att snabbt köra tillbaka från Soria och lämna Valeria till hennes mamma som inte varit glad över att behöva ändra sina planer, men det kunde inte hjälpas.

Nu satt han där i det instängda sjukrummet och betraktade Bengt Andersson. Han såg rent ut sagt förjävlig ut. Ansiktet var uppsvullet till nästan oigenkännlighet och han hade ett bandage över ena ögat. I hans arm satt ett dropp. När han vaknat en stund tidigare hade en sjuksköterska tagit hand om honom och sedan gett klartecken att Kristian kunde prata med honom en liten stund. Kristian hjälpte till att stötta upp Bengt med några kuddar bakom ryggen och höll upp vattenglaset mot hans spruckna läppar.

Bengt drack tacksamt och lutade sig tillbaka mot kudden med en grimas. Läkaren hade förklarat för Kristian att Bengt inte fick anstränga sig mer än nödvändigt då två brutna revben pressade mot lungorna.

– Hur mår du? började Kristian men ångrade sig i nästa sekund. Dum fråga.

– Inte bra, stönade Bengt. Mosig i huvudet av smärtstillande och har ändå ont i hela kroppen.

– Såg du vem som attackerade dig?

– Nej, den jäveln var maskerad med en sån där strumpa över huvudet.

– Vad hände?

– Jag var hemma och höll på att brygga kaffe. Altandörrarna stod öppna och nån måste ha tagit sig in. Plötsligt fick jag ett slag i bakhuvudet och sen minns jag bara att jag försökte försvara mig, men jag hade inte en chans. Han var större och starkare än jag, det är allt jag vet.

– Och hur slutade det hela?

– Jag måste ha tuppat av. När jag kvicknade till låg jag fastbunden på golvet. Min mun var förtejpad så jag kunde inte skrika, kunde inte röra mig överhuvudtaget faktiskt.

– Och när hände detta?

– I onsdags kväll.

Kristian rynkade pannan.

– Så du menar att du låg där i över tre dygn? Det är ett jäkla mirakel att du överlevde.

Bengt nickade matt.

– Det är en annan sak jag måste berätta. När jag kom hem från fängelset hade nån placerat ett fotografi av Linda i köksfönstret. Det var taget för länge sen, innan hon och jag träffades. Hon såg så glad ut på bilden, hon skrattade med hela ansiktet. Bengt darrade till på rösten och strök bort en tår ur ögonvrån. På baksidan hade nån skrivit *Innan du kom*. Jag tänkte …

– Ja? sa Kristian.

– Axel har alltid beskyllt mig för sin dåliga relation med sin mamma. Och efter mordet … Han kanske tror att det var jag.

– Så du menar att det kan ha varit han som misshandlade dig?

Bengt skakade långsamt på huvudet.

– Jag vet ingenting längre.

64

Sara körde utmed den vackra kustvägen som slingrade sig längs bergskammen mellan Arguineguín och Puerto de Mogán. Hon spelade Ted Gärdestad på högsta volym och just nu var det passande nog Sol, vind och vatten som hon sjöng med i för full hals. Hon var på väg till den lilla hippiestranden utanför Playa del Cura. Att platsen hon valt var sällsynt romantisk och låg avskilt var ingen slump. Restaurangen var enkel och låg precis vid havet. Dessutom var risken liten att hon skulle stöta ihop med någon hon kände.

Innan hon åkte hade hon hunnit påbörja en artikel om misshandeln av Bengt Andersson. Polisen var förtegen, det enda Quintana ville säga var att Bengts tillstånd var stabilt, och Kristian hade bara berättat att han var på väg till sjukhuset. Ingrid hade gått med på att låta sig intervjuas, men Sara hade bestämt sig för att låta Hugo ta det. Hon lät alltid jobbet gå först, och kanske var det en av anledningarna till att hon befann sig i den här situationen. Nu tänkte hon för en gångs skull sätta sig själv i första rummet.

Ricardo hade tackat ja till en sen lunch och även om de hade känt varandra så kort tid hade hon bestämt sig för att det var lika bra att kasta sig ut i det okända. Lasses besked om att han var förälskad i en annan drev naturligtvis på. Livet var ändå fullständigt uppochnervänt.

Han stod och väntade på henne när hon parkerade på den knaggliga stenstranden utanför restaurangen. Han var några minuter tidig. Ivrig kanske, angelägen om att få träffa henne.

– *Hola, buenos días*, hälsade han och gav henne två lätta kindpussar. Jag kom alldeles nyss.

Han drog ut hennes stol och hon satte sig, hoppades att nervositeten inte skulle märkas.

– Vad roligt att jag får se ett nytt ställe på min egen ö, sa han och log brett. Trots att jag är född och uppvuxen här har jag faktiskt aldrig satt min fot på den här restaurangen.

Han slog ut med armen mot den rofyllda lilla bukten.

Sara nickade igenkännande.

– Är det inte alltid så att man blir hemmablind? Som turist upptäcker man gärna varje vrå av den ort där man tillbringar sin semester. De bofasta däremot går i sina invanda spår.

– Så är det nog, svarade Ricardo. Men berätta mer om dig. Hur kommer det sig att du hamnade just här på Gran Canaria?

De beställde dagens nyfångade fisk, sallad och vitt vin. Ett litet glas kunde hon dricka, kanske skulle de kunna ta hans bil sedan och låta hennes stå ... Hon kunde alltid hämta upp den efteråt. Han var lätt att prata med, och det bubblade ur Sara. Hon berättade om sina ungdomsår i Sverige, om journalistutbildningen, om längtan till värme och sol. Om sista minuten-resan som oväntat permanentades. Hon utelämnade Lasse och barnen däremot, äktenskapet hörde inte hit och det var skönt att leka singel, även om det bara var ett skådespel. Ricardo lyssnade intresserat. Maten kom in, träkolsgrillad svärdfisk med en citronhalva, sallad på tomater, baguette i stråkorg. Den enkla måltiden smakade underbart och det välkylda vita vinet kylde strupen på ett angenämt sätt.

Sara studerade Ricardos händer medan han pratade. Hon hade lagt märke till det från första dagen, hur känsliga de hade verkat, både starka och samtidigt eleganta. Hon var väldigt svag för vackra händer, hade alltid varit det. Även i dag bar han armbandet med de cylinderformade stenarna.

– Berätta om din familj, sa hon.

Han började berätta om sin mor och far, om syskonen, om kärleken till musiken som funnits där sedan han var en liten pojke. Hon lyssnade intensivt samtidigt som hon inte kunde sluta tänka på nästa steg. Maten var snart uppäten, hon längtade efter en kaffe, men ville samtidigt inte avbryta Ricardo medan han pratade. Borde hon fråga något om hans relationer och därmed leda in samtalet på det spår hon ville? Men det var som om han skickligt undvek sådana ämnen. För en sekund greps hon av tvivel.

En man som Ricardo. Troligen hade han många kvinnor i sin omgivning som trånade efter honom. Förhoppningsvis hade han tröttnat på obildade småflickor som enbart var vackra på ytan men som inte hade något intellekt att skryta med. Möjligen var han en sort som attraherades av mogna kvinnor ... Inte för att han var purung, han var trettionio, men det skilde ändå tio år mellan henne och honom.

Hon ordnade till håret, log varmt. Mötte hans blick.

Män tyckte om när kvinnor tog initiativ.

Hon tog ett djupt andetag, räknade till tre.

Höjde handen.

Hon skulle röra vid honom, sedan böja sig fram och berätta om sina känslor. Sedan var det upp till honom att ta vid.

Hon sträckte fram handen och han lyste upp, ögonen glittrade till. Munnen drogs upp i ett brett leende men istället för att ta hennes hand som var på väg mot hans reste han sig hastigt från stolen och vinkade mot någon.

Sara frös till.

Så opassande att en bekant till Ricardo skulle dyka upp just nu.

Hon ordnade till anletsdragen, anlade en neutral min.

Vände sig om.

Den unga kvinnan som kom emot dem var slående vacker, en

riktig kanarisk skönhet. Hon var klädd i en blommig klänning och det tjocka långa håret hade hon samlat i en lös fläta. Hon log glatt med två snövita tandrader och ropade en ramsa på smattrande spanska. Först förstod inte Sara riktigt vad som hände. Ricardo lade ifrån sig servetten och skyndade henne till mötes, tog henne i sin famn, kysste hennes vackra mun.

Sedan tog han hennes hand och ledde henne till bordet.

– Sara, får jag presentera Marcela, min fästmö, sa han med en röst fylld av stolthet.

Sara reste sig, stum i kroppen. Marcela kindpussade henne och en doft av jasmin och vanilj nådde Saras näsborrar.

I samma sekund förvandlades Sara till en stel robot.

– Förlåt att jag är lite tidig, sa Marcela. Jag blev klar snabbare med min tentamen. Att de håller på med sånt på söndagar, det är inte klokt.

Hon skakade på huvudet och satte sig ner.

– Marcela studerar till läkare, förklarade Ricardo. Vill du ha ett glas vin, *mi amor*?

Hon satte sig på den lediga stolen, hängde handväskan över stolsryggen.

– Gärna, sa hon. Men låt mig inte störa.

– Du stör absolut inte, skyndade sig Sara att säga. Jag skulle just fråga Ricardo om kvinnan i hans liv.

– Här står hon, bekräftade han. Vi ska gifta oss i höst.

65

Kristian Wede och Diego Quintana svängde in på parkeringen nere vid havet i den lilla blåsiga kustorten Pozo Izquierdo. På restaurangen intill satt gästerna och beundrade surfarnas halsbrytande manövrar medan de åt lunch.

– Han är säkert en av de där, sa Kristian.

– Kanske, sa Quintana. Han svarar inte i telefon. Men vi kollar lägenheten i alla fall.

Quintana hade ringt Kristian och velat att han skulle följa med honom och prata med Lindas son eftersom de träffats tidigare. De lämnade havet bakom sig och gick bort mot fastigheten där Axel Malmborg bodde i en lägenhet tillsammans med sina vänner. De ringde på flera gånger utan att få svar. Avvaktade några minuter.

– Vi går in, sa Quintana och plockade fram en dyrk ur innerfickan som han satte i låset. Det gick upp med en knäpp. Busenkelt, sa kommissarien med ett snett leende. Dörrarna här är ett skämt.

Lägenheten var stökigare än senast. I hallen låg smutsiga kläder i högar på golvet bland gamla tidningar, surfingbrädor och våtdräkter. Det luktade bränt kaffe av en bryggare som stått på för länge.

– Hallå? ropade Kristian. Är det nån hemma?

Inget svar.

– Herregud, vilket ställe, viskade Quintana när han kom in

och fick se takhöjden, utsikten mot havet och de enorma rummen.

De gick åt olika håll i den stora våningen. Kristian tänkte att han kanske borde haft ett vapen, men fick förlita sig på att Axel inte skulle vara våldsam om de nu fann honom. Han smög försiktigt längs korridoren med en rad stängda dörrar. Han gissade att det var sovrum. Han öppnade den första dörren och tittade in i ett rum med en obäddad säng, några vindsurfingaffischer, en bokhylla och ett rangligt skrivbord. Han gick in och öppnade garderobsdörren, tittade under sängen. Ingen där. Nästa rum var också tomt. Den tredje dörren var låst. Kristian lade örat mot den och lyssnade, men kunde inte höra någonting. Ingen befann sig varken i det sista sovrummet eller i badrummet längst nere i korridoren som hade ett enormt upphöjt badkar i mitten. Efter att ha kollat in i den lilla bastun skyndade Kristian tillbaka genom lägenheten. Quintana var just på väg från andra hållet.

– Har du hittat nåt? frågade han. På den här sidan finns inte en människa.

– Nej, ingenting, sa Kristian. Fast ett av sovrummen är låst. Kan du hjälpa mig?

– Visst.

De gick tillbaka till korridoren och det tredje sovrummet. Quintana prövade att knacka. Ingen reaktion. Återigen plockade han fram dyrken och började lirka.

– Den är låst på insidan, viskade han till Kristian. Det här blir lite trixigt.

Kristian höll andan, nerverna var på helspänn. Quintana arbetade en stund och plötsligt klickade det till. Låset gick upp.

Långsamt öppnade Quintana dörren. Först såg de det stora fönstret med ett bord framför. Sedan sängen, obäddad med ett tjockt, fluffigt täcke. Någon låg där och snarkade lätt. Någon som uppenbarligen sov så djupt att deras knackningar inte gått fram. Ett blont, tjockt hår, en bar axel. Quintana lutade sig fram och skakade lite på axeln.

– Hallå, kan du vakna? frågade han.

En hand stack ut ur täckbolstret och sträcktes mot honom. En mjuk kvinnohand.

– Det är polisen, sa Quintana.

Det tog några sekunder, sedan reste sig kvinnan upp i sittande ställning och tittade yrvaket på de bägge männen som stod vid sängkanten.

– Vad sker? sa hon på klingande norska.

Kristian bara stirrade på henne utan att få fram ett ord.

Kvinnan i sängen var ingen mindre än Fredrik Grens hustru Hanne.

66

Sara hade aldrig känt sig så dum. Hon hade tagits fullständigt på sängen av att Ricardo hade en fästmö. Och vilken fästmö sedan. Vilken idiot hon var. Vad hade hon inbillat sig? Att han skulle vara intresserad av en medelålders, lätt överviktig kvinna med gråa hårstrån, rynkor och läsglasögon när han kunde få en sådan skönhet? Pinsamt var ordet.

Hon trampade gasen i botten, lade i en högre växel. Bilen löd henne i kurvorna, trots att hon körde alldeles för fort. Hon kunde knappt koncentrera sig på vägen, såg bara scenen hon nyss genomlevt framför sig, om och om igen.

Hon hade precis varit på väg att lägga sin hand på hans. Varit på vippen att böja sig fram och viska det hon tänkt på hela lunchen.

Vilken ohygglig tur att hon hejdat sig i sista sekunden.

Efter att Ricardos flickvän oväntat dykt upp hade Sara suttit kvar vid bordet och ansträngt sig för att se glad och intresserad ut, medan chockvågorna böljade genom henne. För att inte börja hyperventilera hade hon pratat mer än hon brukade, frågat ut Marcela om hennes studier och låtsats som om hon hela tiden vetat om att Ricardo levde i en relation. I själva verket mådde hon illa och lunchfisken hotade att komma upp. Den enkla restaurangen hon från början tyckt varit så mysig föreföll plötsligt billig och påver. Hon ångrade hela sitt tilltag, hur naiv kunde man vara? Och hon skulle fylla femtio ... men det var väl just det. *Carpe diem*, utropade alla jämt och ständigt, man ångrar bara det man inte gjort!

Hur kom hon ens därifrån? Hon hade ursäktat sig med att hon måste tillbaka till redaktionen, att hon hade en viktig deadline, men undrade om Ricardo inte genomskådat henne ändå. Den nyinköpta klänningen var urringad och hon hade sminkat sig mer än vanligt. Lika nöjd som hon varit när hon stått och snurrat runt framför spegeln, lika misslyckad kände hon sig nu. Helst hade hon velat slita av sig den löjliga klänningen. Hon skämdes för att hon gjort sig till helt i onödan.

Vad hade hon hoppats på? Att Ricardo skulle bli så golvad av hennes utstrålning att han skulle tappa kontrollen ... bjuda hem henne ... Så fruktansvärt patetiskt.

– Då ses vi nästa lektion som vanligt, hade Ricardo sagt till avsked.

Hon hade nickat, inom sig tvärsäker på att hon aldrig mer ämnade spela piano. Några fler lektioner skulle det definitivt inte bli. Hon hade ljugit nog för sig själv, vad trodde hon? Att hon skulle spela Köp varm korv på familjefesterna?

Sara undrade vad Ricardo och hans flickvän sa till varandra efter att hon skyndat därifrån. Om Marcela undrat. Kanske hade de till och med skrattat åt henne.

Hon ville för allt i världen inte åka hem, kunde bara inte träffa familjen i det här upprivna tillståndet och försöka låtsas som ingenting. Om inte Lasse smugit iväg till hotellet för att träffa Luísa förstås. Herregud, hennes liv hade på en sekund förbytts i totalkaos.

Hon visste knappt hur hon kom till San Agustín. Var inte medveten om att hon parkerade bilen. Hon tog sin handväska, slängde igen dörren efter sig och tog sig till närmaste bar. Sjönk ner på en av de tomma stolarna vid disken.

– Vad får det lov att vara?

Den unge bartendern såg vänligt på henne och hon ville mest bara gråta. Men hon bet ihop.

– En whisky, sa hon och försökte låta stadig på rösten.

– Nån speciell sort?

– Famous Grouse blir bra.

Han nickade, vände sig sedan om för att ta ett av de låga glasen.

– Is?

– Ja tack.

Hon tog en djup klunk av den bärnstensfärgade alkoholen, lät dess eldtunga slicka strupen inifrån. Värmen spred sig i kroppen, ett slags omedelbar kemisk tröst som steg åt huvudet och dämpade hjärtats nervösa vibrationer. Hon drack ännu en klunk och tänkte att hon skulle låta bilen stå.

– Haft en bra dag hittills? undrade bartendern artigt.

Hon ryckte på axlarna, hade ingen lust att prata. Det var en usel dag, en riktig skitdag, men vad visste denne vackre unge man om hur livet såg ut för en kvinna som hade de bästa åren bakom sig? Och att tvingas lyssna på hans ytliga klichéer skulle bara göra saken värre. Han verkade förstå att hon inte var på kommunikativt humör, log därför svagt och vände sig sedan om för att ställa saker i ordning bakom bardisken.

Sara fortsatte att dricka, tacksam för att ångesten över den misslyckade lunchen slipades av i takt med att hon blev berusad. Så hade hon då hamnat här, hon också. Hon hade kanske inte trott det, trots att det bevisligen drabbade så många kvinnor. Sorgen över att inte längre vara ung, förlusten av attraktionskraft. Att männen inte tittade på henne som förr. Åldern gör kvinnor osynliga, hade hennes mor sagt en gång och Sara hade tänkt att hon hade fel, en vacker kvinna var väl attraktiv livet ut?

Hon såg på sin hand som höll whiskyglaset. Bartendern stod med ryggen mot henne och putsade glas. Belysningen var inte den bästa, ändå kunde hon konstatera att hennes händer förändrats. Det hade hon inte tänkt på tidigare. Handryggen såg rynkig ut och dessutom hade det dykt upp flera mörkare små fläckar. Hon lyfte handen så att hon kunde se bättre, drog med högra pekfingret över knogarna. Det här var inte en ung kvinnas hand, tvärtom. Hon sträckte ut den framför sig, vände och vred lite på den, tyckte inte om det hon såg.

Hon tömde glaset i ett svep och beställde en whisky till.

Det var lika bra att gå in i dimman.

67

Förhörsrummet var kvavt och instängt. Det hade hunnit bli eftermiddag. Fortfarande hade inte Axel Malmborg lokaliserats. Ingen tycktes veta var han befann sig. Inte ens Hanne. Diego Quintana slog på bandspelaren, kastade en blick på Kristian och sedan på den uppenbart nervösa, nästan vithåriga norskan på andra sidan bordet.

– Du och Axel Malmborg har alltså ett förhållande?

– Ja, sa hon svagt och nickade.

Tårarna steg omedelbart i hennes ögon och hon plockade fram en pappersservett ur fickan på klänningen.

– Hur länge har det pågått?

– Ja, jag vet inte ... i några år.

Quintana höjde på ögonbrynen.

– Några år? upprepade han. Grabben är ju bara tjugotvå.

– Jag vet, suckade Hanne. Vi träffades förstås genom Linda och Bengt. Jag var hemma hos dem och Axel kom dit. På den vägen var det.

– Kände Fredrik till det här?

– Han anade kanske, men vi pratade aldrig om det. Vi hade ett ganska ... öppet förhållande.

– Och Bengt och Linda? Visste de?

– Ingen visste. Utom Stubben och Lotta. De kom på oss en gång, men jag bönföll dem att inte berätta det för nån.

Kristian gned sig om hakan. Var det därför paret hade verkat så hemlighetsfullt när han hälsade på dem i Puerto Rico? Han hade känt på sig att det var något de höll inne med.

– Och när träffade du Axel senast?

– I onsdags, dan innan Fredrik mördades.

Hanne snyftade till och gömde ansiktet i servetten.

– När träffades ni?

– Vi sågs hemma hos honom i Pozo. Jag åkte hem för att ta kvällsskiftet.

– Märkte du nåt särskilt med Axel? Eller sa han nåt speciellt som du reagerade på?

– Nja, han var arg. På Benke och på Fredrik. Och på mig också för den delen. Han ville att jag skulle berätta om oss, att jag skulle skilja mig.

– Varför var han arg på Bengt och på Fredrik?

– Jag fattade det som att han var arg på Benke därför att han tyckte att han hade förstört så mycket.

– Fredrik då?

– Därför att han inte tyckte att Fredrik förtjänade mig. För att min man gillade att ligga runt.

Hanne tystnade och fick något outgrundligt i blicken.

– Hur hade du och Fredrik det egentligen?

– Ärligt talat, inte alls bra. Vi hade glidit ifrån varandra mer och mer. Vi jobbade tillsammans, drev företagen ihop, men mer var det inte. Det var så mycket som kom emellan oss.

– Nåt mer, menar du? Utöver det faktum att ni båda hade relationer vid sidan om?

– Äsch, det var inget.

Hanne såg ner på sina händer.

Quintana skärpte blicken.

– Vad?

– Nej, det är inget särskilt. Vi kom ifrån varandra bara.

– Är du helt säker? Allt är av intresse för utredningen, minsta detalj kan vara viktig.

– Bara allmänt äktenskapligt tjafs. Man har olika åsikter bara, så är det ju.

Kristian och Quintana växlade blickar. Uppenbarligen var det något som Hanne inte ville berätta.

68

Jag är ensam, precis som jag vill vara. Jag spänner högerhanden, knyter näven. Impulsen fortplantar sig uppåt, till min biceps, och jag ser ner på armens kraftfulla linje. Det är bra. I mig bor styrkan, smidigheten, energin. Det gäller bara att använda den rätt. Mina förfäder visste hur de bäst skulle ta tillvara på sina resurser. Nu har arvet gått vidare till mig och jag vet att jag måste förvalta det rätt. Allt som sker har en mening.

Jag ska strax förbereda mig för strid igen. Det finns ingen återvändo. Det är dags att slå tillbaka, en gång för alla. Jag har skalat av mig min vardagsskrud, den som gör mig till en individ bland andra, den som gör att jag obemärkt kan röra mig i verkligheten, utan att väcka misstankar. Ingen kan ana vem de möter när de passerar mig i snabbköpet, utanför caféerna, på torget. Medvetet smälter jag in, blir ett med den anonyma massan. Ingen ser vad som döljer sig under ytan. Jag fattar tag i den trasiga kolbiten som ligger på avsatsen framför mig, doppar den i färg och börjar omsorgsfullt måla mitt ansikte.

Färgen förvandlar mig. Jag låter det svarta markera konturerna av mina kindben, sotar ner huden, precis som så många före mig har gjort. Därefter är det dags för rött. En färg som symboliserar eld, där jag målar den med breda streck i mitt ansikte. Ockra och gult kommer sedan. Medan jag stryker på färgen skärps mina sinnen.

Slutligen den vita färgen. En symbol både för seger och för

kraftens helande makt. Frihet. Efter att jag målat ansiktet är det kroppens tur. Jag drar streck från halsen och ner över bröstkorgen. Ett brett penseldrag från platsen där hjärtat sitter. Här är mitt centrum, punkten där styrka och mod knyts samman.

Bortom bergväggarna hör jag hur vågorna slår mot stranden. Ljudet är en del av mig, jag är född med det, kommer att dö med dess eviga bränningar ringande i öronen. Havet är liv, kraft, passion.

Jag formar munnen till ett kampvrål. Ingen kan höra mig här, och jag drar in luft i lungorna. Sedan släpper jag ut skriket. Det fyller mina öron och det trånga rummet med sin mäktiga klang. Ropet får mig att återfödas, det helar mig, övertygar mig om att det jag gör är rätt.

Den inslagna vägen ligger framför mig och jag varken kan eller vill vika av från den riktning som stakats ut åt mig. Två människor har offrats. Nu är det dags att gå vidare, till något större. Och det jag har i åtanke kommer att få mycket vidare konsekvenser.

69

Det hann bli kväll innan Kristian och Quintana äntligen kom ut från polishuset. De bestämde sig för att äta middag på Kristians favorithak, Bar Mar Cantábrico, alldeles i närheten.

– Vi tar din bil så kan jag ta taxi hem sen, sa Quintana.

Kommissarien vecklade ihop sin kropp i Kristians Morris och fick nästan sitta hukad för att få plats.

– Tur att det inte är långt, sa Kristian och flinade. Trots att de inte hade arbetat tillsammans så länge hade han börjat tycka mer och mer om den något bistre och alltid så korrekte kommissarien. Jag menar, bilen är inte direkt gjord för män i din storlek.

– Jag bor på Gran Canaria, sa kommissarien uppgivet. Jag är van.

– Hur kommer det sig att du är så lång? dristade sig Kristian till att fråga.

De flesta kanariska män var förhållandevis korta, åtminstone med skandinaviska mått mätt.

– Mina två bröder är båda korta och finlemmade. Ingen kan förklara varför jag blev så ståtlig. Men det är inget jag är ledsen för direkt, sa Quintana och blinkade.

Baren var närapå fullsatt. Kristian morsade på sin vän Jorge som satt mitt i ett stort, bullrigt sällskap vid ett av uteborden. De hade tur och fick det sista bordet som var ledigt. Kvällen var varm och det var nästan vindstilla. De beställde in en flaska vin och olika tapasrätter. Kristian kände hur hungrig han var. Dagen hade varit lång. Herregud, samma morgon hade han åkt med Valeria upp i bergen till Soria, han hade hunnit besöka den misshandlade Bengt Andersson på sjukhuset, varit i Pozo Izquierdo och letat efter Axel och till sist på polishuset i förhör med Hanne. Inte konstigt att han var trött. Han mötte sin kollegas blick över bordet.

– Vilken dag, sa han och höjde glaset.

– Det kan man säga, sa Quintana och besvarade skålen. Att Hanne Gren hade en relation med Axel Malmborg var en överraskning.

– Minst sagt.

– Ärligt talat har vi ju inte kommit mycket närmare en lösning på de här bägge morden. Att de hör ihop är jag ganska så säker på, även om man inte ska låsa fast sig vid ett spår.

– Ja, det måste man väl ändå utgå ifrån, sa Kristian. De har ju många beröringspunkter.

– Frågan är varför Axel Malmborg håller sig borta, muttrade Quintana. Vi har lyst honom nu. Är det han som har gjort det, tror du?

– Det är naturligtvis en möjlighet, men varför tog han i så fall livet av sin mor och inte av Bengt som han verkar vara mest arg på?

– Ilskan mot Bengt kanske låg på ett ytligare plan. Ett modersvek sitter mycket djupare.

De avbröts av att maten kom in: räkor i vitlök, ugnsstekta paprikor med grovt salt, spansk kryddig korv, kanarisk potatis med röd stark sås och friterad bläckfisk och aioli. De högg hungrigt in på de smakrika rätterna och det blev tyst en stund.

– Tillvägagångssättet kan man också fundera över, fortsatte Quintana. Vilken typ av människa väljer att slå ihjäl folk på det här sättet?

– Tyder väl på antingen galenskap eller raseri, konstaterade

Kristian. Eller både och. En våldsbenägen person som vill få utlopp för nånting.

Quintana släppte de allt tommare mattallrikarna med blicken. Han tog en klunk av vinet.

– Det verkar som om Hanne inte berättar allt.

– Det är hon knappast ensam om. Vi får väl ta in dem allihop på förhör igen. De som är kvar, sa Kristian torrt och doppade en bit bröd i oljan från de uppätna räkorna.

70

Sara vaknade sent på måndagsmorgonen, bakfull och eländig. Hon hade blivit sittande på baren och druckit sig berusad och inte pratat med en enda människa förutom bartendern. Ingen hade visat henne något intresse. Ingen.

Hon hade grus i ögonen och sandpapper i munnen, tungan klibbade äckligt mot hennes sträva gom. Självföraktet vällde över henne. Mödosamt kom hon upp ur sängen och stapplade in på toaletten. Hon kissade, duschade, borstade tänderna och undvek att se sig i spegeln. Tog sig ner i köket. Där låg en lapp på bänken från Lasse.

Ville inte väcka dig, du sov så gott. Är på jobbet. Barnen är i skolan. Lasse

En stund blev hon stående med lappen i handen medan ögonen tårades. Inte ett gulligt kärleksord, bara praktiskt och kamratligt. Hennes man brydde sig inte heller om henne längre. Han umgicks väl med den där Luísa nu.

Hon suckade, lade ifrån sig lappen och öppnade kylskåpet. Hon skulle trösta sig med en rejäl frukost. Först svepte hon två glas vatten på stående fot. Och så ett par aspirin för att bli av med huvudvärken. Efter tre rostade brödskivor med ost och marmelad, ett stort glas färskpressad apelsinjuice och två koppar starkt kaffe kände hon sig något bättre. Bilen stod fortfarande vid baren. Hon bestämde sig för att promenera till redaktionen och ringde dit för att berätta att hon var sen. Det var Hugo som svarade.

– Jag håller på att skriva ihop intervjun med Ingrid. Vi kanske kan stämma av när du kommer.

– Absolut, gärna, sa Sara och ökade på stegen.

Skönt att Hugo inte var ute på jobb. Allt som kunde distrahera henne från tankarna på henne själv och hennes eländiga tillvaro var välkommet just nu.

Hon blev snabbt svettig, trots att det var nerförsbacke hela vägen och hon enbart var klädd i shorts och linne. Minnesglimtar från gårdagen trängde sig ändå på medan hon promenerade och de fick henne inte att må bättre. Vad hade hon inbillat sig? Att hon fått för sig att Ricardo var intresserad var inget annat än hennes eget fantasifoster. Hon hade farit iväg och nu fick hon betala för det. Och Lasse, vad hände med honom? Ville han skiljas? Det kunde ske fortare än hon tänkt och nu när hon kanske ställdes inför fullbordat faktum visste hon inte om hon var beredd på vad det skulle innebära. Skulle hon behöva flytta från huset? Skulle Lasse byta ut henne mot Luísa och bo där med henne istället? Det var ju praktiskt, då kunde de både arbeta och leva ihop.

Hon slog bort tanken, orkade inte reflektera mer över sitt privatliv. Hon var trött på det, trött på sig själv. Bestämde sig för att försöka fokusera på fallet och de artiklar hon förväntades skriva. Hon funderade på besöket på rättsmedicinska och det faktum att Fredrik Gren utsatts för ännu grövre våld än Linda Andersson. Vad betydde det? Hon insåg att hon inte hunnit pratat med Kristian om saken, eller om hur det hade gått på sjukhuset. Tänk om han hade lust att komma till redaktionen? De kunde äta lunch ihop och prata om fallet. Det fanns många trådar att dra i. Kanske kunde hon pressa Quintana om misshandeln också. Något måste han väl kunna berätta.

Hon skulle just slå Kristians nummer när telefonen ringde. Hon tvärstannade när hon såg vems nummer det var. Ricardos. Det var det sista hon hade förväntat sig.

– Hej, sa han. Hur mår du?

– Jo tack, bra, svarade hon tvekande och kände genast hur hjärtat satte igång att bulta hårdare.

– Det blev ju lite abrupt i går, med lunchen. Du försvann så snabbt.

– Tycker du? Nej, men jag fick bara ont i huvudet. Det var trevligt att träffa dig och Marcela.

– Jag undrar om du vill ses.

– Nu, i dag? utbrast hon förvånat.

– Ja, jag tänkte att vi kunde göra en utflykt upp i bergen. Jag vill visa dig nåt. Om du har tid, alltså. Bara du och jag den här gången, lade han till.

Sara tvekade. Tittade ner på sin runda mage under linnet och benen som behövde rakas. I så fall måste hon tvärvända, gå hem. Duscha och byta om. Jobbet skulle få vänta. Artiklarna skulle i och för sig inte lämnas förrän nästa morgon. Hon kunde skriva dem i kväll. Men hon blev perplex av att han så oväntat hörde av sig. Vad ville han?

– Okej, sa hon. Vände och började gå hemåt igen. När?

– Om en timme. Jag plockar upp dig i hörnet till din gata.

– Vad har du för bil nu igen?

– En blå Toyota. Vi ses snart.

71

1977

Paula skulle inte vara där, det visste hon mycket väl, men hon satt ändå hopkrupen i det gamla skåpet som alltid stått på samma plats i det stora rummet uppe på getfarmen. Hon och Fabiano brukade gömma sig i det med en ficklampa. Hon läste högt ur böckerna om Narnia som de hittat i en dammig skänk på morbrors vind och medan de kurade ihop sig därinne drömde de om att det fanns en ny värld på andra sidan, en äventyrsvärld helt olik deras egen. Bakom de gamla getskinnen och jackorna skulle vinterlandskapet i Narnia uppenbara sig och hunden förvandlas till lejonet Aslan.

En gång i veckan tog deras far med dem upp i bergen för att besöka morbror Mateo. Det hade han gjort så länge hon kunde minnas, men på sistone hade det känts annorlunda när de kom dit. Som om deras pappa varit mer spänd, och det var alltid andra där som han skulle prata med. Hon och Fabiano fick klara sig bäst de kunde.

I bilen på vägen dit hade de oftast roligt. Pappan brukade sjunga och berätta historier som fick dem att skaka av skratt medan de körde vägen uppför berget. Men när de nådde Mateos hus var det som om en skugga gled över hans ansikte och han blev otålig och lättretlig.

Paula och Fabiano fick lov att gå upp i bergen med getterna eller låna cyklar av Mateo så att de kunde utforska omgivningarna. Efter några timmar kom de tillbaka och då brukade bara

Mateo och deras pappa vara kvar. De andra hade åkt därifrån och pappans leende hade kommit tillbaka.

Den här dagen var inte Fabiano med, han låg sjuk hemma i sängen, och Paula ville inte springa ute med getterna ensam eller cykla på de gamla vanliga stigarna där hon redan cyklat hundratals gånger förut. Pappan hade skickat iväg henne och bett henne hålla sig undan i två timmar, hon hade fått låna hans klocka trots att den var alltför stor runt hennes handled. Men innan hon gått runt den första kröken smög hon tillbaka och in i huset genom fönstret som stod på glänt på baksidan. Hon ville höra vad det var de där männen pratade om med deras pappa när de träffades.

Det luktade fränt av get från skinnen som hängde inne i skåpet och Paula ångrade redan sitt tilltag. Inte bara för att det luktade så illa, utan för att hon visste att hon gjorde något hon inte fick.

Hon kunde kika ut genom en liten glipa mellan dörren och skåpet. De hade börjat samlas runt bordet.

Morbror Mateo var den enda som inte satt sig, han stod framåtböjd med händerna vilande mot bordet. Paula kunde se de djupa rynkorna i hans panna, han såg allvarlig ut, inte som han brukade. Han tog fram några papper som han sköt över bordet till hennes pappa.

Juan tittade på papperet, skakade på huvudet.

– Liv kommer att gå till spillo.

Mateo suckade uppgivet.

– Vi kan inte slösa mer tid på att göra banderoller och skrika slagord på gatan. Det förändrar ingenting. Du vet det lika väl som alla andra. Det enda språk som politikerna förstår är våld.

De satt tysta en stund innan en av männen i vit skjorta och slips tog till orda.

– Vi har planerat detta i månader. Det går inte att backa ur nu. Vi måste tänka på kampen. Kanarieöarna är inte en del av Europa utan en del av Afrika, en koloni ockuperad av spanjorerna. Alla spanjorer borde lämna ön och det här är det enda sättet att få politikerna att förstå att vi menar allvar.

Paula kunde höra att han inte var från ön, han pratade mycket tydligare, och läspade när han uttalade vissa ord.

– Vi kan inte stillatigande gå med på detta förtryck. Så är det, och är nån tveksam så kan ni lämna rummet nu. Varsågoda. Då har ni inget här att göra.

Det blev tyst i rummet, så stilla att Paula var rädd att de skulle höra hennes andetag.

Minuterna tickade på, de pratade lågmält om saker som Paula inte förstod, om flygtider, hur många som landade varje dag på flygplatsen i Las Palmas. Hennes pappa sa ingenting, satt bara tillbakalutad i stolen och stirrade tomt på dokumenten som var utspridda på bordet. Paula började bli trött. Hon lutade huvudet mot skåpväggen och blundade.

Hon visste inte hur länge hon sovit när hon vaknade av att stolar drogs ut och skrapade mot golvet. För ett ögonblick mindes hon inte var hon befann sig. Genom ljusspringan i skåpet såg hon att männen höll på att bryta upp.

– Klockan tolv är en bra tid, sa en av männen. Mitt på dan, någon vecka före påsk då många semesterfirare är på väg till Gran Canaria. Kanarieöarnas enda stora, internationella flygplats kommer att tvingas stänga. Konsekvenserna blir enorma.

Paula förstod inte vad männen pratade om, men deras tonfall gav henne en obehaglig känsla.

Som om något hemskt skulle hända.

72

Solen brann hänsynslöst i Kristians ansikte. Han satte sig upp i sängen och lade märke till att balkongdörren stod vidöppen, gardinerna dansade graciöst i brisen och kastade skuggor på väggen.

Han satte ner fötterna på det svala golvet och lutade huvudet i händerna. Det hade blivit lite för mycket att dricka kvällen före. Efter att kommissarie Quintana försvunnit iväg i en taxi hem till familjen hade han ringt upp Diana, som arbetade på ett advokatkontor en trappa upp i samma fastighet som konsulatet. Hon hade tillbringat natten hos honom. Han såg sig runt i rummet. Det verkade som om Diana hade gått. Han måste ha kaffe och huvudvärkstabletter. Kristian plockade upp byxorna som låg på golvet och drog på sig dem, gick bort till balkongen och tittade ut, slöt ögonen medan brisen från havet smekte hans överkropp och fick honom att vakna till. Havet låg blankt och stilla nedanför, solen stod högt på himlen. Som tur var hade han förvarnat Grete på konsulatet om att han skulle jobba hemma den här dagen så det var ingen som saknade honom på kontoret.

Han återvände in till köket och satte på kaffebryggaren. Diana hade lämnat en lapp. Medan han läste den ringde telefonen. Till hans förvåning var det Saras medarbetare Hugo. Det var nog första gången han ringde till Kristian.

– Hej, jag undrar bara om du vet var Sara är eller om du har hört nåt från henne i dag?

– Nej, varför?

– Jag pratade med henne för ett par timmar sen och då var hon på väg till redaktionen. Vi skulle ses här, men hon har fortfarande inte kommit. Jag tänkte bara höra om hon var med dig.

– När pratade du med henne?

– Vid tolvtiden. Och nu svarar hon inte i mobilen. Den verkar vara avstängd.

Kristian kollade klockan. Hon var kvart över två. Herregud, hur kunde han ha sovit så länge? Han tänkte på hur Sara hade sett ut på sistone, rosig och nyförälskad. Han misstänkte starkt att hon hade en affär. Kanske var det den hon ägnade sig åt i detta nu och hade därför stängt av telefonen. Han bedömde det som det troligaste.

– Det är nog ingen fara. Ta det lugnt, du, så dyker hon säkert upp.

– Okej, förlåt att jag störde.

– Ingen fara.

Kristian avslutade samtalet. Vad var det Sara höll på med, och med vem, kunde man undra.

Han såg fram emot att höra vad hon hade att berätta när de talades vid nästa gång. Han slog på datorn och började kolla igenom sina anteckningar om mordfallen. Snart upptäckte han att det var en sak han hade förbisett: vittnet som hade lagt märke till en bil utanför kyrkan i Arucas. Han hade lämnat uppgifterna till Quintana, men glömt att följa upp om polisen hade lokaliserat bilen.

Quintana svarade efter några signaler.

– Ja?

– Hej, det är jag. Tack för i går.

– Tack själv, det var trevligt. Mysig bar det där du, kanske lite för mysig, skrockade Quintana. Jag är trött i dag. Gammal man vet du, orkar inte lika mycket som ni ungdomar.

– Jag mår inte heller särskilt bra ska du veta. Jag ringer för att jag kom att tänka på en sak.

Kristian beskrev sitt ärende.

– Aha, den där Toyotan, ja. Vänta lite.

Kristian hörde hur kommissarien reste sig, stökade runt lite och knappade på en dator.

Så var han tillbaka i telefonen.

– Bilen tillhör en Ricardo dos Santos, nån pianolärare som bor i Arguineguín.

73

Sara satt i bilen med Ricardo. Hon hade inte en aning om vart de var på väg, han hade förklarat att han ville överraska henne. De körde motorvägen norrut och Sara tänkte att hon lika gärna kunde luta huvudet bakåt och slappna av. Hon var fortfarande trött och medtagen efter gårdagens fylla och det var skönt att bara sluta ögonen och lyssna på den mjuka, kanariska folkmusiken som Ricardo spelade i högtalarna. Hon greps av en tanke att hon borde ringa Hugo och säga att hon fått ändrade planer, men mobilen var urladdad och hon brydde sig inte om att fråga Ricardo om hon fick låna hans. Hugo fattade väl att hon fått förhinder.

Hon måste ha slumrat till för när hon vaknade var de mitt uppe bland bergen och hon hade ingen aning om var hon befann sig. Det var grönskande och vackert. Hon harklade sig och såg yrvaket på Ricardo.

– Vi är strax framme, sa han.

Sara hissade ner rutan och kände hur luften häruppe var mycket kyligare och friskare än nere vid kusten. Hon såg en kvinna med en hund komma gående nerför berget i täckjacka.

– Var är vi? frågade hon.

– Det säger jag inte.

Ricardo såg hemlighetsfullt på henne och tog av in på en liten väg som inte var stort mer än en traktorstig och slingrade sig uppåt berget. Sara kände i öronen att de steg betydligt. Vart tänkte han ta henne? Det fanns knappast några restauranger häruppe i vildmarken. Bilen skumpade sig fram genom terrängen. Sara svalde, hon var torr i munnen och skulle behöva något att dricka. Hon visste inte vad hon skulle tro. Ricardo som brukade vara så pratsam annars sa ingenting. Inte ett ord. Kanske var han också nervös inför vad som skulle hända. Vägen blev allt smalare.

Sara kände en stöt gå genom kroppen. Här var de två, ensamma i ödemarken, utan kontakt med omvärlden. Hon insåg att hon bara hade känt Ricardo i en vecka. Egentligen visste hon ingenting om honom. Och ingen kände till att hon var här med honom heller. Plötsligt började hon känna sig orolig.

– Kan jag få låna telefonen? dristade hon sig till att fråga. Jag kom på att jag behöver ringa ett samtal till redaktionen.

– Det är ingen idé, sa han med blicken fixerad på vägen. Det finns ingen täckning häruppe.

Ricardo höll bägge händerna på ratten och tycktes fokuserad på körningen. Hennes blick föll på armbandet han bar. Hon hade sett de där pärlorna förut. De var så speciella i formen. Plötsligt gick det upp för henne. Det var likadana pärlor som hittats intill Lindas kropp i bungalowen. Sara flämtade till. Ricardo vred tvärt på huvudet och såg på henne med något jagat i blicken.

– Hur är det?

– Nej, ingenting. Jag nös bara, det är nog luften härinne, sa hon nervöst. Är vi framme snart?

– Ja, det är vi faktiskt, sa han och oron i ansiktet förbyttes i ett leende. Faktum är att vi är framme precis nu.

Han ansträngde sig säkert för att verka vänlig, men för Sara framstod med ens hans leende som ett varggrin. Ricardo saktade ner och parkerade bilen vid sidan av stigen. Här fanns ingen bebyggelse, ingenting som vittnade om att det fanns någonting särskilt att se.

– Nu ska vi bara gå en liten bit, sa Ricardo. Klappade henne lätt på armen och klev ur bilen. Kom igen.

– Vart ska vi? frågade hon och hade svårt att dölja att hon faktiskt började känna sig rädd.

– Det får du se, sa han. Det ska ju vara en överraskning. Det är inte långt kvar.

Hon tyckte att Ricardo såg spänd ut och han bet ihop tänderna så att käkarna rörde sig. Så äntligen stannade han och vände sig om. Han stod helt nära och såg ner på henne, hon kunde känna hans andedräkt. Han var huvudet längre än hon.

– Jag vet att du har bott länge på ön och att du säkert känner till det mesta. Men det här har du aldrig sett, jag lovar.

Han höll undan lövverket framför dem och där visade sig en rostig järndörr mitt i berget. Ricardo tog fram en nyckel och öppnade.

– Det här är en ingång som ingen känner till, väste han i örat på henne som om han var rädd att någon skulle höra.

En grottöppning som ledde till en av de hundratals grottor som fanns runt ön och som ursprungsbefolkningen en gång använt som bostäder.

– After you, sa Ricardo och bugade sig chevalereskt.

Sara svalde hårt och gick rätt in i det djupa berget.

74

Kristian hade ägnat ett par timmar åt att ta reda på så mycket som möjligt om pianoläraren Ricardo dos Santos. En slagning på datorn visade att han var skriven på en adress i Arguineguín och levde ensam. Inga barn och ingen fast anställning. När polisen kollat upp Ricardo angående vittnesuppgiften om att hans bil setts i Arucas hade han hävdat att han befunnit sig vid kyrkan för en pianolektion och att han parkerat så slarvigt för att han var sen. Pianoeleven gav honom alibi och kunde intyga att Ricardo gett honom en lektion under lördagen. Men Kristian tyckte förklaringen lät tunn. Arucas var inte särskilt stort och det fanns gott om parkeringsplatser. Och att sitta kvar i bilen som vittnet berättat att han gjort. Varför göra det om det var så bråttom? Nej, det alibit gav han inte mycket för. Han hade ringt upp personen i Arucas som Ricardo sa sig ha träffat. Det visade sig vara en haschrökande musiker som antagligen varit hög de senaste tio åren. Han kunde lika gärna ha hittat på.

Kristian ringde återigen Sara utan att få svar. Han försökte med Hugo för att höra om hon återkommit till redaktionen. Hugo hade fortfarande inte hört något. Nu började Kristian känna sig orolig på allvar. Sara hade hörts av senast vid tolvtiden, inte dykt upp till mötet med Hugo, hennes telefon var avstängd och nu var klockan tre på eftermiddagen. Det var för många märkliga omständigheter på en gång. Kristian ringde upp Lasse.

– Hej, det är Kristian, vet du var Sara är? Vi skulle träffas.

Det var en vit lögn, men om Sara faktiskt i detta nu tumlade runt i sänghalmen med sin älskare ville han inte vara den som drog bort lakanen.

– Vad märkligt, sa Lasse. Jag undrade faktiskt vad hon hade i görningen. Jag pratade med en granne nyss, han håller alltid koll på vem som kommer och går. Du vet hur det kan vara. Han hade sett henne promenera iväg vid tolvtiden. Hon hade gått iväg i träningskläder och när hon motionsgår brukar hon ju alltid vara borta minst en timme. Men hon var tillbaka redan efter tjugo minuter. Var tydligen bara inne och bytte om, för en kvart senare såg grannen henne hoppa in i en bil här borta på hörnet där vår gata börjar.

Kristian spetsade öronen.

– Jaså?

– Jag antog att det hade nåt att göra med ett jobb.

– Mindes grannen vad det var för en bil? En taxi?

– Nej, det var en blå Toyota.

Kristian knäppte av samtalet, skyndade ut genom dörren och slog med darrande fingrar numret till Quintana.

75

Jag går i rask takt längs Arguineguíns mörka lavastrand som är tjock med folk och ser ut över hamnen längre bort och klipporna runt den norska sjömanskyrkan på andra sidan. Ute på vattnet stävar en och annan fiskebåt ut på det stora, öppna havet.

Än så länge är det gott om fisk längs kusten, men frågan är hur länge till. Med oljeborrande och miljöförstöring från bensinspyende turistbåtar lär havet snart vara lika utsuget som den kanariska jorden. Just nu är vattnet stilla, det kommer att bli ännu en perfekt dag för dem som har betalat för att njuta av solen. Havet kan vara så insmickrande lugnt att man börjar lita på det. Sedan förbyts dess anletsdrag oväntat och det slukar allt som kommer i dess väg.

På klipporna längre bort breder hotellen ut sig, hela vägen mot turistanläggningen Anfi del Mar med dess konstgjorda strand. Tidigare låg klipporna stolta och fria mot havet, utan all denna bebyggelse. Numera ockuperas hela den södra kusten. Jag går förbi det stora vita hotellet. Det pirrar till i magen, fortfarande syns sot på marken.

Vid poolen ligger turisterna och gottar sig i solen i sitt inhägnade område, dit lokalbefolkningen inte har tillträde. Frukostbuffé, solbadande, lekplats för barnen, kvällsshower och cocktails på balkongen. Jag är övertygad om att de flesta inte ens tar sig utanför staketet som omgärdar byggnaden. De är uppe tidigt och reserverar de bästa solstolarna med sina handdukar, solglasögon och pocketböcker. Sedan ligger de där som sälar hela dagarna och rör sig knappt ur fläcken, förutom när det är dags för mat som intas inne i hotellets egen restaurang.

Jag fortsätter mot Anfi del Mar med stranden som har kritvit, importerad sand och raddan med exklusiva butiker och restauranger. Andelslägenheterna är byggda i sten för att smälta in i berget men utrustade med vräkiga balkonger. Hissar i glas tar turisterna upp och ner från stranden.

Jag går över bron till den konstgjorda ön, där en liten hamn finns på ena sidan. Inga blåmålade kanariska fiskebåtar här inte. Här ligger påkostade motorbåtar på rad. Platsen passar mitt syfte perfekt. Detta är ockuperat land. Och nu är det dags att återta det.

76

Hon hade klivit in en mörk grotta och Ricardo stängde dörren bakom dem så att även det lilla dagsljus som kom från öppningen dog ut. Sara stod blick stilla och funderade febrilt på vad hon skulle göra. Fanns det något tillhygge hon kunde få tag i? En lös sten som hon kunde slå honom i huvudet med? Vad tänkte han göra med henne? Hon hörde hur han andades, han höll på och mixtrade med något. Långsamt vände hon sig om.

– Så där ja. Ricardo höll en stor ficklampa i handen. Nu funkar den. Jag behövde bara byta batterier.

Sara stirrade på honom. Han verkade helt avslappnad.

– Kom nu, sa han hurtigt. Vi ska fortsätta in här.

Han stegade före henne längre in i grottan, stannade till och vinkade på henne.

– Kom, sa han igen. Du ska få se.

Sara gick tvekande efter. Hon visste inte hur hon skulle tolka honom. Nu verkade han vara sitt vanliga, trevliga jag igen. De fortsatte in i en tunnel och de knaggliga, fuktrinnande väggarna omkring dem kom närmare. Hon tyckte att det kändes otäckt där i grottan och höll sig nära honom och ljuskällan. Såg några krabbor som klättrade utefter väggen och insåg att de borde vara nära havet. Hon kände sig förvirrad. Kanske hade hon bara inbillat sig, sett hjärnspöken på ljusan dag. Hon var ju så labil nuförtiden. Fast mörkret låg tätt omkring dem och hon tyckte inte att det kändes vare sig spännande eller kul. Hon frös och ville bara komma hem. När de kommit längre in i tunneln tyckte hon sig höra svaga ljud som trängde igenom bergväggen. Som röster. Hon lyssnade intensivt. Rösterna blev starkare. Nu hörde hon också havet mullra på avstånd. Plötsligt stod de framför en ny dörr. Ricardo såg finurligt på henne medan han grävde fram en nyckel ur innerfickan på sin jacka.

– Har du gissat än var vi är? frågade han ivrigt.

Sara skakade på huvudet. Ricardo öppnade dörren och slog ut med armen.

– Välkommen!

Ljus och värme strömmade emot henne. Plötsligt stod de inne i en fullsatt restaurang med stearinljus som brann på långborden, stora fat med varmgul paella och allehanda smårätter, vinflaskor och vatten på borden, servitörer som sprang omkring mellan borden med fullastade brickor. Grottväggar som var vitputsade med ljushållare längs sidorna.

Sara blev yr i huvudet av lättnad.

– Restaurante La Cueva, utropade Ricardo. Ägaren är min bror och jag tänkte att det kunde vara kul att komma den här vägen. Jag ville bjuda dig på en riktig kanarisk lunch.

77

När Sara äntligen var tillbaka i San Agustín var hon slutkörd. Hon ville ändå inte hem utan bad Ricardo släppa av henne vid redaktionen. Efter dagens strapatser behövde hon vara ensam en stund. Dessutom kände hon en viss motvilja mot att träffa Lasse. Hon orkade inte prata om deras relation just nu, orkade inte tvingas konfronteras med honom och hans känslor för Luísa.

Hon gav Ricardo en kindpuss och tackade för lunchen som hade varit minst sagt spektakulär. Hon hade varit övertygad om att hennes sista stund var kommen och istället blivit placerad vid ett vackert dukat bord och fått ett glas mineralvatten i handen. Hon hade bestämt sagt nej till vin. Ricardo hade varit fantastisk, artig och trevlig, och maten utsökt. Under andra omständigheter hade hon njutit i fulla drag och antagligen fantiserat vilt om honom. Men nu var förtrollningen som bortblåst. Hans överraskning hade varit alltför svårsmält för henne, hon hade jagat upp sig så pass att hon hade svårt att koppla av.

Utflykten hade påmint henne om att hon knappt kände Ricardo. Han var faktiskt en främling som till råga på allt skulle gifta sig. Dags att definitivt lägga ner tankarna på honom. Dessutom hade oron i bilen fått henne att tänka på sin man på ett sätt hon inte gjort på länge. Vad var det egentligen som var viktigt i livet? Att vara älskad, behövd, att ingå i ett sammanhang. Att betyda något på djupet för någon. Lasse var hennes livskamrat.

Tillfälliga, spännande relationer kunde väl alla ha, men att vara älskad för precis den man var innebar något helt annat. Och att dela en historia med någon. Tryggheten i att ha en familj, gemenskapen, barnen. Ville hon verkligen skiljas?

Sara drog en suck av lättnad när hon klev in på den tysta redaktionen. Klockan var kvart över sex. Det första hon gjorde vara att sätta mobilen på laddning. Sedan ringde hon hem från redaktionens fasta telefon.

– Äntligen! sa Lasse. Jag har ringt dig massor av gånger och lämnat meddelanden. Var är du?

– På redaktionen.

– Jag har till och med pratat med polisen. Var i hela friden har du hållit hus?

Han lät både lättad och bekymrad utan att vara anklagande. Lasse var alltid så enkel att ha att göra med. Ett styng i hjärtat när hon tänkte på att han kanske var på väg ifrån henne.

– Jag blev bjuden på en överraskningslunch av min pianolärare, Ricardo.

– Både Kristian Wede och Diego Quintana har ringt mig under eftermiddan. De trodde att du var i fara. Var har du varit?

– Långt åt fanders. På norra sidan, nära Agaete. Restaurangen ägs av hans bror, den heter La Cueva.

– Den känner jag till, ganska nyöppnad, sa Lasse.

Jaså, det gjorde han, hann hon tänka. Fast de två hade inte varit där, kanske hade han besökt den tillsammans med Luísa. Det stack till i hjärtat igen. Hennes mobiltelefon ringde.

– Du, jag måste sluta nu. Vi ses hemma sen.

Hon tog upp telefonen som hunnit laddas lite och upptäckte att hon hade en massa missade telefonsamtal och meddelanden. De flesta från Kristian, Lasse och Quintana. Nu var det Kristian som ringde.

– Herregud, människa! Var är du? Är du okej?

– Ja, jag är här på redaktionen. Min mobil har varit urladdad bara. Jag har varit på långlunch med min pianolärare.

– Ricardo dos Santos har just tagits in till förhör hos polisen.

– Varför i herrans namn då?

– Jag förklarar sen. Jag är i Arguineguín och åker ändå förbi dig så jag tittar in en stund. Måste ringa Quintana nu och meddela att du är okej. Ditt största fan har varit så orolig. Berättar när jag kommer.

En stund senare satt de båda och drack te i varsitt hörn av Saras besökssoffa. Kristian hade berättat om indicierna mot Ricardo som åtminstone var tillräckligt många och tillräckligt graverande för att ta in honom på förhör. Sara kunde inte tro att Ricardo skulle ha något med mordet att göra, trots hennes rädsla tidigare under dagen.

– En sak till förresten, sa Kristian. Linda Anderssons son Axel Malmborg greps på flygplatsen för ett par timmar sen. Han försökte komma med ett plan till Sverige. Han är misstänkt för misshandeln av Bengt, och ska förhöras nu. Och vet du vad? Axel hade en relation med Fredrik Grens fru.

– Jisses. Så han slog nästan ihjäl sin styvfar? Vad säger du, tror du att att det kan vara han som ligger bakom alltihop? frågade Sara.

– Ja, kanske … sa Kristian eftertänksamt. Om vi inte tänker helt fel. Det kanske inte har nåt med de inblandades kärleksrelationer att göra överhuvudtaget.

78

Det var en strålande vacker morgon. Solen hade klättrat upp över bergstopparna och smekte husen, stränderna och havet med ett gyllene skimmer. Gunilla Malm gick med raska steg bort över Plaza de las Marañuelas i Arguineguín. Hon älskade att motionspromenera den här rundan och se dagen vakna. Renhållningsarbetarna i sina gröna kläder som sopade trottoarerna och plockade skräp, människor som rastade sina hundar. Restaurangerna som ännu låg öde men där någon plockade fram stolar för dagens gäster.

Den mörka stranden låg ännu tom, solstolarna uppradade på varandra på ena sidan. En vältränad kvinna med långt, blont hår stod nere vid stranden och bredde ut armarna i en yogaövning. Gunilla Malm rundade den klippiga udden vid den norska sjömanskyrkan och tog trapporna ner mot den lilla stranden La Ajilla. I den anlagda bassängen simmade några vithåriga morgonmotionärer. En av restaurangarbetarna satt på muren vid havet med en kopp kaffe och såg på. Han hälsade vänligt på henne när hon stegade förbi.

Hon fortsatte utmed det stora och bländande vita hotellet som låg storslaget precis vid vattnet. Muren som omgärdade det var låg så hon kunde se hela den tilltalande poolanläggningen där några soltörstande svenskar redan hade tagit plats med böcker i händerna. Stackars människor, tänkte hon. De är här i en vecka eller två för att fly rusket, och jag får njuta hela vintern. Gunilla och hennes man hade köpt ett hus mitt i de kanariska kvarteren ovanför hamnen. Det var som en dröm. Hon tyckte synd om de bleka stackare som låg på hotellets solstolar och betalade dyrt för att få lite sol och värme under någon surt förvärvad semestervecka. Vad bra vi har det, tänkte hon medan hon ökade takten på raksträckan utmed hotellen som låg på rad på vägen till Patalavaca. Som får njuta av detta underbara väder hela den bistra vintern. Det var så mycket lättare att hålla formen här också. När man badade och solade hela tiden blev kroppen naturligt brun och spänstig och det fanns en massa vackra golfbanor att spela på. Hon smålog för sig själv när hon gick över sandstränderna nedanför raddan med restauranger och supermercadon. Där stod den lilla gruppen av skandinaviska pensionärer som vanligt i en ring och gjorde rörelser till musik från en bandspelare i mitten. Mjukade upp sig inför dagen som säkert ägnades åt idel njutningar efter ett strävsamt liv. Några satt utanför sina lägenheter högre upp, drack kaffe och löste korsord. Det var dem väl unt som tvingats leva i mörker och kyla under vintrarna hela livet, tänkte hon. Kunde man göra något bättre av sin pensionärstillvaro? Inte i hennes värld i alla fall. Hon förstod sig inte på människor som valde att sitta och frysa i sina sommarstugor under de regniga svenska somrarna och tröstlöst hoppas på bättre väder. När man kunde ha det så här.

Nu närmade hon sig den vackra turistanläggningen Anfi del Mar. Den vita stranden med importerad sand fick havet att se turkost ut. Några kanariska städerskor gick förbi och pratade och skrattade på väg till jobbet i hotellanläggningen längre bort. Inte för att hon förstod ett ord av vad de sa, men roligt verkade de ha i alla fall. Människorna här var så lättsamma, okomplicerade och hade nära till skratt. De krånglade inte till saker som hemma i Sverige. Och så söta de var, kvinnorna. Små, nätta i figuren och bruna i hyn med vackert svart, blankt hår. Tur att Lennart var så kär i henne, annars kanske hon fått anledning att bli orolig. Hon smålog återigen och fortsatte över den vackra lilla bron och så ut på ön, Anfi.

Hon bestämde sig för att jogga det första varvet och sedan köra lite övningar. Vid en av de vackert snidade träsofforna i norsk stil brukade hon göra armlyft och borta vid trappan upp mot den exklusiva uterestaurangen körde hon armhävningar och på båtbryggan passade det bra med plankan och situps. Visade man sig i bikini året om måste man ju hålla formen, resonerade hon. Även om det var lite jobbigt. Men belöningen kom sedan, när hon kom hem. Då brukade Lennart vänta med nybryggt kaffe, färskpressad apelsinjuice och frukost på terrassen. Hennes enda jobb var att köpa med sig färskt frukostbröd så hon hade några euro i bältet runt midjan tillsammans med telefonen.

Det var skönt att jogga, få upp pulsen och sätta igång kroppen för dagen. Vattnet var klart och stilla så här dags på morgonen. När hon tittade ner i det kunde hon se fiskar i olika färger och former simma omkring. De måste komma iväg och snorkla någon dag, det fanns ju turer som utgick från Puerto Rico. Det hade bara inte blivit av än. Dagarna rann på med olika aktiviteter. De hade fullt upp, tyckte hon. Sedan kom många och hälsade på också hemifrån, de hade ju stort hus och gott om plats. Ibland kunde det nästan bli jobbigt med alla besök. Det skulle drickas välkomstdrinkar, ätas middagar och visas runt. Sedan var det plötsligt dags för sista kvällen-firande och tvätt av lakan och ombäddning och fylla på kylskåp och skafferi innan nästa vänpar eller familjemedlem från kalla Sverige kom för att få njuta av värmen och bo gratis hemma hos dem. Och så ville de också ha välkomstskål för att det var första kvällen och så rullade det på. Man fick se upp så man inte blev alkoholist på köpet. Besökarna var ju på Gran Canaria på tillfällig semester, men hon och Lennart bodde där nästan hela tiden. Men det var det ingen som ens reflekterade över. Folk tänkte bara på sig själva.

Nu var det några som kommit ner till den lilla badbryggan för att svalka sig. Det såg skönt ut. Synd att hon inte tagit med sig bikinin, men hon fick bada senare. Hon och Lennart var ensamma i en hel vecka och kunde göra precis som de ville. Ibland önskade hon nästan att de inte hade köpt ett så stort hus. Hur det än var så blev hon som en värdinna som skulle se till att alla mådde bra. Med en mindre lägenhet hade de kunnat skylla på platsbrist och folk som ville hälsa på fick ordna med sitt eget boende. När hon tänkte efter borde de nog bli mer restriktiva. Låta folk klara sig själva och bara umgås när det passade dem. Det tog ett tag innan man lärde sig att hantera alla aspekter av att ha flyttat till ett annat land, även om det inte var på heltid. Ingen av dem hade skaffat uppehållstillstånd, för då slapp man betala skatt även i Spanien. Det räckte gott med de höga skatter de betalade hemma. Herregud, folk i Sverige hade ju knappt råd att leva längre. Allt skulle betalas med skatter. Människor som slitit hårt i hela sitt liv kunde knappt leva på sin pension. Det var för jäkligt. Gunilla Malm blev arg bara hon tänkte på det. Hon började jogga igen för att springa ifrån de obehagliga tankarna. Hade verkligen inte lust att tänka på hur illa skött hennes hemland var när hon befann sig här i värmen och idyllen. Hon och Lennart hade ändå lyckats ganska bra med att ordna det för sig. Han var sjukpensionär på grund av en sliten höft och hon hade tjänat tillräckligt för att kunna ta ut en tidig pension.

När hon rundade udden för tredje gången tänkte hon att hon nog skulle ta och göra lite övningar ändå. På båtbryggan hade redan de första entusiasterna kommit så där kunde hon inte lägga sig för att göra plankan som hon brukade. Hon sneglade omkring sig, det var ganska mycket folk så här på morgonen som utnyttjade den trevliga slingan runt ön så för att få vara ifred med sitt träningsprogram måste hon nog bort från vägen. Det var egentligen förbjudet att beträda den perfekt anlagda gräsmattan men det struntade hon i. Hon gick upp på den asfalterade gångvägen och lade sig på gräsmattan intill ett stort buskage. Här låg hon ganska skyddad. Kom någon av trädgårdsarbetarna så fick de väl köra bort henne.

Gunilla Malm hade hunnit göra tio situps när det smällde. Explosionen var öronbedövande och syntes över hela den södra kusten. På ett enda ögonblick förbyttes idyllen omkring henne till ett eldhärjat inferno. Människor som i ena sekunden promenerat i godan ro och vänt sina ansikten mot solen kastades omkull av trycket och skrek av rädsla och smärta. På balkongerna uppe på berget slogs kaffekoppar ut av tryckvågen och på stranden flydde människor i panik. På en enda mikrosekund förvandlades den rofyllda skönheten omkring henne till ett kaos av blod, skräck och förintelse.

Och Gunilla Malm skulle aldrig mer behöva oroa sig för att hon måste ta hand om andra.

79

Sara satt i bilen på väg till redaktionen när det knastrade till i polisradion. Hjärtat åkte upp i halsgropen när hon hörde vad som sades och hon var nära att tvärstanna. En sprängladdning hade detonerat mitt ute på den konstgjorda ön på turistanläggningen Anfi del Mar. Alla lediga polisbilar kommenderades dit, ambulanser var på väg. Ön stod i brand och det var oklart hur många som dödats eller skadats. Sara trodde knappt sina öron. Som tur var hade hon alltid en kameraväska liggande i bilen. Hon ringde omedelbart upp Hugo som befann sig på redaktionen och bad honom att bege sig till Anfi så fort han kunde. Istället för att köra ner till redaktionen fortsatte hon ut på motorvägen söderut. Herregud, tänkte hon, det här är ju inte klokt. Vad är det som händer? Hon prövade att ringa upp både Kristian och Diego Quintana, men det var upptaget hos bägge.

När hon närmade sig Anfi såg hon höga eldslågor slå upp mot skyn och tjock rök färgade himlen mörk. Hon blev osäker på hur nära hon vågade köra, när som helst väntades polisen spärra av vägen och då skulle hon inte kunna ta sig därifrån. Hon övervägde att parkera en bit bort men mindes att det fanns en väg från andra hållet och därför körde hon igenom hela området och parkerade på andra sidan, mot Taurito. Med kameraväskan skumpande på ryggen sprang hon ner grusvägen som löpte utefter minigolfbanan längst bort i området. När hon rundade udden hade hon hela Anfi och den artificiella ön mitt framför ögonen. Hela den exklusiva restaurangen var övertänd och elden rasade okontrollerat. Där var fullt av brandmän med tjocka slangar som höll på att rullas ut, blinkande polisbilar, ambulanser. Överallt panikslagna människor, en äldre man irrade omkring och tycktes leta efter någon i vimlet. Uniformerade polismän från Guardia Civil var i full färd med att sätta upp avspärrningsband och hålla undan nyfikna. Genom röken såg hon ambulanspersonal komma springande med bårar på väg in mot mitten av ön där explosionen uppenbarligen hade inträffat.

Synen framför henne var fullständigt surrealistisk. Hon vågade knappt tänka på hur många som befunnit sig på anläggningen när det smällde. Var höll Hugo hus? Med darriga händer plockade hon upp kameran och började fotografera. Hon gick så nära hon kunde komma. På håll såg hon att bron över till ön givetvis redan var avspärrad och där stod flera uniformerade poliser och försökte mota bort oroliga. Fler ambulanser med sirenerna påslagna anlände hela tiden. Nu började räddningsarbetare återkomma med bårar med offer, hon kunde inte avgöra om de var skadade eller omkomna. Avståndet var för långt och röken låg för tät.

Sara fotograferade allt hon såg utan urskiljning. Mitt i den mänskliga tragedin fanns journalisten i henne ständigt närvarande. Bäst att säkra bilder. Information om vad som hade hänt ute på det idylliska Anfi kunde hon få av polisen senare. Just nu skulle ändå ingen ha tid att prata med henne. Nu gällde det att rädda liv.

80

Kristian stod tillsammans med Quintana på den lilla bron över till den eldhärjade ön på Anfi del Mar och såg ut över förödelsen. Branden på uterestaurangen var släckt, men det som återstod låg i ruiner. Eftersläckningsarbetet pågick för fullt och brandmännen klev omkring i bråten av utbrunna delar av stolar, bord och soffor och en totalkvaddad köksinredning. Hela ön var täckt av ett tjockt lager damm, alla vackra blommor och träd var förstörda, gräsmattorna nedsvärtade. Svart rök steg upp mot den blå himlen. De flesta av parkbänkarna som var utplacerade runt ön var fastsvetsade i marken och stod alltjämt kvar på sina platser, även om de var sönderbrända. Ingen människa syntes till på ön, förutom brandmän, poliser och andra räddningsarbetare. Det hela såg spöklikt ut.

– Man kan inte tro att det är sant, suckade Quintana och skakade på huvudet.

– Nej, det är som en scen ur en katastroffilm, sa Kristian.

När Quintana ringt honom hade han kastat sig i bilen och kört i ilfart ner till Anfi. Kommissarien ville ha dit honom för att hjälpa till med förhör, men först ville Kristian skaffa sig en uppfattning om detonationsplatsen och få information om vad som hänt.

– Tack gode gud är det bara ett dödsoffer, åtminstone än så länge, sa Quintana. En trädgårdsarbetare som råkade befinna sig precis intill buskaget där sprängladdningen fanns för att rensa ogräs. Francisco Gutierrez, fyrtiotre år och fembarnsfar.

– Herrejesus, suckade Kristian. Fy fan.

– Fem personer är allvarligt skadade, fortsatte Quintana. Ett tjugotal lindrigt. Alla är förda till sjukhus. För en kvinna i sextioårsåldern är tillståndet kritiskt, hon befann sig på gräsmattan där uppe när det smällde. Hon är inte identifierad än, men har skandinaviskt utseende. Kan förstås vara från Nordeuropa nånstans också. Fast det stod Lennart i hennes vigselring och det är väl ett typiskt svenskt namn, eller hur?

– Ja, det kan man nog säga. Vet ni nåt om sprängladdningen?

– Sprängexperterna sa att det ser ut som ett hemmabygge. Det verkar inte vara några proffs som har varit i farten.

– Ändå lyckades den åstadkomma så stor förödelse, sa Kristian.

– Ja, det var nog mera en lyckträff, ur terroristernas synvinkel alltså. Annars var det ju oväntat att restaurangen skulle fatta eld. En sprängladdning orsakar vanligtvis inte eldsvåda, utan det är tryckvågen som gör skadan. Teknikernas hypotes är att det flög antända träbitar från ett förråd i närheten och hamnade på taket till restaurangen.

– Betraktar ni det som en terroristattack?

– Ja, hur ska man annars se på det? sa Quintana och slog ut med händerna. En sprängladdning av den här digniteten, även om den var amatörmässigt utförd, placerad mitt i hjärtat av en välkänd turistanläggning. Och bara en knapp vecka efter bomben i bussen inte långt härifrån, sa Quintana och nickade bort mot Arguineguín.

– Tror du händelserna har ett samband?

– I det här läget utgår jag från det.

81

Tre män och två kvinnor satt runt bordet i den lilla källarlokalen. Deras allvarliga ansikten lystes upp av skenet från datorn som var uppslagen framför dem. En tevekanal hade varit på plats tidigt och sände direkt från tumultet ute på Anfi. Eldslågor, brandrök, blodiga människor, barn som skrek förtvivlat. Ett inferno mitt i den blommande turistidyllen. En reporter stod i förgrunden och rapporterade med mikrofonen i hand. Tidigt gick man ut med att minst en person omkommit, en kanarisk trädgårdsarbetare.

– Just snyggt, sa Ivan Morales torrt. Ett attentat mot en turistanläggning och så är det bara en enda person som omkommer och det är en kanarier. En oskyldig arbetare. Det är förjävligt.

– Hur hanterar vi det här? frågade en av kvinnorna. Det kommer inte att dröja länge förrän polisen knackar på dörren.

Fabianos blick föll på hans syster. Visst fanns det en anledning till att de satt där i källarlokalen. De hade sin historia. Deras pappa hade placerat ut sprängladdningen i blomsterbutiken på Las Palmas flygplats den ödesdigra söndagen i mars 1977 och suttit i fängelse större delen av deras uppväxt. Deras farföräldrar hade tvingats sälja sitt land till utländska exploatörer och gett upp sitt livsverk. Inte var det konstigt att de bägge hade kampen i blodet.

– Vi kommer att bli misstänkta för det här, det är glasklart, sa Ivan till den lilla grupp som satt kring bordet. Även om polisen vet att vi inte brukar våld.

– Men det borde vi kanske göra, invände en ung, skäggig man. Det går inte att fortsätta med att bara anordna demonstrationer och skriva slagord på plakat. Vi måste ta i hårdare.

– Helt rätt, höll Paula med och tände en cigarett. Det måste hända nåt. Jag är beredd att gå ut i strid. Och då menar jag bokstavligen. Jag tycker det är dags för Lucha Canaria att ta till vapen.

Fabiano trodde inte sina öron. Att hans försynta syster Paula tog till sådana brösttoner hörde inte till vanligheterna.

– Ska du gå i pappas fotspår? utbrast han.

– Det är dags att rädda kanarierna från turismens förbannelse, sa hon och spände ögonen i honom. Återta marken, stränderna, golfbanorna, göra om alla hotell till bostäder. Kasta ut utbölingarna.

– Jag vet inte hur stor del av Kanarieöarnas inkomster som kommer från turismen, men att den är betydande, det vet jag, invände Fabiano. Om inte livsviktig.

– Äh, det där är bara struntprat, avfärdade hon irriterat. Turisterna kommer hit för att sko sig på oss och inte tvärtom. De intar vår mark, plundrar våra tillgångar, ockuperar våra stränder. De lär sig inte ens språket och umgås bara med varandra. Och flyr de från krig eller fattigdom? Nej, de kommer hit för att det är fint väder och billig öl!

Paula drog ett sista djupt bloss på cigaretten och fimpade den i askkoppen på bordet innan hon fortsatte.

– De smiter från att betala skatt här, men våra tillgångar ska de utnyttja. Ibland när jag tar bussen från Las Palmas finns inte ens sittplats för gravida eller äldre kanarier för där sitter de där rågblonda jävlarna och ser ut som om de har rätt till det. Men vad bidrar de själva med? Ingenting.

Den skäggige unge mannen klappade i händerna.

– Äntligen nån som tycker som jag.

– Och tänk bara på hur det var för dig, fortsatte Paula och vände sig mot sin bror. Hennes ögon blixtrade. Du skötte dig exemplariskt på jobbet och ändå fick du sparken. Varför? Jo, för att du inte lärde dig att prata deras språk. *Deras språk*. Här? Hör du hur absurt det låter? Nej, gränserna borde stängas. Det är vad jag tycker. Det är dags att rensa upp i träsket.

– Överdriver du inte lite väl mycket nu?

– Nej, det gör hon inte alls, jublade den skäggige. Hon har rätt i vartenda ord!

Fabiano betraktade eftertänksamt sin syster. Han hade inte förstått att hon gick omkring och bar på ett sådant raseri, men samtidigt var det inte svårt att förstå henne. De flesta kanarier slet för brödfödan, medan turisterna satt och smörjde kråset på restaurangerna och fyllnade till på barerna utan att lyfta ett finger för att hjälpa de uppenbart fattiga som fanns i deras omedelbara närhet. Alla pengar hon tjänade gick till att försörja familjen, och oftast räckte lönen ändå inte. Varje tisdag gick antingen han eller Paula till matbanken för att få det extra som de behövde för att klara sig och hon tog alla pass som var lediga på bageriet, dag som natt.

Det var inte konstigt att situationen skapade frustration. Men att den var så stor hade han inte förstått. En tanke formades i hans huvud, den växte sig större, trängde sig på.

Sedan lämnade den honom inte på hela dagen.

82

1987

María traskade av och an i det lilla köket, tittade ut genom fönstret ner mot gatan då och då för att se om inte bilen skulle dyka upp snart. I dag skulle Juan äntligen släppas ut ur fängelset. Efter att han förklarats skyldig till att ha placerat ut sprängladdningen på Las Palmas flygplats hade han suttit inlåst på öns centralfängelse, Barranco Seco, de senaste tio åren. Eftersom ingen människa dödades och det fanns förmildrande omständigheter undkom han livstids fängelse. Nu hade hon levt så länge utan honom att hon inte visste hur det skulle bli när han återvände. Tio långa år av ensamhet, oro, längtan och tvivel på att han någonsin skulle komma ut i friheten igen. Familjens försörjning fick hon sköta så gott hon kunde. Arbetet som hotellstäderska var slitsamt, med tidiga morgnar och sena kvällar. Lönen var låg, men det fanns inget annat arbete att få. Som tur var hade barnen blivit så stora att de kunde hjälpa till. Paula satt i kassan på supermercadon i kvarteret och Fabiano, som gick i skolan fortfarande, arbetade så ofta han kunde på sin morbror Mateos getfarm uppe i bergen. Dessutom hjälpte han till att leverera vattenflaskor varje måndagsmorgon till de som bodde i området. Det gav i alla fall några pesetas. Viss ersättning hade hon fått från MPAIAC, men det var inte mycket.

Hon hade varit så arg på dem så länge. Tyckt att det var deras fel att hennes man ensam fått stå till svars för dådet. I efterhand fick hon höra att Juan motsatt sig att placera ut bomben, att han hade försökt hindra planerna och inte velat att oskyldiga civila skulle drabbas. När polisen jagade den skyldige hade de ansvariga i MPAIAC pekat ut honom. En gnutta samvete hade de ändå haft, för någon vecka efter dådet när Juan redan var gripen kom de hem till deras lägenhet och ville förklara sitt agerande. Det gjorde fortfarande ont i henne när hon tänkte tillbaka på den dagen.

María hade bett dem gå, rest sig upp och höjt rösten. Hållit upp ytterdörren och kastat ut dem. En av männen hade lämnat ett brunt kuvert på bordet. Ursinnigt hade hon kastat det efter dem. Sedlar hade fyllt trappuppgången, flugit som fjärilar om våren i luften. Hon hade satt sig överst i trappan, sett sedlarna långsamt dala ner till golvet. Efter en stund hade hon rest sig upp, samlat ihop dem. Hon behövde pengarna. Hon och barnen. Deras ynkliga ursäkter gav hon inte mycket för, men pengarna kom till nytta. Så hade de hankat sig fram. Det blev rättegång och Juan dömdes till tio års fängelse för terroristbrott. Sedan fortsatte livet.

Marías föräldrar hade gått bort några år tidigare och lämnat efter sig det lilla huset ovanför hamnen i Arguineguín. Eftersom hennes bror hade det bra på sin getfarm uppe i bergen lät han henne få det. Vilken glädje det hade varit att få lämna lägenheten i Tablero. María njöt av att bo direkt på marken, att kunna sätta sig utanför sin egen dörr på en stol med en kopp kaffe och samtala med grannarna på kvällarna.

För säkert hundrade gången denna förmiddag lutade hon sig ut genom fönstret och spejade så långt bortåt gatan hon kunde. Inte en blund hade hon sovit under natten, hon var spänd i kroppen och hade ont i magen av nervositet. Hon var både överlycklig över att hennes man äntligen skulle återvända hem och livrädd för hur det skulle komma att bli. I veckor hade hon förberett sig. Städat huset, fejat, försökt ordna med så mycket mat det bara var möjligt. Flera av grannarna hade varit snälla och kommit förbi med hembakat bröd, fisk och grönsaker.

Någon hade lagat en köttgryta, en annan paella. Alla ville vara med och bidra för att fira Juans återkomst. Flera hade föreslagit att de skulle ställa till med en fest nere vid stranden, men María hade velat avvakta. Hon visste inte hur Juan skulle må vid hemkomsten. Hon hade i alla fall sytt en ny klänning av tyg hon fått till skänks och låtit en grannfru klippa och färga hennes hår.

Barnen var i skolan så hon var ensam hemma. I hamnen utanför pågick aktivitet som vanligt och en fiskebåt höll på att lyftas ner med en kran på varvet, en samling hamnarbetare stod runt omkring, beredda att hjälpa till om det skulle behövas.

Plötsligt ringde det på dörren. Hade bilen kommit från andra hållet? På ostadiga ben gick hon ut i hallen. Rättade till håret och slätade till klänningen innan hon öppnade.

Och det var Juan som stod framför henne. Sliten, skäggig och mager. En skugga av sitt forna jag. María kände hur benen skakade under henne. Hans ögon var desamma.

Så kände hon hans armar runt sin kropp, hans andetag mot hennes ansikte. Rösten som knappt bar.

– María, viskade han. Min älskade.

83

Kommissarie Quintana skyndade genom korridoren på väg till förhör med ledaren Ivan Morales. På baksidan av uterestaurangens toaletter hade man ännu en gång hittat slagord som kunde knytas till den kanariska självständighetsrörelsen. *Viva Canarias libre* stod det, precis som på muren vid bussen som exploderat bara några dagar tidigare. Men den här gången fanns även rörelsens namn och symbol. Namnet *Lucha Canaria*, en knuten näve och de sju Kanarieöarna som stjärnor efter varandra. Och de hade inte funnits där dagen före dådet. Det kunde städpersonalen intyga.

Allt tydde därmed på att det var Lucha Canaria som låg bakom, även om de inte hade tagit på sig dådet ännu. Kanske hade den våldsamma utbrytarsidan vaknat till liv igen.

Redan före lunchtid hade alla ledande medlemmar identifierats och tagits in till förhör i polishuset i Las Palmas samtidigt som hela medlemsregistret kontrollerades, inte bara på Gran Canaria utan på alla öar. Rörelsens datorer och mobiltelefoner hade beslagtagits och alla dokument och papper från deras högkvarter samlats in.

När Quintana steg in i förhörsrummet var Ivan Morales redan på plats tillsammans med två beväpnade vakter. Quintana satte sig och slog på bandspelaren, läste in de vanliga standardfraserna.

– Hur ställer sig Lucha Canaria till bombdådet ute på Anfi del Mar nu i morse?

– Vi har ingenting med det att göra.

– Hur förklarar du då att er symbol och ert namn hade sprayats vid platsen i samband med dådet?

– Det kan ju vem som helst ha gjort. Ingen av oss har vad jag vet nåt ansvar för detta. Vi använder inte sådana metoder. Vi är en icke-våldsorganisation som arbetar fredligt och långsiktigt.

– Hur bra koll har du på dina medlemmar? Finns det personer som vill att ni ska gå hårdare fram och kanske jobba mer som era föregångare MPAIAC gjorde på sjuttiotalet?

– Visst finns det väl alltid individer som är mer radikala i såna här grupperingar, så är det ju. Men jag brukar säga till dem att våld föder alltid våld. Vi vill inte ha en situation som i Baskien förr om åren.

– Vilka är de här mer radikala medlemmarna?

– Jag har inte tillräckliga belägg för att nämna några namn. Och det är ju ingen som har gjort nåt, bara snackat. Löst prat behöver inte betyda någonting.

Quintana gjorde en paus, lutade sig tillbaka i stolen och betraktade den unge mannen på andra sidan bordet. Han framstod inte direkt som en militant separatist. Med det kommissarien tidigare kände till om Ivan Morales gav han mera intryck av att vara miljöaktivist och pacifist än våldsverkare. Visst kunde han ha rätt. Vem som helst hade kunnat spraya slagorden på väggen vid restaurangen för att få det att se ut som om Lucha Canaria låg bakom.

– Har ni fått några nya medlemmar på sistone?

– Det tillkommer folk hela tiden. Behöver ni veta hur det ser ut på alla öarna måste jag gå in i en dator och kolla registret. Här på Gran Canaria vet jag att vi fått sju nya medlemmar den senaste månaden, vilket är väldigt glädjande. Vi hoppas att det fortsätter i den takten.

– Okej, sa Quintana. Kanske var det ett långskott, men det var värt att kolla extra på de nya medlemmarna. Är det nån av dem som utmärker sig?

Ivan Morales tvekade innan han svarade.

– Ett syskonpar, Fabiano och Paula Rivera.

– Jaså, sa Quintana och lutade sig intresserat fram över datorn. Vilka är de? Vad är det som är så speciellt med dem?

– De är inte vilka som helst, sa Ivan Morales och såg upp på Quintana. De är barn till mannen som placerade ut sprängladdningen på Las Palmas flygplats 1977. En av våra främsta aktivister genom tiderna, Juan Rivera.

84

Sara ägnade de närmaste timmarna åt att sammanställa alla bilder och skriva nyhetsartiklar om sprängdådet på Anfi del Mar, både till Dag & Natt och till de tidningar som hon frilansade för. Allt stoff var hett eftertraktat och redaktörerna ringde hela tiden och tjatade om nytt material. Sara strök svetten ur pannan. Det var varmt och instängt på redaktionen. Plötsligt öppnades dörren och Lasse kom in. Sara tittade förvånat upp från datorn.

– Kommer du? utbrast hon, både orolig och överraskad. Det var ovanligt att hennes man dök upp oannonserad. Har det hänt nåt?

– Kan vi prata? frågade Lasse. Jag förstår att du har mycket att göra, men det tar inte lång tid.

Sara kastade en snabb blick på klockan.

– Okej.

Lasse stod kvar i dörren och nickade åt henne att komma med honom ut. Redaktionen var så liten, det fanns ingenstans att sätta sig och prata privat.

Sara reste sig från stolen med bävan i bröstet. Skulle han säga att han ville skiljas? Var det slut nu? Hon vågade inte tänka klart tanken, det blev som ett vakuum i henne. Hon var alldeles tom och stilla inombords. De promenerade iväg en bit och slog sig ner på en mur i skuggan. Lasse tog Saras hand och vände sig mot henne.

– Jag bara kände att jag måste träffa dig på en gång och säga det här.

– Jaha?

Sara fuktade nervöst läpparna. Hon såg på Lasses ansikte och det var som om alla år de haft tillsammans svischade förbi i raketfart; hans ansikte bredvid hennes vid altaret i kyrkan, efter förlossningen med deras förstfödda Olivia då han höll fram barnet mot henne, glädjen när de köpte sin första nya bil, när de skrev kontrakt på huset, hans oro den gången hon fick ett kraftigt migränanfall och läkarna trodde att det var en hjärntumör. Allt de gått igenom tillsammans, hela deras historia ända tillbaka till den gången hon träffade honom första gången och blev blixtkär. Hennes Lasse som hon hade trott att hon skulle bli gammal med. Det var ju meningen att det skulle vara de två. Sara kände hur tårarna brände innanför ögonlocken innan han ens öppnat munnen.

– Jag fick en riktig tankeställare när du var försvunnen. Jag blev livrädd, Sara. Verkligen livrädd. Och jag insåg hur mycket jag älskar dig och hur mycket du betyder för mig.

Saras tårar steg i ögonen. Hon förmådde först inte säga något. Satt bara tyst och såg på honom. Hans snälla ögon, de fina linjerna i ansiktet, hans haka med gropen som hon alltid varit så förtjust i. Hon hade haft det där ansiktet intill sig under nästan hela sitt vuxna liv, sett det åldras och förändras med tiden. Hårt kramade hon hans hand.

– Men Luísa då? fick hon till sist ur sig.

– Det är avslutat. Och det hade knappt börjat. Jag vill att du och jag ska hitta tillbaka till varandra igen. Vill du?

Sara kunde bara nicka innan hon föll in i hans famn.

85

Diego Quintana skickade iväg flera polisbilar ner till Arguineguín för att plocka in Fabiano och Paula Rivera till förhör. När de anlände till kvarteren där familjen Rivera bodde spred de ut sig och omringade det lilla huset på Calle Real del Mar, och blockerade de möjliga flyktvägarna. Två poliser ur insatsstyrkan knackade hårt på dörren.

– Polis, öppna!

Det dröjde någon minut. Det var tyst inifrån huset. Just när de drog fram sina vapen och gjorde sig beredda att slå in dörren trycktes handtaget långsamt ner. Poliserna backade ett steg. Så gick dörren försiktigt upp på glänt och en liten tunn kvinna i klänning och förkläde tittade förskrämt på dem. Hon såg ut att vara i sjuttioårsåldern.

– Vad står på? frågade hon med darrande stämma.

– Vi söker Paula och Fabiano Rivera. Är ni María Rivera?

Kvinnan nickade räddhågset.

– Kan vi få komma in?

Utan att vänta på svar trängde sig poliserna in. Den storväxte polismannen som ledde gruppen tycktes uppta nästan hela det mörka, trånga rummet. I ett hörn satt en hopsjunken man och betraktade de uniformerade poliserna.

– Vad gör ni? frågade kvinnan bestört. Vad tar ni er till?

– Era barn är misstänkta för ett allvarligt brott och ni är skyldig att informera oss om var de befinner sig.

– Vadå för brott? Mina barn är inte kriminella. Vad pratar ni om?

– Kan ni vara så snäll och berätta var de är.

María Rivera tittade förtvivlat på sin man, men han sa ingenting. Satt bara stelt på stolen och stirrade rakt framför sig. Hon tittade osäkert på poliserna.

– Fabiano är inte hemma. Jag vet inte var han är.

– Vet du var han kan tänkas befinna sig?

Den äldre kvinnan såg oroligt på honom och vred nervöst sina händer.

– Ja, sa hon dröjande.

– Ja? Polismannen tittade uppfordrande på henne.

– Min bror har en getfarm i bergen, dit brukar han åka när han vill ha lugn och ro. Vid Las Crucitas, det är inte så långt härifrån.

– Tack. Och hans syster, Paula?

– Hon är hemma.

– Kan du ropa på henne?

Kvinnan vände sig om.

– Paula! ropade hon. Kan du komma hit ett slag?

Inget svar. I nästa sekund kom en polis ut från ett av rummen.

– Är det här Paulas rum?

– Ja, svarade den gamla kvinnan.

Polismannen nickade åt sin chef att komma.

Den reslige polisen gick fram till dörröppningen med modern tätt efter sig. De tittade in i det lilla sovrummet. Det var tomt, men fönstret som vette ut mot gatan nedanför stod på vid gavel.

86

I drömmen kommer du långsamt gående emot mig. Du ser rakt på mig och ler. Du ser mig, hela mig och allt du utstrålar är stolthet och kärlek. En värme sprids i min kropp. Det var då när vi fortfarande var lyckliga. Jag hade kunnat ge vad som helst för att få tillbaka den tiden. Den tiden då du fortfarande älskade mig. Den tiden då du fortfarande älskade dig själv. Jag kan känna din värme när vi sitter tätt intill, din röst som gör mig lugn och trygg. Glansen i dina mörka ögon. Dina torra, varma händer när de håller i mina.

Jag brukade älska att lyssna till dina historier. De var ofta långrandiga, men det gjorde ingenting att det tog tid innan du kom till poängen. Du har talets gåva. Eller hade. Nu är det länge sedan du berättade något för mig. Det är som om du inte har någon lust längre. Inte ens när jag ber dig.

Det var den där eftermiddagen det började. Minns du? Jag städade ur det gamla hörnskåpet i vardagsrummet. Du satt i din vanliga fåtölj i hörnet med en filt om benen och betraktade mig under tystnad. Mamma var över hos en av grannarna, Fabiano var ute någonstans och det var bara du och jag. Jag minns att jag småpratade med dig, gnolade en stump för att hålla dig på gott humör. Jag vill så gärna att du ska vara tillfreds. Det har varit min högsta önskan ända sedan du kom hem. Jag ville göra dig glad igen. Ville att du skulle känna att det du gjort inte varit förgäves.

Jag torkade av det gamla skåpet på utsidan och började sedan gå igenom hyllorna inuti som var belamrade med buntar av papper och dokument av olika slag. Bland dammiga brev, gamla räkningar och anteckningsböcker hittade jag ett stort kuvert. Jag kunde inte låta bli att öppna det.

Jag kommer aldrig att glömma ögonblicket när jag förstod vad där stod. Du och mamma hade sålt den allra sista biten mark vi hade kvar. Jorden vi ärvde, det lilla landområdet vid Maspalomas sanddyner där jag och Fabiano har drömt om att bygga ett hus en gång. Jag såg upp på dig, men du sa ingenting fast du mycket väl begrep vad det var jag hade hittat. Jag började gråta och då till sist öppnade du munnen.

Sorgen i din röst när du sa att ni hade varit tvungna, att ni inte såg någon annan utväg. Allt utan min vetskap. Ni hade inte velat göra mig ledsen, sa du.

Inte velat göra mig ledsen.

87

När Lasse försvunnit ut genom dörren sjönk Sara ner på kontorsstolen. Hon kände en enorm lättnad. Hela hennes kropp slappnade av. Lasse var tillbaka och de kunde ta tag i det som inte fungerade. Åtminstone försöka. Hur hon skulle hantera det faktum att hennes man förälskat sig i en annan och hur långt det egentligen hade gått fick bli en senare fråga. Nu måste hon fokusera på arbetet.

Hon skrev klart nyhetsartiklarna och skickade iväg dem. Både hon och Hugo hade lyckats ta bra bilder, men hon var missnöjd med hur få fakta de hade att erbjuda. Sara hade jagat polisen för att få information, men det var omöjligt. Ingen som skulle kunna uttala sig svarade i telefonen. Hon förstod att det inte var någon idé att ens försöka med Quintana i det här läget, inte ens presstalesmannen svarade på hennes påringningar. En presskonferens var utlyst till klockan fem samma eftermiddag. Troligtvis måste hon vackert vänta till den. Så ringde hennes telefon och en kort sekund kände hon en naiv förhoppning om att det var Quintana. Istället hörde hon Kristians röst.

– Jag är på väg från Anfi nu och tänkte svänga förbi dig. Går det bra?

– Visst. Har du fått veta nåt nytt? Polisen är helt omöjlig att få tag på, suckade Sara.

– Ja, jag har en del intressant att berätta.

En stund senare klev Kristian in på redaktionen och de slog sig ner i soffan med varsin kaffe. Han verkade uppe i varv och tittade ivrigt på Sara.

– Jo, Quintana berättade nåt spännande för mig. Du vet, mannen som vi sökte i Arguineguín, Fabiano Rivera, som fick sparken från Svenska baren för att han inte kunde svenska.

– Ja?

– Han är son till Juan Rivera, attentatsmannen som placerade ut sprängladdningen på Las Palmas flygplats 1977.

– Det menar du inte? utbrast Sara förvånat. Vilket sammanträffande. Just det, tillade hon. Jag tyckte att jag kände igen den gamle mannen som satt i rummet när vi var där.

– Det är han, sa Kristian. Och en annan intressant omständighet är att hans son Fabiano nyligen gick med i Lucha Canaria. Polisen har tagit in alla i ledningen för förhör.

– Spännande, sa Sara och kände hur pulsen steg.

Hugo stack ut huvudet från hyllan han satt bakom.

– Pratar ni om Fabiano Rivera? frågade han. Jag hörde faktiskt talas om hans syster så sent som i går.

– Jaså?

Både Kristian och Sara tittade uppmärksamt på den kanariske reportern.

– Jag och min fru åt middag med ett par vi känner som bor i El Pajar. Mannen berättade att han hade sett Paula Rivera klättra uppför berget med hjälp av ett rep till en av grottorna bortom klippkyrkan.

– Och varför var det så speciellt? undrade Sara. Bergsklättring är ju vanligt här på ön.

– Vet ni vad just den där grottan har använts till?

– Nej, sa Sara och Kristian i kör och tittade spänt på Hugo.

– Den användes som vapengömma för den kanariska självständighetsrörelsen på sjuttiotalet. Det var där som bland annat sprängämnena som användes vid bombdådet på Las Palmas flygplats förvarades.

– Herregud, sa Sara och blåste ut luft genom näsan. Kan det vara så att …?

– Att det kanske är barnen som ligger bakom alltihop, fyllde Kristian i. Att de har valt att gå i sin pappas fotspår. Bara ännu våldsammare.

– Vad gör vi nu? utbrast Sara upphetsat.

Kristian var redan på väg upp ur soffan.

– Jag tycker att vi åker till El Pajar.

88

Eftermiddagssolen glödde på himlen och luften stod stilla i det sömniga bostadsområdet ovanför hamnen i Arguineguín. Den norske radioprogramledaren Terje Inngjerdingen stod och tittade ut mot horisonten ett par minuter innan han skulle gå upp till sin radioredaktion som låg på baksidan av hörnfastigheten vid Plaza de las Marañuelas. Händerna vilade på räcket som kändes varmt mot handflatan. Solen hettade i ansiktet. Ännu en ljuvlig dag i paradiset, tänkte han. Han älskade solen, den mörka stranden nedanför där ett par kanariska familjer redan ordnat skugga med parasoller och stora färgglada badhanddukar. Han hade precis ätit lunch på restaurang Julia på hörnan och hejat på Alfonso och Clara som satt på en bänk utanför och tog en rökpaus. Han hade promenerat från sitt hus i villaområdet Loma Dos, även kallat Norsktoppen eftersom det var så många norrmän som bodde där. Terje njöt av att gå genom byn i sina slitna sandaler på väg till redaktionen i Arguineguíns äldre delar. Uppleva gatulivet, hur frisören öppnade dörrarna efter siestan för den sena eftermiddagens gäster, folk som avnjöt en kall öl i solen och doften av stekta köttbullar från den danske slaktaren. Han växlade några ord med den kanariske grönsakshandlaren och köpte en påse apelsiner som var gott att ha som mellanmål när han satt i sändning. Han hade bott på ön i femton år och stortrivdes. Hans psoriasis hade också blivit mycket bättre, han märkte knappt av den längre. Allt blev bättre här: hyn, humöret och välbefinnandet i största allmänhet.

Terje promenerade vidare, över den lilla stenlagda plazan. Det var så fint med den stora scenen mitt på torget. Många gånger hade han suttit på restaurang Julia och tittat på festivaler och uppträdanden, ortens gamlingar som klappade takten när det var folkmusik, ungdomarna som jublade när en populär artist stod på scenen. Arguineguín var i grunden en stilla och lugn by, men när det skulle firas något vaknade alla upp från den vardagslunk som annars präglade dagarna. Han njöt av att kunna prata med kanarierna på deras eget språk, hälsa på alla han träffade. Han hade alltid varit sådan, gillat när livet tog tag i honom. Han småpratade med gubbarna som satt i skuggan under träden på plazan, slog sig ner hos dem en stund och blev bjuden på en kaka av Narcissa i blommig klänning. Hon var åttiosju år, analfabet och kom från Fuerteventura. Hon bodde vid plazan med sin frånskilde son och sin tillika frånskilda dotter. Istället för att leva ensamma alla tre huserade de under samma tak och tog hand om varandra, vilket inte var ovanligt här. En gång hade hon bjudit in honom till sitt trånga kök, bjudit på mat och berättat om sin älskade man som hon träffat när hon var sjutton, men som avlidit ett år tidigare. De hade varit ett par i nästan sjuttio år när han gick bort.

Han stannade till framför den enkla dörren till redaktionen och konstaterade återigen att det var dags att skaffa en ny skylt. Den gamla var snart omöjlig att läsa, blekt av solen och härjad av vinden. Där stod *Radio Vikingo*, vilket han tyckte var ett passande namn på kanalen. Han gjorde program primärt för de norska lyssnarna, men det var också en hel del svenskar som lyssnade och de tycktes faktiskt bli alltfler. Varje gång han låste upp dörren tänkte han på att han måste byta ut skylten, men att skjuta upp saker som inte var så viktiga hade blivit en vana. När han flyttat hit hade folk skämtat om att *mañana*, morgondagen, var den stressigaste dagen av alla. Han hade skrattat åt det i början, men kom så småningom in i samma lunk som kanarierna. Det var sant att det mesta här i livet kunde vänta. Man behövde inte vara så effektiv hela tiden. Och faktum var att det fanns mycket gott i det. Kanarierna tog sig tid att se varandra i ögonen, att hjälpa varandra om det behövdes, även människor de inte kände. De var inte rädda för besvär eller suckade och stönade om något tog lite tid. Där hade skandinaverna mycket att lära.

Han fick fram nycklarna och skulle just låsa upp när han upptäckte att dörren stod öppen. Han rynkade pannan. Hade han glömt att låsa? Han hade i och för sig varit här kvällen före och druckit öl med ett par vänner efter att de ätit middag på fiskrestaurangen nere i hamnen. Han hade väl antagligen, lite på fyllan, slagit igen dörren utan att låsa den. Så måste det ha gått till. Terje skakade lätt på huvudet åt sitt eget slarv. Nu lät han i alla fall dörren stå på glänt. Han hade en inbokad intervju med en lokal, norsk konstnärinna om en halvtimme, Tara Djume. Hon bodde ett stenkast därifrån, på andra sidan plazan, så han hade sagt till henne att hon bara kunde gå rätt in. Studion hade han inrett på andra våningen, på första fanns ett enkelt kök och en sittgrupp, toalett med dusch och ett sovrum när det blev sena kvällar, antingen på jobbet eller ute på byn och han inte orkade ta sig hem.

Han lade märke till ett par polisbilar som passerade på den trånga gatstumpen utanför. Några uniformerade poliser gick också förbi alldeles utanför fönstret. Det var inte ofta man såg sådana längre. Det påminde honom om tiden då Guardia Civil hade sitt högkvarter här, innan de flyttade till Puerto Rico. Han undrade vad de hade för ärende hit.

Terje drog upp persiennerna, vände på de slitna kuddarna i soffan som han köpt billigt på en lokal marknad och satte på kaffebryggaren som stod i hörnet bland några gröna ormbunkar.

Studion var ganska liten, två mikrofoner, en laptop med ett portabelt mixerbord. En effektiv dag kunde han göra radiosändningar för hela veckan, och ägna resten av tiden till att vara på stranden, på en bar eller på grillfest hos vänner. Det var ett bekvämt liv och han trivdes med det.

Plötsligt uppfattade han ett ljud från bottenvåningen. Han kastade en blick på klockan, Tara var tidig. Kaffet var snart klart och han hade inte mycket mer att ordna än att slå på datorn så det gjorde inget. Han plockade fram kaffemuggar, fyllde upp en åt sig själv och tog en slurk. Han hade förberett frågorna. Besökt galleriet på Ancoracentret där konstnären hade ställt ut föregående vecka, pratat med några besökare, tänkte att han kunde använda en del av det materialet i intervjun. Han hade känt Tara i alla år som han bott här, och räknade henne och hennes man som nära vänner. Det var länge sedan han intervjuat henne och nu var det på tiden. Han stannade upp. Det hade gått flera minuter men han hade fortfarande inte hört några steg i trappan.

– Hallå Tara! ropade han. Jag är häruppe!

Inget svar. Han ropade på henne en gång till samtidigt som han gick nerför den trånga trappan med kaffemuggen i handen. Inte ett ljud. Var det kanske vinden, som slagit igen dörren? Genom fönstret såg han palmerna på rad efter stranden, de rörde sig inte. Det var vindstilla. Han vände sig långsamt om. Var det någon där? Med ens tyckte han sig känna närvaron av en annan människa. Plötsligt slogs dörren till hallgarderoben upp och en gestalt kastade sig emot honom. Han föll till golvet och hann precis skymta personen som störtade ut genom köksdörren. Det långa mörka håret. Det tillhörde en kvinna han mycket väl visste vem det var. Hon bodde bara en bit neråt gatan.

Konfunderad stirrade han efter Paula Rivera.

89

Några minuter senare satt Sara och Kristian i bilen på väg mot El Pajar. Kristian körde så fort han vågade på den kurviga kustvägen utefter havet, samtidigt som Sara skickade ett sms om deras upptäckt till Diego Quintana.

– Du känner till klippkyrkan i El Pajar?

– Självklart, sa Sara.

Kyrkan som var insprängd i berget var en välkänd och populär turistattraktion.

– Hugo sa ju att grottan inte ligger långt ifrån den, men längre ut på berget. Den går antagligen inte att nå från ovansidan. Vi måste ta oss uppför berget från sjösidan.

– Betyder det att vi ska klättra? sa Sara och såg förskräckt på Kristian.

De parkerade nere vid stranden och gick snabbt mot berget där grottan var inrymd. Öppningen syntes tydligt när de kom närmare. Sara tyckte att den låg förskräckligt högt upp. Kristian sprang före och sökte utefter berget.

– Där, ropade han när han hittade repet som satt fast i en krok i bergssidan. Han vände sig mot Sara. Du eller jag först?

– Du, så jag får se hur du gör, sa Sara.

Hur i all sin dar skulle hon klara av att ta sig upp hela vägen?

Grottöppningen låg högt ovanför dem. Kristian greppade tag i repet, tog spjärn med fötterna mot berget och började klättra. Överallt fanns små avsatser och ojämnheter som gjorde det möjligt att få fäste och ta sig upp. Några minuter senare stod han på platån framför ingången till grottan. Snabbt drog han isär det tjocka draperiet som hängde för öppningen och gick in. Sara väntade nere på marken och höll andan. Kristian stack ut huvudet.

– Det är tomt, sa han. Men vänta bara tills du får se vad som finns härinne.

Sara tog tag i repet och kanske var det upphetsningen och spänningen över att få veta vad som doldes i grottans inre som gav henne kraft och energi att ta sig upp. Hon fick anstränga sig till det yttersta för att orka häva sig uppåt. Långsamt, en bit i taget. Det tog henne säkert tre gånger så lång tid som Kristian, men hon klarade det. Sista biten grep han tag i henne och baxade henne över klippkanten. Sara låg utmattad på platån, andades häftigt och var tvungen att lugna ner pulsen innan hon förmådde resa sig. Till sist hjälpte Kristian henne på fötter. Hon kunde inte minnas när hon sist gjorde en sådan kraftansträngning. Mitt i alltihop kunde hon inte låta bli att känna sig lite stolt över sin förmåga.

Hon klev in bakom draperiet och slogs av hur svalt och mörkt det var. Grottan var inte stor, en tältsäng stod i ena hörnet och en avlång spegel var lutad mot den skrovliga väggen. På spegeln hängde ett halsband. Sara kände omedelbart igen de svarta pärlorna.

– Titta här borta, sa Kristian lågt, som om han vore rädd att någon skulle höra.

Sara följde honom med blicken. På ett bord låg en stenklubba med kraftigt träskaft. Den påminde om en köttklubba. När hon kom närmare såg hon att klubban var täckt av intorkat blod. En isande känsla genomfor kroppen. Lindas sönderslagna huvud. Fredrik Grens blodiga kropp i kyrkan i Arucas. Framför hennes ögon låg mordvapnet.

90

Kommissarie Diego Quintana drog igen dörren ordentligt bakom sig. Det var inte ofta han stängde dörren till sitt tjänsterum, men när han någon enstaka gång gjorde det förstod hans kolleger att han verkligen behövde få vara ifred och då var det sällan någon som störde. Han var hårt pressad från alla håll. Först de två morden på svenskarna, attentatet mot turistbussen, och nu detta. Det var uppenbart att dåden hängde ihop och att det hade med turismen att göra.

Arbetet var igång på alla fronter, ön Anfi del Mar var avspärrad och ett stort antal kriminaltekniker ägnade sig åt att finkamma området. Hela strandpromenaden ända från Arguineguín till Anfi söktes igenom med hundar. Förhör gjordes med personal, gäster och övriga besökande och han hade satt flera medarbetare på att kartlägga medlemmarna i Lucha Canaria.

Det värsta var nästan att hålla undan pressen. De var som hökar. Dådet på Anfi var naturligtvis uppseendeväckande och kulmen på den senaste tidens händelser. Risken var stor att turisterna nu skulle börja fly Gran Canaria. Spekulationerna på nätet var vilda. Hans telefon ringde i ett kör och han hade blivit tvungen att stänga av den. Han hade sagt till i receptionen att han inte kunde ta emot några samtal överhuvudtaget under den närmaste timmen. Trycket från massmedia var så hårt att de bestämt sig för att utlysa en presskonferens till klockan fem och han hade sammankallat sina närmaste medarbetare till möte klockan fyra.

Han plockade fram en smörgås och en flaska juice som han köpt med sig i brådrasket, sjönk ner i sin fåtölj och andades ut. Herregud, vad var det som var i görningen? Han funderade på syskonparet Rivera, som nyligen gått med i Lucha Canaria och vars pappa var ansvarig för sprängningen på Gandoflygplatsen fyrtio år tidigare. Han hoppades att kollegerna han skickat iväg för att hämta in dem till förhör skulle lyckas få tag i dem. Quintana bet i smörgåsen och knappade in bägge namnen på datorn. Paula var född 1968 och Fabiano två år senare. Paula var ogift utan barn, medan hennes bror hade varit gift i tio år men skilt sig tre år tidigare. Bägge bodde med sina föräldrar på Calle Real del Mar i den gamla stadsdelen i Arguineguín. Paula arbetade extra på ett bageri, men hade ingen fast anställning. Ingen av dem hade några tillgångar, de ägde varken bil eller bostad. Deras föräldrar ägde huset de bodde i, men hade också nyligen sålt en annan fastighet. Han gick vidare och slog i fastighetsregistret. Det rörde sig om en bit mark som låg nära stranden, i skiljelinjen mellan Playa del Inglés och Maspalomas. Föräldrarna hade sålt den bara ett halvår tidigare. När Diego Quintana såg vilka som hade köpt marken drog han efter andan. Där stod tre namn. Bengt Andersson, Linda Andersson och Fredrik Gren. Quintana stirrade på namnen och kände hur hjärtat slog snabbare i bröstkorgen. Där har vi det, tänkte han. Där har vi kopplingen mellan mordoffren som vi har letat efter. Och där har vi ett motiv. Quintana slog igen datorn och reste sig häftigt från stolen. Nu var det bråttom.

91

Kristian vände sig om mot Sara som stod och stirrade på den kraftiga klubban.

– Herregud, sa han. Vi måste härifrån.

– Vänta, sa Sara. Hon drog upp mobiltelefonen ur fickan och började fota.

– Vad håller du på med? sa Kristian. Jag struntar i hur bra bilder du kan få, jag tänker inte riskera livhanken för dina läsare. Kom igen nu!

– Snart. Sara zoomade in på pärlhalsbandet och den rangliga tältsängen och knäppte av. Hastigt stoppade hon ner mobiltelefonen i väskan och skulle just förbereda sig mentalt för klättringen nerför berget igen när ett skrapande hördes mot bergväggen utanför.

Sara tittade skräckslaget på Kristian som satte ett finger över munnen. Hon höll andan.

I nästa ögonblick uppenbarade sig en mörkklädd figur i grottöppningen. Kvinnan som stirrade på dem var lång och muskulös och rörde sig som en panter när hon hävde sig in. Paula Rivera var en vacker, medelålders kvinna med håret i en hårt spänd hästsvans.

Hon gick långsamt mot dem. Hennes ögon glödde av hat.

Tankarna blixtrade sekundsnabbt i Saras huvud. Var Paula mördaren? Sedan skedde allt fort. Innan Kristian hann reagera rörde Paula sig mot honom, böjde sig framåt i farten och med hela sin kroppsvikt utdelade hon ett kraftigt slag med handryggen mot hans hals. Han segnade ner på golvet.

Saras kropp reagerade snabbare än hennes förnuft. Hon flög på angriparen bakifrån och tog tag så hårt hon kunde runt Paulas nacke. Hon fick en vass armbåge i magen och tappade all luft, vek sig dubbel och föll ihop. I ögonvrån såg hon Kristian stappla upp på fötter. Paula svängde runt och gav honom ett hårt knytnävsslag i tinningen.

Sara greps av panik och kastade sig mot grottöppningen, famlade desperat efter repet. Paula vände sig om, fick tag i byxlinningen på Sara och drog henne till sig. Hon hamnade på rygg och Paula satte ena knäet mot hennes hals medan hon höll fast hennes armar. Det svartnade för Saras ögon.

Paula lade ena handen tungt över Saras ansikte, fingrarna spretade över näsa, mun och ögon. Sara insåg att hon inte hade en chans. Skulle det sluta så här? Barnens ansikten flimrade förbi, Lasses fina ögon. Det blev tyst omkring henne. Sara tittade upp på Paulas förvridna ansikte. Hennes blick var fjärmad, distanserad, som om hon befann sig i sin egen förvrängda verklighet. Var den här galna kvinnan det sista Sara skulle ha på näthinnan innan hon dog?

Långt borta tyckte sig Sara höra röster. Sms:et till Quintana. Hade han lagt ihop ett och ett? Paula reagerade inte, hon verkade inte ha uppfattat ljudet. Med förnyad kraft försökte Sara vrida sig loss ur hennes grepp. Vreden över det som höll på att hända fyllde Sara och tog över rädslan. Än var det inte över. Hon hade så mycket kvar att leva för.

– Släpp mig, flämtade hon och spände ögonen i Paula.

Paula tryckte sitt knä hårdare mot Saras hals. Hon kippade efter luft. I nästa ögonblick såg hon en gestalt klättra in genom grottöppningen.

– Ge upp, det är polisen! ropade någon.

Bakom Paulas rygg såg hon Quintana med höjt vapen. Lättnaden genomfor hennes kropp. Han var här nu.

Ett skott brann av och greppet runt halsen lossnade. I nästa sekund var de omringade av poliser. Quintana störtade fram till Sara.

– Hur gick det, min kära?

Sara kunde inte få ur sig ett enda ord. Quintana höll hennes ansikte mot sig. Hans ögon var varma och fyllda av ömhet.

– Såja, du har klarat dig. Allt blir bra.

Det var över.

92

Kvällssolen färgade dynerna röda och sanden skimrade i ljuset. Sara och Kristian vandrade utefter den långa och breda sandstranden som sträckte sig flera kilometer mellan Playa del Inglés och Maspalomas. Så här dags på dagen hade det tunnats ut med folk, de flesta var på väg därifrån och kvar fanns enstaka flanörer och ett och annat grabbgäng som spelade fotboll i den sista kvardröjande solen. Det kändes skönt att gå så här, tysta sida vid sida. Den senaste tidens dramatik, både inom jobbet och det privata, hade tagit på krafterna och Sara njöt av lugnet mellan dem. Hon och Lasse hade haft flera djupa samtal på sistone, de hade pratat om sin relation, vad de bägge saknat och hur de skulle kunna få det bättre. De hade också bokat tid hos en parterapeut. Mer kunde de inte göra just nu. Det kändes som om de kommit närmare varandra och hon förstod Lasse bättre, även om steget fortfarande var långt till att hon skulle känna samma tilltro till äktenskapet som förr.

Hon sneglade på Kristian, han gick där med sitt mörklockiga hår som fladdrade lite i vinden, sina solglasögon. De hade tagit av sig skorna och promenerade barfota i vattenbrynet. Nu satt Paula Rivera bakom lås och bom i anstalten i Juan Grande tillsammans med sin bror Fabiano, som misstänktes för medhjälp. Om det förhöll sig på det viset visste man inte säkert. Saken skulle utredas. Efter sprängningen på Anfi hade Fabiano flytt upp till sin morbror Mateo på getfarmen och där hittade polisen honom samma kväll som Paula greps. Hon fördes till sjukhus för sin skottskada i benet, men skrevs snart ut och fördes till häktet. Häktningsförhandlingar hade hållits och nu väntade åtal. Något erkännande hade ännu inte kommit, men det fanns mycket att ta tag i: två överlagda mord, ett mordförsök, bombattentatet mot turistbussen och sprängdådet på Anfi som orsakade en människas död, flera skadade och stor förödelse. Paula Rivera misstänktes för att ha planerat och genomfört samtliga dåd, utan inblandning från självständighetsrörelsen Lucha Canaria.

– Vad har du för teori? frågade Kristian och såg på Sara. Var Fabiano inblandad?

– Nej, jag tror faktiskt inte det, svarade hon och tittade ut över havet. Däremot är det möjligt att han började misstänka henne på slutet, precis som han har sagt i förhören. Han tyckte att hon blev mer och mer radikal, mer aggressiv. Men han hann inte stoppa henne.

– Det verkar som om hon blev besatt av guancherna och deras traditioner, fortsatte Sara. Mordvapnet, flintklubban, är en direkt kopia av ursprungsbefolkningens vapen. Hennes vansinne tycks ha stegrats för varje nytt dåd hon begick. Man får väl se vad den rättpsykiatriska undersökningen visar. Utan tvivel var det försäljningen av marken som var den utlösande faktorn. Det triggade igång henne, sen blev det bara värre och värre.

– Och du hade kunnat råka illa ut, sa Kristian och strök henne ömt över ena armen.

Sara gav honom en snabb, lite generad blick.

– Men nu blev det inte så.

– Och hur blir det med Ricardo, ska du fortsätta med pianolektionerna?

– Jag tror jag väntar med det.

– Det stämde ju att han hade haft en lektion i alla fall, samma dag som Fredrik mördades, sa Kristian. Han talade sanning hela tiden, även om det verkade skumt ett tag.

De fortsatte mot fyren i Maspalomas och passerade så småningom den lilla sötvattenssjön som inte var stort mer än en damm, men där flera fågelarter höll till.

– Det är här ovanför nånstans marken ligger, sa Sara och pekade bort mot sjön. Den som Paula och Fabianos föräldrar ägde och som de sålde för en spottstyver. När Fabiano jobbade på Svenska baren berättade han för Fredrik om marken och hans familjs ekonomiska situation, vilket Fredrik, Bengt och Linda inte var sena att utnyttja.

– Det är förjävligt, fyllde Kristian i.

– Har du inte hört? sa Sara. Allt ordnar sig nu i alla fall. Hanne Gren, Fredriks fru, var aldrig med på det där, hon satte sig emot att de skulle köpa marken. Efter Fredriks död tillfaller halva jordlotten henne. Nu har hon och Bengt kommit överens om att ge tillbaka marken till María och Juan Rivera.

– Det menar du inte? utbrast Kristian. Vilken solskenshistoria.

– Nja, med tanke på att deras dotter kommer att åtalas för flera mord och sprängdåd och sonen är misstänkt för medhjälp så vet jag inte om det är en korrekt benämning.

De fortsatte en stund under tystnad. Nu var de strax framme vid restaurangerna i Meloneras.

– Ska vi äta en bit? föreslog Sara.

– Gärna. Det ska bli skönt att lämna det här och fokusera på annat.

Sara stannade upp och vände sig mot Kristian.

– Det är en sak jag måste berätta för dig. Jag hade egentligen tänkt vänta tills jag hade mer på fötterna ...

– Vad är det?

– Du vet mannen som dog vid det övergivna huset i Ayacata ett år efter att Eline försvann?

– Ja?

– Ramón, den gamle mannen vi träffade vid huset ringde mig i morse. Han hade lyckats luska reda på den förolyckade mannens namn. Han hette José Luis Santana, och var en känd kriminell och missbrukare från Ayacata. Ramón hade kommit i kontakt med en av hans barndomsvänner. Det visade sig att killens föräldrar är döda sen länge, de var också knarkare bägge två. Det verkar ha varit mycket strul i den där familjen så det var kanske inte så konstigt att det gick som det gick. Men José Luis hade en storasyster. Som tycks leva ett vanligt, hederligt liv.

– Jaha?

– Bara ett halvår innan Eline försvann födde systern ett barn som dog under förlossningen.

– Och?

– Det tog henne tydligen väldigt hårt. Och det slutade med att läkarna sa till henne att hon aldrig kunde bli gravid igen.

Kristian stannade upp och tog tag i hennes arm.

– Vart vill du komma?

Sara såg allvarligt på honom.

– Det är bara en teori, Kristian, bara en teori.

Författarens tack

Först och främst ett stort tack till mina barn Rebecka och Sebastian Jungstedt, för allt ert stöd, all omtanke och hjälp. Och till mina vänner Tara Djume och Rune Johansen för att ni var med och bidrog när idén till denna bok föddes och till Ruben Eliassen för din medverkan.

Även stort tack till:
Bente Storsveen Åkervall, redaktör tidningen Dag & Natt
Lena Allerstam, journalist
Ulf Åsgård, psykiater och gärningsmannaprofilexpert
Fredrik Kroon, Svenska baren, Puerto Rico
Gittan Frejhagen, författare till boken Pionjärerna
Björn Westin, Rocky Adventure, Gran Canaria
Martin Csatlos, överläkare, Rättsmedicinalverket
Johan Gardelius, kriminaltekniker, Visbypolisen
Magnus Frank, kriminalkommissarie, Visbypolisen
Katerina Janouch, författare
Anders Glemne och *Gun G Bellini*, Rocas Rojas, San Agustín
Daniel Ogne, videoregissör

Tack till mitt fantastiska förlag med alla proffsiga medarbetare, framför allt min förläggare *Lotta Aquilonius* och mina redaktörer *Sara Arvidsson* och *Ulrika Åkerlund*. Min formgivare *Sofia Scheutz* och min fotograf *Anna-Lena Ahlström*.

Ett stort tack till mina agenter på Bonnier Rights, *Celine Hamilton* och *Elisabet Brännström*. Även ett jättetack till *Anna-Karin Eldensjö* och *Magnus Rönnerwall* på ATN.

Bahía Feliz i mars 2017
Mari Jungstedt